O
CLUBE
DOS
OITO

Também de Daniel Handler:

Por isso a gente acabou

O CLUBE DOS OITO

Daniel Handler

Tradução
FABRICIO WALTRICK

O selo Seguinte pertence à Editora Schwarcz S.A.

Grafia atualizada segundo o Acordo Ortográfico da Língua Portuguesa de 1990, que entrou em vigor no Brasil em 2009.

A citação original utilizada nesta edição foi retirada de *Otelo*, de William Skakespeare (Trad. de Lawrence Flores Pereira. São Paulo: Penguin-Companhia, 2017).

TÍTULO ORIGINAL The Basic Eight

CAPA André Hellmeister

FOTO DE CAPA © Ljupco Smokovski/ Shutterstock

PREPARAÇÃO Lígia Azevedo

REVISÃO Renato Potenza Rodrigues e Larissa Lino Barbosa

Dados Internacionais de Catalogação na Publicação (CIP)
(Câmara Brasileira do Livro, SP, Brasil)

Handler, Daniel
O clube dos oito / Daniel Handler ; tradução Fabricio Waltrick. — 1ª ed. — São Paulo : Seguinte, 2018.

Título original: The Basic Eight.
ISBN 978-85-5534-065-9

1. Ficção norte-americana I. Título.

17-11116 CDD-028.5

Índice para catálogo sistemático:
1. Ficção : Literatura juvenil 028.5

[2018]
Todos os direitos desta edição reservados à
EDITORA SCHWARCZ S.A.
Rua Bandeira Paulista, 702, cj. 32
04532-002 — São Paulo — SP
Telefone: (11) 3707-3500
www.seguinte.com.br
contato@seguinte.com.br

/editoraseguinte
@editoraseguinte
Editora Seguinte
editoraseguinte
editoraseguinteoficial

Apresentação

Eu, Flannery Culp, estou jogando paciência enquanto termino isto. Jovens superdotados não têm problemas em fazer duas coisas ao mesmo tempo — e já joguei paciência tantas vezes que se tornou algo natural para mim. Até me ajuda a pensar. Quando não consigo decidir a melhor estrutura para uma frase, passo os olhos pela minha cama impecavelmente arrumada, onde o jogo está estendido, e vejo: sete vermelho sobre oito preto. Como não enxerguei isso antes?

Estou sozinha neste lugar, sentada em frente a uma máquina de escrever com meu diário à esquerda e uma pilha de folhas datilografadas à direita. Sou uma mulher com um teto todo seu, igual àquela escritora. Releio meu diário e datilografo minha vida em folhas de papel ultrabranco. Quando cometo um erro, só preciso voltar algumas letras e escrever por cima. Estou usando uma dessas máquinas de escrever com fita corretora, por isso consigo apagar todos os equívocos, só deixando algumas marquinhas leves que vão desaparecer por completo quando eu fizer uma cópia do material. Todos os vestígios de fatos equivocados e erros tipográficos vão desaparecer enquanto preparo esse texto para enviar aos editores. Metaforicamente falando.

Posso falar uma coisa? (Pergunta retórica.) Alguém está ouvindo rádio no último volume no corredor, o que está me deixando louca. Está sintonizado numa estação "que toca os maiores hits do país", ou seja, recita frases de cartões comemorativos entre solos de guitarra. Odeio isso. Além do mais, é muita falta de consideração dessa pessoa que sequer conheço. Quando coloco uma música para tocar — e quase sempre ouço música clássica, como Bach —, deixo baixinho, porque penso nos outros. Só queria desabafar.

Desconfio que o ás de ouros está trancado para sempre, virado para baixo, sob o rei de ouros, que sorri com desprezo para mim. Sinto como se minha vida toda tivesse sido tão mal-embaralhada quanto. Mais algumas cartadas e o alvo poderia ter sido meu professor de matemática, ou algum outro: Johnny Hand ou Millie. A Grande Ópera do Café poderia se tornar um "aspecto importante" do Clube dos Oito, e Flora Habstat poderia ter acabado no programa da Winnie Moprah dizendo que éramos um grupo de loucos por ópera, em vez de ficar falando asneiras sobre satanismo do jeito que fez; embora eu imagine que, em circunstâncias um pouco diferentes, Flora *poderia* ter sido uma de nós e assim sabido de verdade do que estava falando. Com mais algumas cartadas, poderia ter sido outra pessoa, e não a sra. State, fungando durante o programa junto com um grupo para investigação de cultos com o nome de seu filho assassinado. Nesse caso, ela teria apenas sacudido a cabeça negativamente enquanto assistia à transmissão, depois pegaria o telefone para ligar para o filho e para a noiva dele: *eu*. As coisas poderiam ter sido diferentes. Adam teria me mandado desaparecer numa livraria enquanto me comprava um presente. Eu teria vagado entre os corredores menos interessantes, como jardinagem, animais de estimação, turismo e, enfim, crimes. Talvez batesse os olhos em algum livro um pouco diferente, naquele mundo ligeiramente diferente, onde meu amor por Adam teria terminado bem, e não em tragédia: o Clube dos Seis, o Clube dos Sete.

Mas este não é um livro de confissões de um crime real. Este é meu diário, com tudo o que escrevi na época, editado por mim. A revisão foi mínima: só fiz modificações quando senti que algo que escrevi não correspondia ao que estava passando pela minha cabeça. Afinal, eu só tinha dezoito anos na época. Agora tenho quase vinte. Aprendi muita coisa sobre estrutura narrativa na turma avançada de inglês, por isso sei o que estou fazendo. Todos os nomes são reais, bem como os vários apelidos. Acredite se quiser: aumentaram o volume do rádio ainda mais.

Seguindo um processo de eliminação (pequena demais, grande demais, não vai aguentar na parede com fita adesiva comum), tenho uma única foto dos Assassinos Erroneamente Rotulados colada na parede, e com isso estou me referindo aos meus amigos, o Clube dos Oito. Ela fica na minha frente. Num raro momento de sincronia, todos estão olhando para a câmera — ou seja, todos estão olhando para mim. Kate apoiada num dos braços, em vez de sentada no sofá como um ser humano normal, numa pose meio convencida, como se estivesse acima de nós. V. bem ao lado dela, tateando suas pérolas, com uma cara bem melhor que a de todo mundo, graças à maquiagem perfeita — melhor até que a de Natasha, o que não é pouca coisa. Lily e Douglas, aconchegados no sofá, ela entre nós dois — como sempre —, ele parecendo impaciente, louco para continuar a falar com Gabriel e não querendo perder a linha de raciocínio só por causa de uma foto idiota. Gabriel, com suas mãos negras contrastando com o avental branco, espremido na ponta do sofá com ar desconfortável. A linda Jennifer Rose Milton, de pé ao lado do sofá, em uma pose que pareceria muito formal para qualquer pessoa que não fosse tão maravilhosa quanto ela. Estendida toda lânguida abaixo de nós, Natasha, com um longo dedo entre os lábios, piscando para mim. Estou falando desta "mim" aqui, que datilografa, não a da foto, que também me olha, o que também é simbólico. Hoje a maior parte dessas pessoas não olha mais para mim, mas não sou uma delas. Olho para mim mesma enquanto escovo os dentes todas as manhãs, depois de tomar banho. Agora pegue a fotografia. (Espero que você possa fazer isso, leitor. Quero que uma cópia dela seja inserida em cada exemplar, como recurso visual e marcador de página. Não é uma ótima ideia?) Olhe bem fundo nos olhos de cada um de nós e tente nos imaginar como pessoas em vez das figuras mitológicas sanguinárias que você deve ter visto em programas de TV de quinta categoria. Nem vem negar, você sabe que gosta deles.

Será que alguém vai ler esta apresentação? Quando isto for publicado (com todo o lucro revertido, por lei, para instituições de caridade), minha própria apresentação deve ficar enterrada entre outros prefácios e introduções escritos por psicólogos especializados em adolescentes famosos, autoridades legais, diretores de escolas e especialistas em bruxaria, e todos serão completamente ignorados, já que os leitores querem ir direto ao assunto. É inevitável que este livro seja classificado no mercado como trash. A maioria dos leitores folheará as primeiras páginas enquanto os comissários de bordo passam as instruções de segurança, e no momento em que estiver voando vai passar para o diário em si, onde tudo começa de verdade. Talvez olhe para meu nome na apresentação com desdém, esperando pedidos de desculpa ou de piedade. Mas você não vai encontrar nada disso aqui.

Talvez, porém, as pessoas leiam a citação que abre o diário. Eu a tirei da biblioteca de acervo limitado deste lugar, para revelar a ignorância dos gurus da psicologia do grande público que estudam pessoas como eu. É claro que não sou alho nem bugalho. Sou uma pessoa real, igual a você. Este diário é real. Assim como a fotografia que você está usando para marcar a página, à qual ninguém jamais teve acesso. Ela é mais real que todas aquelas fotos que as revistas publicaram. Aquelas eram nossas fotos de escola, tiradas quando estávamos com roupas apropriadas, sorrindo para nossos parentes de outros estados, para quem nossos pais iam mandá-las por correio. Este diário é a verdade, a verdade verdadeira. Este livro é o mais real possível. Tão real — me deixe pensar — tão real quanto a rainha vermelha que eu acabei de virar, ou o rei preto que cobri com ela.

Vocabulário

METAFÓRICO RETÓRICO ATROCIDADES
ESTRUTURA NARRATIVA ADOLESCENTES DESDÉM

Questões para análise

1. O que você já sabe sobre o Clube dos Oito? De que forma isso afetará o que está lendo aqui? Discuta.

2. A maioria das pessoas que escreve diários quer mantê-los secretos. Por que você acha que isso acontece?

3. Se você fosse tornar seu diário público, ia editá-lo antes? Por quê? (Se você não tem um diário, finja que tem.)

4. Costuma-se dizer que o ensino médio é a melhor época da vida de uma pessoa. Se você já se formou, isso foi verdadeiro no seu caso? Por quê? Se ainda não entrou no ensino médio, como acha que pode se preparar para fazer dessa a melhor época da sua vida? Seja específico.

Uma das razões para a adolescência ser uma fase tão torturante é que, na maioria das sociedades, particularmente na nossa, o adolescente é um ser que, emocionalmente, não é alho nem bugalho.

Dr. Herbert Strean e Lucy Freeman,
O desejo de matar: o assassino em nossos corações

Vamos começar com minhas cartas para um certo Adam State.

Verona, 25 de agosto
Querido Adam,

Você estava certo: o único jeito de realmente olhar para a Itália é parar de se importar com o catolicismo que está em todo lugar e só sentar e tomar um café. Passei as últimas horas fazendo isso. É o nosso último dia em Verona, então meus pais ainda querem visitar milhares de galerias de arte antes de voltar para casa com um quadro sobre o qual poderão se gabar, mas eu já estou bem feliz por estar sentada numa praça observando as pessoas passarem com seus sapatos maravilhosos. É um café com mesas ao ar livre, claro.

O sol está forte. Se não fosse pelos óculos escuros, eu estaria aper-

tando os olhos. Outro dia tentei escrever um poema chamado "Luz italiana", mas não estava ficando muito bom e a camareira o jogou fora por engano, porque escrevi no bloco de notas do hotel. Eu me pergunto se isso aconteceu com Dante. De qualquer modo, depois de uma longa discussão com meus pais sobre eu estar ou não dando o devido valor a eles, à Itália e a todas as oportunidades que tenho, recebi permissão — obrigada, ó deuses celestiais — para ficar num café enquanto eles vão atrás de arte. Passei um bom tempo só lendo e observando as pessoas, mas no fim achei que devia pôr a correspondência em dia. Com tanta cafeína no corpo, ou fazia isso ou sairia pulando numa fonte igual àquele filme do Fellini que assisti com a Natasha. Você conhece a Natasha Hyatt, né? Cabelo comprido, tingido de preto-azulado, visual meio vampiresco?

Topei com uma metáfora ótima enquanto procurava algo na livraria do hotel. Na verdade, era quase uma banca de revistas... Como de costume, trouxe para a Itália um monte de livros, achando que seria mais que o suficiente, mas, como de costume também, terminei dois no avião e o resto na primeira semana. Então lá estava eu, vasculhando o escasso acervo de livros em inglês, atrás de algo que prestasse. Eu estava a ponto de acrescentar um romance do Stephen Queen à minha mirrada pilha de mistérios quando pensei: será que o ano que vem vai ser assim? Será que tenho coisas interessantes o bastante à minha volta ou será que vou me ver sem nada para fazer num país que não fala minha língua? Não quero soar como aquela coisa de impostor-que-odeia-impostores do Salinger, mas em Roewer às vezes todo mundo parece tão idiota que, se não fosse por meus amigos e outras poucas pessoas interessantes ali, eu ia ficar louca. E você é uma das "outras poucas pessoas interessantes". Sei que não nos conhecemos muito bem e que deve estar achando essa carta estranha, se é que está lendo isto, mas gostei muito das conversas que tivemos no fim do ano — você sabe, a respeito de como a escola era idiota, de alguns livros e da sua própria viagem para a Itália. Você é um dos não idiotas e não impostores por lá. Sinto — não sei — uma conexão ou coisa assim com você. Bom, por sorte estou ficando sem espaço, então vou fechar o envelope antes que mude de ideia.

Abraços,

Flannery Culp

P.S. Desculpe a mancha de café. Os garçons aqui são todos lindos, mas muito estabanados e acho que são gays.

Florença, 1º de setembro

Querido Adam,

Se escrever uma carta para você já era audacioso, imagine duas. Mas sinto que você é a única pessoa capaz de me entender neste momento e que já escrevi cartas demais para os outros — como falei da última vez, tenho andado com muita energia por causa de todo o café que rola por aqui.

De qualquer maneira, você é a única pessoa capaz de entender o que quero dizer, porque tem a ver com a livraria do hotel que mencionei. Ontem, ao ver o Davi *do Michelangelo, tive uma experiência exatamente oposta àquela. Quer dizer, é lógico que eu já tinha visto a imagem do* Davi *dezoito milhões de vezes, por isso não estava com muita expectativa... Mais ou menos como quando vi a* Mona Lisa *no ano passado. Fiquei na fila, dei uma olhada e pensei: É a* Mona Lisa*, beleza.*

Ele era imenso. Da cabeça aos pés, absolutamente gigantesco. Não apenas escultural (bá-dum-tss!), mas enorme como um pôr do sol, ou como uma ideia que conseguimos compreender apenas pela metade, ou nem isso. Ele me deixou sem ar. Fiquei dando voltas ao seu redor, não porque precisava, mas porque sentia que ele merecia toda atenção que eu podia dar. Examinei cada parte sua de perto, pois tentar ver a coisa inteira seria como olhar para o sol. Era a rigorosa representação de um ser humano que superava qualquer publicidade barata a seu respeito. Levou embora todo o meu cinismo e simplesmente me obrigou a olhar. Saí de lá pensando. Me senti mais adulta.

Mas só depois de terminar um dos meus romances policiais no hotel naquela noite foi que pensei na metáfora por trás daquela experiência. Fui ver o Davi *esperando uma experiência vazia e artificial; em vez disso, tive uma nova e verdadeira. Eu achava que não experimentaria nada novo depois de ter começado a beber e perdido a virgindade. Talvez seja isso que me aguarda ano que vem. Novas experiências verdadeiras. Talvez ao escrever para você, uma pessoa nova na minha vida, eu embarque em algo tão novo quanto. O* Davi *me encheu de esperança. Como você me enche. E acabou o espaço de novo.*

Até mais,

Flan

E um cartão-postal, escrito em 3 de setembro, com carimbo do dia 4, em que está escrito no verso:

Olha, o que minhas cartas estão tentando dizer é que eu te amo. E estou falando de amor de verdade, do tipo que pode superar a chatice do ensino médio. Volto da Itália no dia 4, sábado, à noite. Me liga no domingo. Não estou falando isso só por causa do vinho.

E na frente tem uma foto do *Davi*, com o carimbo postal de um funcionário dos correios muito espirituoso bem sobre a virilha.

Vocabulário

VAMPIRESCO AUDACIOSO PUBLICIDADE BARATA
SOBRIEDADE VIRGINDADE CARIMBO POSTAL

Questões para análise

1. "Há três coisas na vida que não voltam atrás: a flecha lançada, a palavra pronunciada e a oportunidade perdida", diz um provérbio chinês. Há outras coisas que, uma vez feitas, não voltam atrás?

2. Na maioria dos países, uma vez enviada ao correio, uma carta não pode ser recuperada. Você considera isso justo? Pense antes de responder.

3. Levando em conta o jet lag, quanto tempo você esperaria para telefonar para alguém chegando de outro continente? Se fosse você a voltar, quanto tempo seria razoável esperar até concluir que a ligação nunca ocorreria? Parta do princípio de que você deixou a linha o mais disponível possível, mantendo as outras ligações breves.

Segunda-feira, 6 de setembro

Finalmente me recuperei do jet lag, então é hora de estrear meu diário-italiano-novinho-em-folha-e-caríssimo-com-capa-preta--de-couro. Os historiadores atentar-se-ão ao fato de que minhas habilidades de pechincha ainda não estavam em sua plenitude no momento em que fiz a aquisição, que é a razão pela qual estou escrevendo frases elaboradas para justificar meu gasto. De qualquer modo, desde que voltei, há dois dias, não tenho feito muita coisa além de ficar sentada, tentando ligar para meus amigos. Meu quarto se tornou a câmara de descompressão perfeita entre a civilização europeia e a americana, porque ninguém me atende, então tive tempo para me readaptar.

Todo mundo estava fazendo coisas fora de casa. Isso me deixou chateada e contente ao mesmo tempo, porque assim não fiquei muito no telefone. Quero deixar a linha desocupada para Adam. Ele ainda não ligou. Quero acreditar que está viajando, mas as aulas começam amanhã, então já deve ter voltado para comprar novas calças cáqui.

Bem na hora em que ia repassar cada uma das minhas cartas mentalmente, Natasha ligou. "Você conhece a Natasha Hyatt, né? Cabelo comprido, tingido de preto-azulado, visual meio vampiresco?" Que coisa mais idiota de se escrever! Atendi no terceiro toque, mas, antes que pudesse abrir a boca, escutei sua voz ofegante.

— Flan, você está esperando *algum cara* te ligar?

Leitor, note que ela pronuncia meu apelido não como a primeira sílaba do meu nome geralmente é pronunciada, mas como o "pudim cremoso, feito de leite, açúcar e ovos, servido com calda de caramelo".

Pus de lado *Os zumbis de Salem*, a última das minhas aquisições na livraria do hotel. Quando começo uma coisa, preciso ir até o fim, não importa quão ruim seja.

— Oi, Natasha. Como adivinhou?

Ela suspirou, relutante em explicar o óbvio.

—Você acabou de voltar da Europa, meu caro Watson. Deixou uma mensagem de "Oi, voltei" na secretária eletrônica de todo mundo, portanto não saiu de casa. Isso quer dizer que está no quarto, lendo ou escrevendo. Você pode atender o telefone sem nem levantar da cama, mas esperou que tocasse três vezes. Enfim, precisamos de material pras aulas. Vamos tomar um café e comprar uns cadernos fofinhos.

— Cadernos fofinhos? — perguntei. — Não sei. Eu meio que tenho que...

— Cadernos fofinhos, *sim*. É o *terceiro ano*, Flan. Temos que arrasar. Se encontrarmos lápis com as cores da escola, vamos comprar.

Mas primeiro precisamos de café, lógico. Te encontro no Expresso do Meio-Dia, tá bom?

Ela já ia desligar.

— Espera! Que horas?

— Assim que chegarmos lá, ué. Enquanto estava no Velho Continente esqueceu como funcionamos? Aliás, esqueceu a gente total, né? Ninguém recebeu nem um postal.

— Desculpa.

— Tá, tá, tá. Deixa a secretária eletrônica ligada caso ele te ligue. E vou querer saber *tudo* sobre essa história. Quanto mais você falar com secretárias eletrônicas e elas com você, mais readaptada vai estar. *Ciao*.

O telefone fez um estrondo quando ela o desligou.

Só Natasha tem a capacidade de fazer com que eu me mexa com tanta rapidez. Liguei a secretária e saí do quarto voando. Voltei, peguei meu casaco, saí do quarto correndo, voltei, peguei dinheiro para o ônibus e saí do quarto correndo. Tinha esquecido de que às vezes fazia frio em setembro em San Francisco e de que meu passe de estudante não estava válido. Assim que entrei no ônibus, adotei minha cara-de-paisagem-em-transporte-público, mas no momento em que desci não consegui conter meu sorriso. Eu estava feliz em rever Natasha. Nem sempre é fácil aguentar sua pose, uma mistura de Bette Davis com Dorothy Parker, mas no fundo ela faria qualquer coisa por mim.

O Expresso do Meio-Dia fica enfiado num bairro cheio de pré-adolescentes hippies e livrarias engajadas na legalização da maconha, mas a vizinhança é só um pequeno preço a pagar pelo fabuloso mobiliário dos anos 1950 e pelo fato de não cobrarem nada a mais se você quiser extrato de amêndoas no latte — minha escolha de sempre. Natasha já estava lá. A primeira coisa que reparei foi em seu batom, embora o vestido verde-floresta fosse um forte concorrente.

— *Flan!* — ela gritou, como se estivesse pedindo a sobremesa.

Homens de vinte e tantos anos ergueram a cabeça até então afundada em seus livros de sebo e jornais alternativos e a seguiram com os olhos enquanto atravessava o café. Natasha me abraçou e por um instante me vi agarrada a um corpo que me fez ter vontade de voltar para casa e nunca mais comer na vida. Natasha é uma dessas alunas de ensino médio que parecem mais uma atriz fazendo o papel de uma aluna de ensino médio na TV.

— Oi — falei tímida, desejando que tivesse vestido algo melhor. De repente, um verão sem nos vermos pareceu muito tempo. Ela me olhou dos pés à cabeça, engolindo em seco. Ficamos ali paradas.

— Vou pegar algo para beber — avisei.

Natasha pareceu aliviada.

— Boa ideia.

Os homens de vinte e tantos anos aos poucos voltaram para seus livros de sebo e jornais alternativos. O que eu não daria para que alguém que já estivesse na faculdade me olhasse daquele jeito. Peguei meu latte e fui me sentar de frente para Natasha, que pousou o livro na mesa e me encarou. Espiei a lombada.

— Anaïs Nin? Sua mãe sabe?

— Foi mamãe que me emprestou — Natasha respondeu, revirando os olhos. Natasha sempre se refere a sua mãe como "mamãe", fazendo parecer que ela é uma senhora da alta sociedade, quando na verdade é professora de antropologia na faculdade. Folheei o livro enquanto Natasha dava um gole de uma bebida espumante verde-clara. *Vejo você mordendo e arranhando. Ela aprendeu a provocá-lo também. Os gemidos eram cadenciados e às vezes lembravam os arrulhos dos pombos.* É bom deixar essas frases pornográficas em itálico, para chamar a atenção das pessoas quando folhearem este livro. É preciso saber se vender.

— Por que não pegou um latte? — perguntei, apontando para a poção verde. — Achei que era sua bebida favorita.

— Depois desse verão, começou a ter o mesmo gosto de outro fluido corporal — Natasha respondeu, olhando para mim de modo sugestivo. Seus olhos estavam supermaquiados, como sempre.

— Conta — pedi, feliz em poder falar sobre algo que não envolvesse minha confissão amorosa via postal com um garrancho apressado, embebido de vinho. Só de pensar naquilo tive vontade de me esconder embaixo da mesa, que era de um tom deplorável de rosa.

— Tá bom, vou contar sobre a *minha* vida amorosa, só que depois vamos ter que falar da *sua*. Mas antes essa soda italiana precisa de um toque especial. — Natasha tirou uma garrafinha do bolso e derramou um líquido transparente na bebida. Ela vive fazendo isso. Às vezes acho que é só água, mas não tenho coragem de desmenti-la. Então ela me contou de um cara que conheceu no curso de verão de religião comparada de Harvard. Natasha sempre teve fascínio por aquilo que as pessoas veneram. Kate costuma dizer que, na verdade, o que a fascina é o fato de não *a* estarem venerando. De qualquer modo, todo verão, Mamãe torra seu suado dinheirinho para levar Natasha para o outro lado do país, onde ela fica com uns caras maravilhosos, tudo em prol de sua educação. Segundo Natasha, o último era cinco anos mais velho e estudava em uma prestigiada faculdade de filosofia. Acho que não devo mencionar seu nome aqui, porque não quero que sua reputação seja manchada pela associação, ainda que breve, com o célebre Clube dos Oito.

— Supostamente ele é brilhante — Natasha comentou —, mas nem tivemos tempo de conversar. Foi praticamente só sexo. Vai demorar um pouco pra eu querer beber algo que envolva espuma de leite. — Com um gesto exagerado, ela bebeu o resto da soda e fiquei observando sua garganta enquanto a engolia.

Dei um suspiro. (Minha lembrança é tão rica em detalhes, leitor. *Dei um suspiro*. Lembro como se fosse ontem.)

— Você vai pra Boston, uma cidade superpuritana, e fica com um gênio que ainda por cima não cansa *nunca* de transar...

Natasha usou sua unha vermelho-sangue para abrir um buraco na minha frase.

— Pra ser mais precisa, ele era um cara que não cansa *nunca* de transar e que ainda por cima era um gênio.

— ... enquanto eu vou para a Itália, o país mais romântico do mundo, e o único homem capaz de fazer meu coração acelerar é esculpido em mármore. — Descrevi brevemente minha experiência com o *Davi* de Michelangelo. Enquanto me ouvia, ela saiu da personagem por um instante, balançando a cabeça de leve. Seus brincos prateados brilhavam. Fiquei orgulhosa por tê-la feito se calar; nem meus melhores poemas haviam conseguido tal proeza. Assim que terminei, Natasha lembrou de quem era.

— Então é esse o cara que você está esperando ligar? — ela perguntou. — Posso te dar uma dica? Estátuas não telefonam. *Você* vai ter que tomar a iniciativa.

— E o que você sabe sobre isso? — perguntei. — Achava que você só ia pra cama com *qualquer coisa que se mexesse*.

Natasha jogou a cabeça para trás e gargalhou. Livros de sebo e jornais alternativos baixaram mais uma vez; todos os homens do lugar desejando ser a pessoa que a fazia rir daquele jeito. Aproveitei que ela ainda estava rindo para dizer:

— É o Adam State, o cara que estou esperando ligar. — Assim que finalmente consegui tirar aquilo do peito, pareceu bem menos importante; um problema feito não de forças naturais monstruosas, mas de simples substantivos próprios. Nome: Adam; sobrenome: State.

A gargalhada foi interrompida como se alguém tivesse puxado uma tomada.

— *Adam State?* — ela gritou. — Como é que você pode estar a fim de alguém com o nome de um economista famoso?

— Não tem a ver com o nome. É...

— É inevitável — Natasha completou, apertando os olhos. Ela parou ao ver a minha cara. — Não fique brava. Você sabe como eu sou. Por baixo de toda essa pose, dessa mistura de Bette Davis com Dorothy Parker, tento ser uma pessoa boa, juro. E gosto não se discute. Você acha que vai dar certo?

Mordi o lábio.

— É pra falar a verdade?

Natasha olhou para mim como se eu tivesse falado para ela parar de pintar o cabelo.

— Claro que não. Por que eu ia querer que você falasse a verdade?

— Então, sim. Não tenho dúvidas de que vai dar certo. A única coisa que me preocupa é se "Flannery State" vai ficar bem no meu RG.

— Você pode usar um hífen, tipo Culp-State.

— Ai, parece sobrenome de uma velhinha chata. Daquelas que as crianças têm medo quando encontram.

Terminei meu latte e prestei bastante atenção no gosto. Não compartilhava a impressão de Natasha sobre o sabor, mas não sou tão experiente quanto ela nesse sentido.

— Mas é tudo segredo, viu?

— Minha boca é um túmulo — ela prometeu. Seu cabelo estava perfeito. — Seus pais sabem?

— Óbvio que não. Eles não ligam pra nada.

— Você precisa parar de viajar com eles — Natasha sugeriu, dando um sorrisinho quando seus olhos cruzaram com um de seus admiradores. — Faça um curso no próximo verão. Você ia aprender muitas coisas.

— Obrigada, mas já tem espuma de leite suficiente na minha vida.

— Bom, vamos lá. Precisamos de cadernos novos pra você encher com o nome dele.

Revirei os olhos e a segui, atravessando a rua até a papelaria. Compramos mil coisas: cadernos, lápis, folhas pautadas. Não havia nada com as cores da escola, o que acabou sendo algo positivo, já que elas são vermelho e roxo.

Natasha me deu uma carona até em casa. Fiquei um tantinho apreensiva por causa do cantil. Me afundei no banco do passageiro, com a impressão de estar outra vez num voo para outro continente. Só esperava ter trazido uma boa quantidade de livros interessantes daquela vez. Só que naquele momento eu me sentia à vontade, protegida. Estava anoitecendo. Baixei o vidro e senti o ar no rosto. Lancei um olhar rápido para Natasha enquanto ela fazia o mesmo para mim. Sorrimos uma para a outra e fechei os olhos, me deixando levar pelo som do rádio.

— Que música boa. Quem é?

Ela aumentou o volume.

— Darling Mud. Estão fazendo o maior sucesso na Inglaterra.

O som era incrível, com uma percussão e guitarras pesadas. A letra falava que tudo na vida tem consequências.

Sem parar, sem parar, sem parar, o vocalista gemia sem parar, sem parar, sem parar.

Quando abri a porta para descer, Natasha tocou minha mão.

— Olha, se você quiser o Adam, vai ter que se *mexer*. Falei um dia desses com a Kate, que tinha falado com ele. Parece que o cara passou o verão inteiro recebendo umas cartas muito loucas de uma menina se declarando, mas não quis dizer quem era. — A voz de Natasha soou desinteressada demais para que aquele comentário tivesse um alvo. Eu podia ter contado que era eu, mas fiquei quieta.

Podia ter falado que estava realmente apaixonada, e não só a fim dele, mas não falei. Talvez isso tivesse nos poupado de toda a confusão que viria nos meses seguintes. As aulas já iam começar e, com elas, toda a rede de fofocas, amigos contando segredos a amigos que contam a mais amigos que contam a mais amigos. Resumindo: sou uma idiota. Desci do carro e Natasha foi embora. Tudo o que conseguia ouvir enquanto ela partia era que tudo na vida tem consequências.

Terça-feira, 7 de setembro

Que fique registrado que o ano escolar começou mostrando a diferença entre autoridade e autoritarismo, e tenho a impressão de que o resto do ano vai ser assim. Meu orientador, como sempre, é o sr. Dodd. Não consigo lembrar de um momento em que meu orientador não tenha sido ele, e acho que vai ser assim até o fim dos tempos. Enquanto o resto de nós passou o verão se enchendo de café (e "espuma de leite", no caso de Natasha), o sr. Dodd aparentemente estava em algum programa de treinamento de assertividade. Ele se arrastou um tempão sobre isso, depois de ter entrado pomposamente na classe e escrito na lousa em letras garrafais "SR. DODD", embora a orientação desde sempre tenha sido com os mesmos alunos. Ele deu um longo discurso sobre sua visão de orientação "Com autoridade, mas sem autoritarismo". Eu nem teria me importado tanto, mas ele insistiu que procurássemos as palavras no dicionário. Sabíamos que ele estava esperando porque não parava de falar:

— Estou esperando!

Até que Natasha levantou, afastou o cabelo dos olhos e leu em voz alta:

— “Autoritarismo: sistema político que concentra o poder nas mãos de uma autoridade ou pequena elite autocrática. Autoridade: direito ou poder de ordenar, de decidir, de atuar, de se fazer obedecer.”

Ela encarou o sr. Dodd e sentou. Ninguém na classe jamais levanta e lê algo desse jeito, é claro, mas imagino que, se eu me parecesse com Natasha, faria a mesma coisa. Todos os garotos, incluindo o sr. Dodd, ficaram olhando boquiabertos para ela por um bom minuto, até que o mais recente formado no treinamento de assertividade para professores de orientação e geografia falou:

— Entenderam?

O que todo mundo pensou: “Não” (exceto pelo grande número de alunos que jamais vai pensar qualquer coisa), mas só Natasha verbalizou isso. Olhei para trás e a vi puxar uma lixa com uma garra em cada ponta. Ela começou a lixar as unhas sem olhar para o sr. Dodd. Desde que nós duas lemos *Cyrano de Bergerac* na aula de literatura do primeiro ano, com Hattie Lewis, ela passou a fazer tudo com *panache* — com pompa e estilo. Essa lixa de unha vai ser bastante importante para a nossa história, por isso estou falando dela agora.

O sr. Dodd pigarreou. Ninguém no treinamento de assertividade o tinha avisado sobre o efeito de Natasha Hyatt. Ninguém estava preparado para ela. Ele abriu a boca para dizer algo, então o sinal bateu e todos saímos da sala. Alcancei Natasha e a abracei.

— Não sei o que faria sem você.

— Também não sei o que você faria sem mim — ela respondeu, batendo os cílios. — Isso é pra ensinar o sr. Dodd a não vir fazer graça com dicionários. Não perca amanhã a diferença entre *discípulo* e *disciplinador*! Agora vamos pra aula de química.

— Não tenho química. — disse. — Tenho biologia.

— Com quem?

— Carr.

— O bonitão? Queria eu não ter química. — Natasha passou os olhos pelo corredor lotado. Poucos alunos levantaram a cabeça para olhar; todo mundo já estava acostumado a ver Natasha tagarelando, e àquela hora da manhã ainda estávamos meio zumbis. — Mas, na verdade, só de pegar biologia com o *Carr* já tem química mais do que suficiente pra uma vida inteira. Enquanto isso vou encontrar o quatro-olhos de peruca. Bom, quando a gente se vê?

Peguei meu horário para comparar com o dela, mas de repente Natasha foi arrastada por uma onda de jogadores de futebol americano de pescoço largo que pelo visto não deixava nada ficar em seu caminho. Por um instante me senti como num daqueles filmes de Hollywood sobre campos de prisioneiros em que marido e esposa são arrastados para trens diferentes, embora precise admitir que Natasha não parecia muito triste em meio ao tumulto.

— Calma, meninos! — eu a ouvi gritar.

Bati os olhos no meu horário para ver aonde deveria ir em seguida:

ORIENTAÇÃO: LAWRENCE DOIDO
PRIMEIRA AULA: CÁLCULO MICÓTICO BACTERIAL
SEGUNDA AULA: POEIRAS LEVIANAS: RATO DEUS
TERCEIRA AULA: ADAM ADAM ADAM
QUARTA AULA: ALMOÇO!
QUINTA AULA: EDUCAÇÃO CÍNICA: GRÁTIS FOR ALL
SEXTA AULA: BIÓPSIA AVANÇADA EM CARROS
SÉTIMA AULA: FRANCÊS COME MUITO

Engraçado como a vista da gente fica embaçada pela manhã:

ORIENTAÇÃO: LAWRENCE DODD

PRIMEIRA AULA: CÁLCULO: MICHAEL BAKER

SEGUNDA AULA: POESIA AMERICANA: HATTIE LEWIS

TERCEIRA AULA: CORAL: JOHN HAND

QUARTA AULA: ALMOÇO

QUINTA AULA: EDUCAÇÃO CÍVICA: GLADYS TALL

SEXTA AULA: BIOLOGIA: JAMES CARR

SÉTIMA AULA: FRANCÊS: JOANNE MILTON

Não dá pra acreditar muito, né? Mas talvez eu tenha editado só para te divertir um pouco e proteger os inocentes — se é que existe algum. Nunca tinham incluído o primeiro nome dos professores no horário de aula, e não vamos deixar o querido Lawrence esquecer disso.

Estou sozinha em cálculo. Sem nenhum amigo. O sr. Baker parece legal, pediu para encaparmos nossos livros. Hattie Lewis não tinha muito a comentar sobre poesia americana, exceto que precisamos encapar os livros também. Hattie Lewis, que abriu meus olhos para os livros e para o mundo, a quem devo o próprio costume de escrever um diário, não tem muito a comentar além da necessidade de *encapar os livros*. Isso diz muito sobre nossa escola: a primeira coisa que devem nos ensinar é que precisamos envolver calhamaços de sabedoria em plástico. Ou talvez isso não tenha um significado especial. Só tive tempo para meia xícara do café daqui, extremamente amargo, como eu.

Pelo menos tenho amigos nessa aula: Kate Gordon, a menina mais fofoqueira da escola, e Jennifer Rose Milton, cujo nome é tão lindo que sou obrigada a escrevê-lo sempre completo. Sua mãe é Joanne Milton, a linda professora de francês que escreveu um livro de culinária com todas as receitas mencionadas na obra de Proust. Para dar uma ideia de como Jennifer Rose Milton é linda, ela chama sua mãe de *maman* e ninguém se incomoda. Gabriel Gallon também está com a gente, embora talvez seja obrigado a mudar de turma para acertar seu horário. Gabriel é o garoto mais doce do mundo. Por algum motivo o sistema escolar de San Francisco descobriu isso e agora gosta de torturá-lo. Hoje ele tem três aulas de inglês e quatro de educação física, apesar de estar no último ano e supostamente educação física não estar no currículo. Jennifer Rose Milton chegou atrasada e sentou bem longe de mim, mas Kate ficou ao meu lado e reviramos os olhos juntas quando a orientação de encapar os livros foi repetida mais uma vez. Assim que o sinal tocou, comparamos nossos horários e descobrimos que faríamos apenas aquela aula juntas. Então Jennifer Rose Milton se aproximou de mansinho e nos abraçou: primeiro Gabriel, depois Kate, então a mim.

— Queria poder conversar — ela disse —, mas preciso correr. *Maman* disse que o primeiro encontro da Grande Ópera do Café é amanhã. Nos vemos lá.

Ela foi embora, seguida por Gabriel, que esperava conseguir falar com sua orientadora, uma cubana gigantesca com um escritório equipado por três ventiladores de mesa e nenhuma lâmpada. Ela está sempre rodeada de alunos mal-encarados, que agem como se fossem seus guarda-costas; entrar lá para conseguir atestados ou qualquer coisa do tipo é como discutir um tratado de paz com o ditador de um país da América Central.

— *Viva la Revolución!* — gritei enquanto ele saía, e meia dúzia de alunos me lançaram olhares perplexos. Kate jogou a cabeça para trás e riu, embora fosse impossível que ela tivesse entendido a piada, porque não conhecia a orientadora do Gabriel. Mas Kate jamais admitiria não entender qualquer coisa. Seria como se a estivéssemos destituindo de seu cargo. Demos as mãos.

— Força! — ela falou baixinho, depois partiu.

Eu estava louca para saber da sua conversa com Adam a respeito das cartas que ele tinha recebido, mas não deu tempo. Talvez amanhã na Grande Ópera do Café.

O que *você* está louco pra saber, claro, é sobre meu primeiro encontro cara a cara com Adam. Mas, assim como a diferença entre autoridade e autoritarismo, é difícil falar sobre algo que praticamente não existe. Da mesma forma que minha visão embaçada indicou ao ver meus horários, eu sabia que ia encontrá-lo no coral — ele era o assistente do regente do coro, o que não deveria ser mais de uma linha a ser incluída nas inscrições para as faculdades. Acontece que Johnny Hand era um bêbado lesado que vivia entrando e saindo no meio dos ensaios do coral e de tempos em tempos fazia apresentações intermináveis de músicas que remontavam à sua carreira em barzinhos, que ou já tinha acabado fazia muito tempo ou era completamente inventada. Adam preparava sozinho todas as músicas e as ensinava para nós. Assim, a primeira reunião do coral consistiu nos cerca de cem membros (dos quais noventa eram mulheres) zanzando pela sala enquanto Adam, sentado numa cadeira dobrável, conversava com outros encarregados do coral, pensando no que fazer. Johnny Hand não foi encontrado em lugar nenhum — devia estar enchendo a cara em algum lugar. Adam me avistou quando cheguei e meio que acenou, meio que revirou os olhos. Sentei e fiquei me perguntando se aquilo queria dizer que ele queria poder falar comigo em vez de ficar de conversa com os entusiasmados presidente, vice-presidente, secretário e tesoureiro do coral, ou que não conseguia acreditar que eu tinha a audácia de estar no mesmo recinto que ele.

Na saída, passei pela sala onde a banda e a orquestra ensaiavam. Douglas Wilde, meu ex, e sua atual namorada Lily Chandly saíam carregando seus instrumentos. Ele era violinista, ela, violoncelista, portanto não havia nenhum ressentimento da minha parte, pois Lily era bem melhor para Douglas; *eu* havia terminado com ele, e não tinha o menor talento para tocar qualquer instrumento. Como de costume, Douglas estava com um terno de linho off-white, arrematado por um lenço e um relógio de bolso. Estar com ele parecia um pouco com protagonizar um filme de época. Abracei cada um deles. Douglas não se importou — afinal, como dizem os tabloides, havia sido uma separação amigável —, mas Lily me lançou um olhar tão fulminante que agradeci aos céus por ela estar segurando um violoncelo e não uma metralhadora. Se tivesse escrito a eles durante o verão, não ia me sentir obrigada a compensar nada. Douglas precisou sair às pressas (após se desvencilhar do beijo de despedida ostensivamente possessivo de Lily), mas eu a acompanhei enquanto se dirigia ao armário. Ela me mostrou seu horário de aula e descobri que íamos almoçar juntas.

— Acho demais que vocês ainda estejam juntos — falei enquanto nos sentávamos num dos bancos no pátio. As pessoas são superprevisíveis: todos voltavam aos mesmos lugares após as férias.

— Eu também — Lily disse, relaxando um pouco. Percebi que lembrou de que era minha amiga, e não minha rival.

Avistei Natasha e fiz um sinal para chamá-la; quando me viu, ela atravessou o pátio, acompanhada pelo barulho de queixos masculinos caindo — juro que deu para ouvir. Como o dia estava ficando mais quente, ela tinha tirado a jaqueta preta de couro, revelando uma regata meio transparente que gritava: "Olha aqui meus peitos". Isso pode parecer invejoso — e não se engane, é mesmo.

— Ano novo, mesma merda — Natasha disse como cumprimento. Ela agarrou a cabeça bem penteada de Lily e deu um beijo em cada bochecha dela. — Hoje à noite vou ter que fazer fichas de memorização da tabela periódica. Como vai o gostoso do Jim Carr?

— Ainda não tive aula com ele.

— Tudo bem — ela falou, apanhando uma marmita vermelha decorada com fotografias envernizadas da Marlene Dietrich, por quem era fanática. Onde ela achava aquelas coisas? — É só o primeiro dia. Como foi o *coral*?

Lily tirou os olhos da maçã.

— O que tem no coral?

— O novo amor da Flan — Natasha sussurrou.

Lily pareceu aliviada e fiquei feliz por Natasha indicar que eu não estava atrás do Douglas.

— Quem é? Você ficou com alguém nesse verão?

— Ela passou as férias inteiras na Europa — Natasha respondeu, abrindo sua marmita. Dentro, havia doze camarões grandes num saco cheio de gelo e um pequeno pote com molho. — Não que alguém tenha recebido um postal, né? — Natasha e Lily se viraram para mim e soltaram um "Tsc, tsc" em uníssono. Teria sido tão melhor se eu simplesmente tivesse mandado postais para elas.

Lily deu outra mordida na maçã.

— Se Flannery não está saindo com ninguém, como é que pode ter um novo amor? — Só Lily para querer esclarecer a terminologia antes de descobrir quem de fato era o homem misterioso.

— Ele ainda não sabe — Natasha comentou, com um camarão entre os dentes.

Lily assentiu solenemente. Era hora.

— Quem é?

Suspirei. Aquela parte era sempre um pouco constrangedora.

— Adam State.

— Adam State? — ela gritou, e a maçã caiu de sua mão e rolou até o meio do pátio. Todo mundo ficou quieto, olhando. Foi Natasha quem quebrou o silêncio, lógico.

— Para a mais bela! — ela berrou ao pegar a maçã, fazendo as pessoas rirem. Embora eu tenha certeza de que ninguém mais tenha entendido a referência ao pomo da discórdia, todos perceberam que Natasha estava sendo engraçadinha.

— Estar a fim do Adam State é como estar a fim de Moisés — Lily disse num tom bastante realista. — Ele vive ocupado demais com suas próprias coisas para perceber.

— Nos *Dez Mandamentos*, Moisés tinha uma amante — Natasha observou, distraída.

— *Os Dez Mandamentos* não é um documentário, Natasha — Lily rebateu, olhando para mim com atenção, como um caçador de talentos examina um rosto novo. — Flannery, eu não contaria muito com isso se fosse você. — Ela puxou um guardanapo para limpar as lentes dos óculos.

— Ouvi dizer que ele acabou de terminar um namoro — Natasha comentou, agitando as mãos para indicar que não sabia a fonte daquela informação.

Tentei soar segura e experiente.

— Adam é a única pessoa de quem gosto de verdade — falei, e as duas trocaram um olhar. Natasha não falou nada, só terminou de comer o camarão; Lily botou os óculos. Observei suas mãos repetindo automaticamente o dedilhado do violoncelo. Ela deve ir para algum conservatório no ano que vem. Tinha emagrecido um pouco no verão. E o que foi aquele olhar? Será que algum cara estava a fim de mim? Um raio de sol iluminou a maçã, mas os deuses não pareciam estar interessados nela. Talvez estivessem ocupados encapando livros. Agora é melhor eu parar com essa descrição, já que estou no meio da aula de educação cívica e minha professora, Gladys Tall, está ficando desconfiada. Nem ela acredita que estou fazendo tantas anotações sobre o que diz, a menos que repetisse "encapem seus livros" infinitamente.

Quarta-feira, 8 de setembro

Quem dera tudo na vida começasse com a Grande Ópera do Café. Para aqueles que abriram uma cápsula do tempo e encontraram este diário como único vestígio do espantoso século XX, me permitam explicar: a Grande Ópera do Café foi o jeito maravilhoso que Joanne Milton, a melhor professora de francês de Roewer, encontrou de matar dois coelhos com uma só cajadada. Um coelho era o fato de os amigos de sua filha Jennifer Rose Milton (ou seja, eu, Kate, Gabriel, Natasha etc.) sempre conseguirem dar um jeito de fazer aula com ela e transformar aquelas horas, não completamente por acaso, no que chamávamos de *salon*, enquanto o chefe do departamento qualificava como *perda de tempo*, ainda que fosse em francês. O outro coelho tinha a forma do nosso diretor, um ex-técnico de futebol americano chamado Jean Bodin, que tem o tamanho de um caminhão e metade de sua inteligência. Ele andava brigando com a sra. Milton (é tão esquisito escrever assim... para a gente, ela sempre vai ser a *Millie*) por ela não organizar um clube. Todos os membros do corpo docente deveriam ser responsáveis por um.

Foi Jennifer Rose Milton, a linda Jennifer Rose Milton, quem teve a ideia. Na época *ela* estava saindo com Douglas, e ele estava tentando convencê-la a parar de ouvir compositoras feministas de voz fina e começar a botar música clássica na vitrola. Por causa disso, durante um jantar com *maman*, Jennifer Rose Milton concebeu a Grande Ópera do Café, uma organização tão pretensiosa que ninguém além dos nossos amigos teria vontade de fazer parte, o que nos permitiria ter enfim um *salon*, ainda que não em francês, e daria a Millie um clube. Uma vez por semana, mais ou menos, nos reuníamos antes da aula numa classe, ouvíamos ópera e tomávamos café da manhã. Em retribuição, Millie comprava bolos e doces.

Aquela manhã ouvimos *La Bohème*. Com Millie, Jennifer Rose Milton, Douglas, Kate, Gabriel, Natasha, e V., pela primeira vez na vida eu me sentia entre amigos. Íamos enfrentar juntos o novo ano. É claro que não foi possível nos reunirmos durante duas horas, por isso ouvimos só o primeiro ato, quando os artistas/ amantes se encontravam. Comemos e escutamos. O libreto ficou todo sujo de açúcar de confeiteiro. Douglas, num terno azul-marinho, tentou nos dar uma aula, mas mandamos ele calar a boca. Pouco a pouco, o manuscrito queimado, o aluguel não pago, a chave penhorada e tudo o mais foi se tornando pano de fundo dos nossos pequenos dramas.

— Não acredito que vocês já estão no último ano — Millie comentou, corrigindo a lição de casa de alguém com uma caneta vermelha estourada. Uma gotinha vermelha manchou sua bochecha como uma lágrima de sangue. Vou guardar essa imagem para um futuro poema.

— Eu acredito — respondeu Natasha. Ela olhava para um pequeno espelho de bolso, examinando seu batom à procura de algum defeito, mas também poderia estar procurando alguns fios de ouro nele, já que tinha a mesma chance de encontrá-los ali. — Douglas, o que você estava dizendo que Marcello deveria fazer?

— Marcello não. *Schaunard*. É ele que está contando a história agora. — Seus olhos brilharam. Acho que um dos motivos de termos terminado foi que eles nunca brilharam por mim como pela música clássica. Com o tempo, me dei conta de que posso não ser tão maravilhosa quanto uma sinfonia de Brahms, mas valho pelo menos um quinteto de Haydn. — Ele foi contratado para tocar para um duque, e...

— *Um lorde* — Kate o corrigiu, erguendo os olhos do libreto.

— Sim, um nobre, tanto faz. O lorde lhe disse que ele devia tocar violino até seu papagaio morrer.

— Desculpa — interrompeu V., tocando suas pérolas, que eram verdadeiras; sim, ela usava pérolas *verdadeiras* no *ensino médio*. — Como e por que um músico passando fome teria um papagaio?

— O papagaio era do *lorde* — Douglas respondeu. — Afe, V.

— *O papagaio do lorde* — interrompi. — Vai ser o nome da minha primeira peça de teatro.

— Sua primeira peça pra quem? — Natasha perguntou, erguendo uma sobrancelha que brilhava por conta da maquiagem. Parece que havia fios de ouro, no fim das contas, no seu rosto.

— Parem com isso — Douglas esbravejou. — Enfim, Marcello precisa tocar até o papagaio morrer.

— Bom, o que eu ia dizer é que é exatamente assim que me sinto. Estamos esse tempo todo em Roewer esperando a porcaria do papagaio morrer. — Natasha pegou outro donut. O que eu não faria para poder pegar mais um e ainda ficar tão bem quanto ela.

Douglas refletiu por um instante.

— Hum, Marcello suborna a empregada para envenenar o papagaio. Quem poderíamos subornar?

— Pra matar quem? — Lily perguntou, sempre querendo precisão. Ainda era bem cedo, por isso nenhum fio de seu cabelo, que chegava até a cintura, tinha se soltado do coque. — Quem é o papagaio?

— *Bodin* — Millie respondeu, balbuciando entredentes o nome do nosso querido diretor; então, acometida por um ataque súbito de profissionalismo, ela ergueu a cabeça de outra lição cheia de canetadas, perguntando: — Quem disse isso? Não fui eu.

— Matar o Bodin seria complicado demais — Natasha observou. — Só para abrir uma cova do tamanho dele levaria umas seis semanas.

— Existe alguma técnica criativa de assassinato em *La Bohème*?

— Kate perguntou num tom de voz que sugeria que ela sabia a resposta, só não lembrava muito bem dela.

— Ninguém é assassinado. Eles só ficam doentes — explicou Douglas, puxando seu relógio de bolso. — Está quase na hora da orientação.

— Então deveríamos discutir um assunto infinitamente mais importante — Kate sugeriu —, tipo nosso primeiro jantar da temporada.

— Boa! — emendou Gabriel.

Kate apanhou um caderno.

— Estava pensando em fazermos neste sábado, se todo mundo puder.

Todos concordamos; adiaríamos até uma cirurgia por um dos nossos jantares.

— Vamos fazer uma lista — Lily sugeriu, lambendo a geleia dos dedos.

— Você e suas listas — V. observou, sacudindo a cabeça com um sorriso. Lily deu um beijo na bochecha dela. — Não pode ser em casa, infelizmente. Meus pais vão dar uma festinha.

— Seus pais? Festinha? — Kate perguntou com um tom zombador. Os pais dela estavam sempre dando festinhas, embora fossem as pessoas menos festivas do mundo. Nunca fizemos um jantar na casa de V., embora toda vez ela dissesse que sentia muito por isso.

— Vai ser na minha casa — Kate anunciou. — Agora, a lista de convidados.

— Bom, está todo mundo aqui — Lily falou, começando a nos contar nos dedos. — Flannery, Gabriel...

— É, é... — Kate disse. — Não precisa fazer uma lista da *gente*. Todo mundo sabe, nós oito. — Ela rabiscou nossos nomes num pedaço de papel.

— Somos só oito? — perguntou Jennifer Rose Milton. — Fazemos tanto barulho que sempre acho que somos mais.

— Só. Kate Gordon, Natasha Hyatt, Jennifer Rose Milton, Flannery Culp, Lily Chandly, V., Douglas Wilde e Gabriel Gallon. O Clube dos Oito.

— Por que os homens vêm por último? — V. perguntou.

— Esse tipo de pergunta… — Natasha disse, revirando os olhos.

— … nem precisa de resposta — completei, e Natasha sorriu para mim.

— Quem mais devemos convidar? — Lily perguntou.

— E Lara Trent? — Gabriel perguntou. — Ela é legal.

— *De jeito nenhum* — Natasha Hyatt respondeu. — É uma *mala*.

Jennifer Rose Milton pôs as mãos na cintura.

— Ela não parece tão horrível assim. Podemos dar uma chance.

— Nem vem — Natasha insistiu. — Ela me disse uma vez que eu não era uma boa cristã.

Todos levantaram as mãos e gritaram juntos:

— NÃO!

Se tem uma coisa que não toleramos é religião institucional. Os pais militantes de direita vão amar essa frase, né? Apesar de não querer dar munição para aqueles que morrem de raiva do nosso Estado laico, é a mais pura verdade.

— Que tal Adam State? — Kate perguntou. Seus olhos encontraram os meus por um segundo; gostei da sua rara discrição. Não que Kate seja do tipo que faz piada com quem a gente está a fim, mas ela costuma dar mais na cara. Praticamente todo mundo devia estar sabendo sobre Adam, por isso esperaram alguma manifestação minha.

— Ele me parece um pouco convencido — Gabriel comentou.

Não me olhe com esse sorrisinho, leitor; eu disse "*praticamente* todo mundo".

— E não queremos ninguém assim por aqui — Natasha acrescentou. — *Deus me livre.* Não precisamos ser amigos de ninguém que se ache. — Ao ouvir aquilo, Millie bufou no seu canto.

— Acho que é um cara legal — falei, casualmente. Perdão, o jeito como escrevi não reflete meu tom. — Acho que é um cara legal — falei, CASUALMENTE.

— Eu também — Lily disse, leal. Kate botou o nome dele na lista.

— E Flora Habstat? Ela é minha única amiga na orientação.

Kate semicerrou os olhos e suspirou.

— É difícil dizer se alguém é interessante na orientação. Tudo é tão sem graça... como alguém consegue gostar daquilo?

— Bom, vamos dar uma chance a ela — disse Jennifer Rose Milton. Kate pôs seu nome na lista.

Natasha pegou outra vez seu espelho de bolso.

— Posso contar uma coisa? Ouvi dizer que Flora vive citando o *Guinness*.

— *Quê?* — V. perguntou. — Eu a conheço e nunca a vi fazer isso.

— Foi o que me contaram — Natasha falou sem interesse. Kate e eu trocamos um olhar. Estávamos tentando entender se tínhamos perdido alguma piada.

— Quem mais? — Kate perguntou, então o sinal bateu.

Ideia para uma história: um homem se apaixona por uma mulher e lhe escreve uma infinidade de cartas. Jamais vemos as que ela lhe escreve em resposta. O amor dele cresce sem parar, até que não suporta mais. Então algo drástico acontece... mas o quê?

Ah, minha cabeça confusa, à volta da qual números rodopiaram por uma hora. É o segundo dia de aula e já estou perdida em cálculo. Ontem à noite encapei meu livro, como todo mundo, mas depois disso já fiquei para trás. Olhei em volta — não tinha nenhum amigo naquela aula, nenhunzinho. Todo mundo fazia várias anotações, concordando com Baker e suas espirais de giz na lousa. Minha mente afundava rapidamente. Comecei a esboçar projetos de histórias para não me afogar por completo. Acho que sempre que reler meu diário deste ano vou conseguir dizer quando estava na aula de cálculo pelos começos de história.

Por algum motivo saímos da aula mais cedo. O sinal da escola é computadorizado, o que significa, obviamente, que não funciona; ele toca a qualquer hora e é ignorado, como se fosse uma van barulhenta e desgovernada, dando voltas ao redor de Roewer para tentar vender sorvete. Quando Baker nos dispensou, os corredores estavam quase desertos. Cheguei cedo para a aula de poesia, o que foi ótimo, porque Hattie Lewis estava lá.

Ela adora contar aos alunos histórias de quando era jovem, mas não acredito muito nelas, porque dão a impressão de que já nasceu como uma velha sábia. Sua sala de aula é sua toca: industrial e feia como as demais, mas com uma aura de sofisticação e cultura. Para começar, não há pôsteres de viagem desbotados ou fotos intencionalmente desfocadas de um pôr do sol com a frase "Só você pode tornar seus sonhos realidade". A aura vem dela própria e transcende as reproduções baratas de quadros impressionistas na parede. Hattie Lewis não precisa dizer aos alunos para não mascar chiclete; todo mundo já sabe disso antes da aula começar. Ela se veste de maneira mais absurda que qualquer outro professor de Roewer (e olha que a concorrência é grande) — vestidos de retalhos delirantes e coletes com flores bordadas —, mas ninguém faz piada sobre isso, nem quando ela não está por perto. Hattie sequer ganhou um apelido maldoso. Chegar mais cedo para sua aula e ficar sozinha com ela é como chegar adiantada ao Juízo Final e ter a chance de passar um tempo com os anjos antes de a multidão aparecer. (Fiz parecer algo sinistro, né? A aula de cálculo ainda deve estar afetando meu cérebro.)

Nossa conversa girou em torno da revista literária da qual sou editora. Ela é a docente responsável por ela. A primeira reunião vai ser amanhã, depois da aula. Não posso me esquecer disso.

REUNIÃO DA REVISTA AMANHÃ!!!

Perguntei que poetas estudaríamos naquele ano e fiquei constrangida com minha falta de informação quando ela listou os nomes. É claro que reconheci e. e. cummings e Robert Frost, mas me considero uma poeta e nunca tinha ouvido falar daquela gente. Hattie deve ter notado que eu lutava para esconder a ignorância.

— Fique tranquila — ela disse. — Você *vai* saber tudo isso. Ainda é nova. Não pode ter tudo agora. — Quando algo tão simples e verdadeiro nos pega de surpresa, é como um soco no estômago. Antes que eu pudesse abrir a boca, as pessoas começaram a se abarrotar na sala. Hattie não descansou. Ela fez todo mundo sentar e passou o resto da aula falando de Anne Bradstreet. Tomei notas, porque não sabia nada a seu respeito.

Neste momento estou no coral, e mesmo com Adam ali num canto da sala, reunido com o resto do pessoal, a calma de Hattie me reconforta. Não dá para ter tudo agora. Além do mais, às vezes já fico feliz só de observá-lo. E ainda nem sinal do sr. Hand, o professor de fato.

De uma conversa durante a aula de Gladys Tall em um caderno passado entre nossas carteiras na aula de educação cívica:

Kate, do que a sra. T está falando? Eu estava distraída.

E você acha que não percebi? Você estava viajando. Fiquei revirando os olhos sozinha a aula inteira.

Desculpa. Não dormi bem ontem.

Flan, o que eu falei sobre se prostituir nos dias úteis? Você fica sempre cansada na manhã seguinte. Vou mandar a real pro seu cafetão. Se ele não mudar seu horário, você não vai conseguir entrar numa boa faculdade.

Você precisa parar de escrever essas coisas. Não acho que a sra. Tall acreditou quando eu disse que ri porque o conceito de oferta e procura era hilário.

Mudando para um assunto muito mais importante, vi Adam, mas não o convidei para o jantar. Achei que você ia querer fazer isso.

Você conhece o cara melhor.

Você quer *conhecer o cara melhor.*

Ele é que devia me ligar.

As pessoas só ligam para alguém quando têm algo pra falar. E ele não tem, né? Seja como for, tem outra pessoa a fim do cara, então é melhor você se mexer. Ele falou que ficou recebendo umas cartas de amor o verão inteiro.

O caderno não circulou mais depois disso, apesar de ainda restarem uns bons quinze minutos de aula.

★

Jim Carr tem olhos de águia, por isso não posso ficar muito tempo escrevendo, mas queria registrar que pelo sétimo semestre consecutivo — todos desde que estou aqui — ele arranjou uma estudante universitária bonita para ser sua assistente. A maioria dos professores aqui não tem assistente algum, exceto pelo amigo francês da Millie que às vezes precisa de trabalho, mas é exceção. Eu poderia fazer um monte de piadas idiotas relacionando isso a biologia, mas meu lindo e caríssimo diário italiano com capa de couro é fino demais para esse tipo de coisa.

Em casa de novo. Já cansei da minha rotina, e é só o segundo dia de aula. Natasha foi me encontrar na saída da aula de biologia — "Essa é a modelo deste ano?", ela perguntou, olhando para a assistente — e me acompanhou até a aula de francês, tentando me convencer de que *eu* devia convidar Adam para o jantar. Por fim, ela disse que eu teria até hoje à noite para refletir, senão Kate iria chamá-lo amanhã. Meu plano é esperar *ele* me ligar hoje à noite e então convidá-lo. Depois posso ir para o jardim brincar com meu unicórnio de estimação, que é tão real quanto o resto desse cenário. Droga. Preciso ir ler um pouco da Bradstreet. Ela foi uma das primeiras poetas dos Estados Unidos. Não acredito que você nunca ouviu falar dela!

Quinta-feira, 9 de setembro

Quando saí hoje cedo, percebi que a sujeira do papel do *Doença Crônica* (denominação especial que o jornal ganhou de um colunista rabugento) havia deixado minhas mãos e se espalhado por todo o céu. Desci do ônibus e observei o trânsito, tentando pensar em um bom motivo para atravessar a rua e enfrentar três quarteirões de subida para chegar até a escola quando V. encostou o carro e escancarou a porta do passageiro. Ela não disse nada, só me chamou com um gesto. Estava quente dentro do carro. V. ouvia os *Concertos de Brandenburgo*.

— Graças a Deus! — gritei.

V. voltou para o trânsito.

— Não sabia que você tinha virado religiosa — ela disse. — E por que insiste em vir de ônibus se tem que enfrentar essa ladeira toda a pé? Isso não entra na minha cabeça. — Como muitas pessoas ricas, V. com frequência assumia que os hábitos alheios eram fruto de escolha, e não da necessidade. Ela não conseguia entender, por exemplo, por que alguém vivia em um país devastado pela guerra.

— Ei, este é o estacionamento dos professores.

— Sempre paro aqui. O dos alunos é uma merda.

— Mas e os seguranças?

— Flannery, olha pra mim. Eles não conseguem dizer se sou professora ou não. — Ela tinha razão. O vestidinho feito sob medida, a meia-calça e as pérolas obrigatórias a colocavam naquela área nebulosa entre dezoito e vinte e oito anos, o que era bastante útil quando saíamos à noite. Passamos pelos dois seguranças gigantes e V. os cumprimentou com a cabeça, como uma verdadeira profissional.

Chegando na entrada da escola, fomos para lados diferentes.

— Lily e eu vamos tomar um café depois da aula — V. anunciou. — Topa?

— Não posso... Hoje tem reunião da *Miríade*. Mas valeu pela carona.

— Faço qualquer coisa — ela disse, estendendo a mão para arrumar minha gola — por um membro do Clube dos Oito.

— Então o nome pegou? — perguntei. — Não sei se gosto. Parece uma sociedade secreta, ou um desses clubes que só velhos ricos e preconceituosos estão associados.

V. refletiu por um instante.

— Eu...

Então o sinal tocou. Ela saiu às pressas, e essa foi a última vez em que se discutiu a adequação do termo. Mas deixo registrado nos autos: nunca gostei muito dele. Portanto, todo esse papo de que o Clube dos Oito era uma aliança profana deveria se encerrar com essa conversa. Nossa ligação era informal, casual, e me opus ao nome desde o início. Ou teria me oposto, tanto faz. Para dizer a verdade, não peguei carona com V. aquele dia, mas essa conversa aconteceu *em algum momento*, tenho certeza disso. Eu só precisava apresentar V. e minhas objeções aos leitores, pais preocupados e adolescentes curiosos.

Ideia para uma história: uma mulher ama um homem, mas, por um deslize qualquer, todos pensam que se trata de outro sujeito, inclusive ele próprio, que começa a persegui-la. Quando ela finalmente esclarece a verdade, toda a sociedade a rejeita como alguém que ilude os outros. A mulher morre sozinha. O título pode ser *Um deslize.*

Não fui ao coral hoje, seria demais para mim. Por sorte, algumas pessoas almoçam no horário da terceira aula (sim, quando é cedo demais até para um brunch. É revoltante que, por todo o país, jovens promissores estejam sendo obrigados a almoçar às dez e meia da manhã), por isso não pareceu que eu estava matando aula. É claro que acabei trombando com Gabriel, que tem o pior horário de aula de todos os tempos. Ele estava sentado no pátio, olhando tão fixamente para um sanduíche que parecia fazer algum tipo de protesto político, de homem negro para pão branco.

— Oi. Você não está realmente pensando em almoçar às dez e meia da manhã, né?

— Só assim pro meu cérebro começar a funcionar — ele respondeu, carrancudo. — E o pior é que *ainda* não arrumaram o meu horário. Tenho *quatro* aulas de educação física. Sou o único aluno do *último ano* no meio de um bando de garotos saltitantes do segundo. Os professores não entendem nada.

— Não precisa se gabar — falei. — Os professores de educação física *nunca* entendem nada. Escuta, você não quer dar uma volta comigo? Não consegui encarar o coral hoje.

— Por quê? — ele perguntou. — Cálculo eu até entenderia, mas o *coral*? Não dá pra pensar numa aula mais tranquila.

— Tranquila até demais — respondi. — Eu explico no caminho.

— Vamos até o lago? — ele perguntou, guardando o sanduíche.

— Exato.

Quando encontrarem este diário, provavelmente as placas tectônicas já terão se movido e coberto o Merced, uma pequena massa de chorume situada em frente à escola, cercado por um bosque bem bonitinho, onde sempre se corre o risco de dar de cara com um casal se pegando.

Nem esperei chegar para me abrir com Gabriel. Disse que tinha uma paixão não correspondida assim que passamos pelas quadras de tênis, no limiar da escola, cheias de poças d'água e folhas secas. Admiti que estava mais para amor enquanto atravessávamos o asfalto rachado que separava Roewer do lago. Confessei que se tratava de Adam State quando chegamos à pista de corrida coberta de cocô de cachorro, onde havia uma faixa de cabeça encardida abandonada.

— Adam State? — ele perguntou, cético, como se eu tivesse me enganado.

— Por que todas as pessoas reagem desse jeito? — perguntei, saindo da pista e andando em direção às árvores.

— Porque elas ficam surpresas — ele respondeu. — O Douglas tudo bem, afinal ele é tão pretensioso quanto o resto de nós. Mas *Adam State*? Como vocês se conhecem?

— Ele estava em *Arsênico e Alfazema* ano passado, lembra? Tínhamos papéis secundários, então dava pra conversar bastante.

—Você nem tem um relacionamento com o cara e já diz que é amor.

Não consigo reconstituir meu discurso palavra por palavra, apesar de estar escrevendo depois da aula, enquanto espero o pessoal da revista literária aparecer — nem um ano depois, no momento em que reviso tudo.

— Gabriel, há dois tipos de amor. O primeiro é gradual, como o que eu tive com Douglas. Éramos conhecidos, então ficamos amigos, depois mais que isso, e aí nos apaixonamos. Foi algo constante, como uma sopa sendo esquentada. É parte de um processo pelo qual todas as pessoas passam... Eu e você, por exemplo. Fomos de conhecidos para amigos, e não vamos esquentar mais que isso. Mas também é possível uma culinária mais intensa, tipo jogar a carne numa panela pelando, cheia de temperos. — Eu sabia que a metáfora funcionaria com Gabriel, porque é ele quem cozinha em todos os jantares. —Você é pego de surpresa. E é tão delicioso quanto. E real. Acho que é até mais real; é mais um prato principal que uma sopa. É isso que sinto pelo Adam. Uma conexão maior e mais forte, em muitos sentidos, que aquela que tive com Douglas. É mais que alguns interesses em comum, não é só fachada. É algo mais profundo.

— Então não tem por que você ficar desesperada — Gabriel

disse, olhando em outra direção. Era quase como se estivesse falando sozinho. — Se vai além das aparências, então não tem como controlar. Se tiver de ser, ele vai retribuir. Quando *eu* sinto algo forte assim, fico paralisado, sem saber o que fazer. Talvez ele funcione do mesmo jeito.

— Acha mesmo? — perguntei, dando um abraço nele. Reparei que, por alguns segundos, ele não soube o que fazer com as mãos, até que acabou me abraçando de volta.

— Vamos nos atrasar — Gabriel comentou, mas ele ficou mais um tempo à beira do lago comigo quando falei que agora era meu horário de almoço. — Acho que posso matar a terceira aula de inglês do dia. — Então demos de cara com Jennifer Rose Milton, sentada na grama no meio de uma clareira. Ela levantou num pulo.

— Oi, gente — Jennifer Rose Milton disse, olhando para trás de nós. — O que estão fazendo aqui?

— Só estamos conversando, Jenn — respondi. É lógico que não a chamo de "Jennifer Rose Milton" em voz alta. — E o que *você* está fazendo aqui? Sozinha?

— Ah, você sabe — ela disse vagamente, gesticulando em direção ao lago. — Estou só...

Gabriel virou e fez uma cara engraçada para mim.

— É melhor irmos andando — ele emendou. — Vamos nos atrasar.

— Tá bom — concordei, e Jennifer Rose Milton sorriu. Andamos em direção à escola. — Ela deve ter marcado um encontro com alguém — comentei. — E deve ser alguém especial. Jenn não almoça no meu horário. O que quer dizer que está matando aula, e isso *nunca* acontece. Ela é *perfeita*. Bom, vamos tomar um café.

— Assim você vai perder mais do que o almoço — ele me avisou.

Dei de ombros.

— Educação cívica, biologia. Só me importo em voltar a tempo para a aula da Millie. Podemos ir até o Macaco Macchiato.

O Macaco Macchiato é um café constrangedor, mas é o único que dá para ir a pé de Roewer. Em geral passamos lá depois dos bailes da escola, porque também é um dos poucos lugares que ficam abertos até tarde. E não apenas o nome é vergonhoso: tem caras de macaco *bordadas* em todas as cadeiras. Você pode até tentar ter uma conversa séria e profunda, mas seu subconsciente nunca te deixa esquecer que está sentado na cara de um macaco. Tomei um latte e Gabriel pediu um chá, que foi servido num bule individual que tinha a cara de um mico estampada. Passamos a maior parte da tarde ali, batendo papo e rindo.

A reunião da revista foi boa. Jennifer Rose Milton estava lá, assim como Natasha. Além de — rufem os tambores — ninguém menos que Rachel State, uma garota do primeiro ano e irmã de Adam, uma pobre criança perdida, com roupas pretas dos pés à cabeça e maquiagem malfeita. Natasha botou o apelido de Gótica Estrambótica nela no caminho de volta, enquanto ouvíamos Darling Mud e pensávamos em formas de abusar do meu poder de editora-chefe para chegar a Adam por meio de sua irmã. Ela me convidou para passar a noite em sua casa (ia passar um filme com a Dietrich na TV que ela queria que eu visse), mas acabei recusando. Não que tivesse assistido a aulas suficientes para ter que fazer lição de casa, mas queria ler Bradstreet, escrever poesia e pensar nas sábias palavras de Gabriel sobre aquela história do que é para ser.

Sexta-feira, 10 de setembro

Alguém deve ter sacrificado um cordeiro ou algo do tipo enquanto passei o tempo todo sentada esperando Adam me ligar ontem à noite, porque todo o cinza do dia anterior simplesmente sumiu. O ônibus a caminho da escola fervia na mesma temperatura que deve ter extinguido os dinossauros. Enfiei a mão na bolsa e encontrei meus óculos escuros na hora, um caso raro de sorte matinal. Coloquei e não falei com ninguém. Ao descer do ônibus, procurei por V., torcendo para que seu maravilhoso carro pudesse decorar permanentemente minhas manhãs. Porém, como a carona de ontem foi incluída um ano depois — você deve estar lembrado — na versão reescrita, ela evidentemente não estava lá.

Na metade da ladeira, no entanto, Kate cutucou meu ombro.

— Estou te chamando faz uma hora e meia — ela falou. — Você anda rápido. Não me ouviu gritar?

— Olha, na maior parte da última hora e meia eu estava em casa, do outro lado da cidade. Então não.

Kate revirou os olhos.

— Você convidou o Adam ontem à noite para o jantar?

— Não — respondi. — E não quero falar sobre isso.

— Tá bom — ela assentiu. Então engatilhou um novo assunto como se fosse a próxima bala no tambor da arma. — Se estiver livre, eu estou morrendo de vontade de ir ao cinema, essa maravilhosa forma moderna de espetáculo.

— O que está passando?

— O novo filme do Benjamin Granaugh, *Henrique IV*. — Kate era a única de nós capaz de pronunciar corretamente *Granaugh*.

— Topo. Quer jantar antes?

— Vamos. Falando nisso, posso convidar Adam por você? Sem querer discutir o indiscutível.

Mas discutindo mesmo assim.

— Acho melhor. Nunca contem comigo para dar o primeiro passo.

— Beleza. — A essa altura, estávamos na entrada lateral da escola, que ficava mais próxima da orientação de Kate. A Associação de Pais e Mestres tinha colocado uma faixa de boas-vindas ali que dizia "BEM-VINDOS! ESPERAMOS QUE SEU VERÃO TENHA LHE PREPARADO PARA UM ANO ONDE VOCÊ SERÁ DESAFIADO ATÉ OS LIMITES ACADÊMICOS, ATLÉTICOS E SOCIAIS!" emoldurada por carinhas sorridentes desenhadas com canetão. É claro que o certo seria "um ano *em que* você será desafiado". Kate se apoiou no vão da porta e cutucou distraidamente o olho de uma das carinhas. — Mas seria uma pena se você perdesse o Adam para a pessoa que escreveu *cartas de amor* para ele durante o verão inteiro. Contar isso durante as férias, quando não se pode fazer nada a respeito, é meio tonto, não acha?

— Falando em relacionamentos — eu disse, tentando mudar de assunto —, você sabe se Jenn está com alguém?

— Essa é uma das minhas missões de hoje — Kate declarou. — Você sabia que ela matou aula ontem e foi para o lago? O Gabriel me disse. Se ela foi mesmo encontrar alguém, deve ser *bem interessante* para esconder da gente.

— Eu estava com ele — contei, ávida para mostrar que tinha um papel importante na história. — Ela ficou muito sem graça. Com certeza tinha marcado com alguém. Não acredito que você ainda não sabe quem é. Será que está perdendo o jeito?

— *Claro que não* — Kate respondeu, maliciosa. — Só fiquei sabendo disso ontem à noite. Preciso de um tempo para investigar.

O sinal bateu.

— Tempo é algo que não tenho agora — respondi. — Preciso correr para meu encontro com Lawrence.

— *Quem?* — ela gritou nas minhas costas, mas não olhei para trás. Para ter sempre a atenção de Kate, só é preciso deixá-la na expectativa.

Sábado, 11 de setembro

Acordar hoje foi como um problema de lógica. Embora eu não o tenha resolvido, pelo menos consegui identificá-lo. Sou grande. Não, Flannery, vá direto ao ponto: estou *gorda*. Esqueci de fechar a persiana ontem à noite, por isso a manhã entrou com tudo pela janela. O sol me lembrou daquele ditado "Se Maomé não vai à montanha, a montanha vai a Maomé". Nesse caso, eu sou Maomé *e* a montanha. Mexi uma perna, depois a outra, e pisei no chão. Aos poucos fui me dando conta do tanto de espaço que mesmo metade do meu corpo ocupava na cama. Era uma coisa chocante. Ou Arquimedes estava errado e nenhum de nós ocupa espaço nenhum, ou eu simplesmente não vinha dando a devida atenção ao meu peso. Se basta metade de mim para ocupar a cama, me perguntei sonolenta, é porque tenho pernas curtas ou há outra razão?

A primeira opção é improvável. Fui até o banheiro. Duas coisas aconteceram ao mesmo tempo: o ponteiro da balança foi às alturas e meu queixo despencou. Não vou escrever o número no meu caríssimo diário italiano com capa de couro, mas, para aqueles que adoram estatísticas, asseguro que a soma das minhas partes é realmente elefântica. Toda aquela baboseira que eu estava despejando no ouvido do Gabriel à beira do lago — sobre como não há atração entre nós — não estava baseada em certos ideais platônicos alcançados, e sim nas minhas fartas coxas. Ninguém me quer porque estou gorda e feia. Me olhei no espelho pelada e me avaliei com o olhar da diretora de um colégio interno para meninas. Estou gorda e feia.

É engraçado... Pode parecer que a feiura é inata e que não há nada que se possa fazer a seu respeito; mas, quando se para pra pensar, não é bem assim. Afinal de contas, não estou apenas feia: também estou gorda. Se eu estivesse mais magra, também estaria menos feia. Se uma pessoa fica menos feia do que antes, pode-se bem dizer que ela está mais bonita. Kate me ligou para perguntar quais poemas da Bradstreet devíamos ler, então expus minha teoria a ela.

Após ler alguns títulos e números de páginas que não sei como tinha conseguido anotar, eu disse:

— Se uma pessoa é menos feia que outra, poderíamos dizer que é *mais bonita*, certo?

— Do que você está falando? — ela perguntou. — Isso tem a ver com Adam? Ele vai vir hoje à noite, você já sabe, né?

— Sei — respondi, melancólica. Não havia como eu ficar menor e mais bonita naquela noite. — Não, isso não tem nada a ver com Adam. Só estou perguntando teoricamente se, quando uma pessoa se torna menos feia, podemos dizer que ela se torna mais bonita?

— Bom — Kate disse, seca. Ela estava sendo seca e eu estava sendo melancólica. Acho que o comentário concentrado vai fazer a conversa soar menos dura. — Do ponto de vista teórico?

— Exato — respondi. — Sabe como é, intelectualmente falando.

— Olha — Kate disse, agora com cuidado. — Sinto ter que discordar da sua afirmação. Martin Luther King dizia que a paz não era apenas a ausência de violência, mas a presença de uma força positiva, ou algo assim, e acho que acontece a mesma coisa com a beleza. Quer dizer, você não olha para uma paisagem exuberante e pensa: "Quanta ausência de feiura há aqui".

Ainda que tenha tentado, Kate não me fez achar que eu estava errada, e vou me estender um pouco mais sobre o assunto. Um corpo menos gordo deixa uma pessoa mais bonita, por isso precisamos de algo que torne o corpo menos gordo, e evidentemente todos sabemos do que se trata: menos comida. Quando penso em toda a comida que consumi na noite passada, fico chocada; julgando por minhas pernas gordas, minha barriga gorda e até mesmo meus braços gordos, esse tipo de extravagância acontece o tempo todo. Ontem à noite, com aquele prato de frango e aqueles rolinhos superoleosos, cuja gordura felizmente parece ter subido para meu cabelo, em vez de se acumular no meu corpo, não foi exceção. Nem as balinhas de menta cobertas de chocolate no cinema. Venho assim, mais uma vez, recusar minha tese de que fazer dieta é um passatempo burguês da classe média decadente americana. Não, fazer dieta é algo bastante sensato. Comendo menos você fica mais bonito, simples assim. Nenhum outro problema na vida tem solução tão elegante. Dando início à minha dieta, não vou comer nada antes do jantar de hoje à noite, no qual serei bastante ponderada, comendo só uma saladinha. Jamais vou me permitir ficar tão grande quanto os outros obstáculos que me separam de Adam. Para não pensar em comida, vou fazer a lição de casa, evitando assim a preguiça (escolar), outro pecado capital. Vou ler Anne Bradstreet, que era uma mulher bastante disciplinada.

MAIS TARDE

Se ainda havia alguma semente de dúvida na minha cabeça sobre o fato de realmente amar Adam ou apenas uma ideia que construí dele, ela foi destruída pela geada do jantar de hoje. Não, calma, desse jeito vai parecer que foi uma noite congelante, mortífera. Quis dizer o exato oposto: se algum sentimento de dúvida impedia a flor do meu amor de crescer, então esta noite serviu para fertilizar a semente e permitir que ela brotasse. Mas essa imagem só funciona se você esquecer que um fertilizante é basicamente uma mistura fedida de estrume. Acho que deve estar óbvio que tomei vinho, mas foi uma noite mágica, maravilhosa, colossal, e quero deixar tudo registrado por escrito antes que tudo evapore no ar noturno, feito as espirais de uma fumaça sensual.

Gabriel me deu carona até a casa da Kate, o que significa que tivemos de chegar cedo para que ele pudesse começar a preparar o jantar. Ele é muito, muito metódico e chato quando se trata de cozinhar, e nunca nos deixa fazer nada, nem mesmo picar uma cenoura. Então Kate e eu ficamos sentadas à mesa da cozinha especulando sobre a vida amorosa de Jennifer Rose Milton enquanto Gabriel marinava um pargo e picava algumas pimentas-malaguetas com tamanha ferocidade que os azulejos beges da cozinha de Kate pareciam até ensanguentados. Ele estava usando um avental imaculadamente branco sobre um terno bem alinhado, e não parava de sorrir para mim.

Quando Natasha chegou, ostentando um decote e um brie, entrou imediatamente numa discussão com Gabriel sobre a maneira correta de assar o queijo. Kate e eu continuamos sentadas, apreciando toda a pretensão que aquela cena envolvia.

— Ainda tenho meio quilo de salsão para picar e já são quinze para as sete — Gabriel comentou, esfregando as mãos no avental e deixando marcas vermelhas no tecido branco. Se ele tivesse matado alguém e limpado o sangue, as marcas seriam iguais. Engraçado eu ter pensado justamente isso, né?

— Estou falando, Gabe — ela disse, usando o apelido que ele menos gostava; seus preferidos eram Riel e Gall. — Uma colher de sopa de azeite dá uma lubrificada nele.

— Quando o assunto for lubrificação, eu nunca vou te contrariar. Mas *azeite* no *brie*? Isso não é a porra de uma muçarela, Natasha!

— Chega! — exclamei. Gabriel parecia excepcionalmente nervoso, mesmo para uma receita nova. —Vou precisar separar vocês dois? — Eles continuaram se encarando e me ocorreu que talvez houvesse alguma coisa rolando ali que eu não soubesse.

— Pelo amor de Deus — Kate falou, antes de atravessar a cozinha bufando. Então apanhou o livro *Culinária do paladar palaciano* e foi para o índice. Os dois litigantes não se moveram nem um centímetro: Gabriel com as mãos na cintura, Natasha segurando o brie como se fosse Hamlet com o crânio, esperando Kate dar o veredicto. Ela manteve o suspense até o limite, virando páginas e páginas e páginas. Então finalmente falou: — Bom, segundo a srta. Julia Mann: "A adição de qualquer tipo de óleo ao brie, ou qualquer outro queijo pouco maturado, é, na melhor da hipóteses, redundante; na pior, desastrosa".

Gabriel não fez muito esforço para esconder um sorrisinho convencido. Natasha lançou um olhar fuzilante primeiro para ele, depois para Kate, e então, sem nenhum motivo, para mim. Não se ouviu uma mosca.

Mas se ouviu um brie quando ele despencou no chão. Não fez sujeira nenhuma porque estava embalado em plástico, mas ficou meio amassado. A cena foi tão patética que não consegui segurar uma risadinha. Num desses momentos mágicos e raros em que o clima fica subitamente mais leve, todo mundo caiu na gargalhada. Gabriel pôs um braço em volta de Natasha, que retribuiu o gesto. Ali estávamos nós, todos rindo em círculo, ao redor de um brie caído, quando Adam entrou.

A primeira coisa que reparei foram seus sapatos, que eram pretos e grosseiros — o extremo oposto de Adam, quando paro para pensar. Meus olhos então subiram pelo seu jeans, escalando a fileira de botões da camisa, desigual como uma cerca abandonada, chegando então a seu queixo recém-barbeado, seu sorriso e seus olhos verde-claros; acabei me perdendo em suas pupilas.

— A porta estava aberta — ele disse, meio que se desculpando, olhando o queijo caído por cima do ombro de Natasha.

— Para que você entrasse — Kate disse, encantadora, ficando na ponta dos pés e cumprimentando Adam com dois beijos no rosto. Gabriel bufou e voltou à sua tábua.

Natasha recolheu o queijo com uma mão e estendeu a outra para Adam.

— Oi — ela falou baixo.

Kate recolocou o livro no armário, abrindo caminho entre mim e Adam. Em lados opostos do cômodo quase vazio, nossos olhos se cruzaram.

— Flannery — ele disse e sorriu.

— Flannery — ele disse e sorriu.

— FLANNERY — ELE DISSE E SORRIU.

SORRIU, SORRIU, SORRIU.

Isso mesmo. Adam não apenas sorriu para mim; ele disse meu nome, e sem ponto de interrogação depois, como em "Seu nome é Flannery, né?". Tampouco foi um reconhecimento frio e simples, do tipo, "Já vi você, mas estou mais interessado em conversar com Natasha, que está usando um decote". Ele sorriu; acredito, senhoras e senhores do júri, que podemos supor que estava contente em me ver.

— Oi — falei. — Que bom que você veio.

— Também acho — ele respondeu. Nossos olhos se encontraram e não se desgrudaram mais. Sei que é meio brega dizer isso, mas, que se dane, já está tarde, estou meio bêbada, este é meu diário e ninguém tem nada a ver com isso.

Kate deu uma tossidinha e despertamos do transe. Adam chegou a corar um pouquinho, o que sua camisa muito branca só destacava. Não pense que não estou ciente de como estou soando.

— Ei, pessoal! — ele disse... que jeito mais charmoso de falar.

— Sei que vocês pediram pra trazer vinho, mas esqueci de perguntar o que íamos comer, então não sabia se trazia tinto ou branco.

Natasha pareceu seriamente abalada diante da ideia de que não haveria vinho.

— Você não trouxe nada?

Adam foi até ela e a consolou, de brincadeira, colocando uma mão no seu ombro e, depois, no meu.

— Calma. Tenho uma identidade falsa. Vou comprar agora. Só preciso saber qual é o prato principal.

Gabriel se afastou da panela e disse:

— Pargo!

Então voltou a cozinhar.

Kate se aproximou com um prato de cenoura picada.

— Que tal duas garrafas de vinho branco?

— Perfeito. Posso raptar algum de vocês que entenda de vinho? Se for sozinho, posso voltar com fluido de isqueiro.

— Bom — Kate disse, estendendo um braço. Reparei que ela tinha pintado as unhas. — Natasha precisa cuidar do brie, Gabriel está cozinhando e a anfitriã certamente não pode deixar a casa. Você não quer ir, Flannery?

— Ah, não — respondi, e todos riram, com exceção de Adam. Aquela era uma das piadas favoritas do Clube dos Oito... Tenho que dar o braço a torcer, é mais fácil usar esse apelido do que listar nossos nomes. A piada é mais ou menos assim: um homem muito baixinho não gosta de ir para festas porque tem medo de que ninguém queira dançar com ele. Insensível aos apelos dos amigos, ele se recusa a ter uma vida noturna. Até que um deles lhe faz uma visita, os dois bebem, ficam um pouco altos e o amigo o leva a uma boate. Nosso herói senta num canto, na esperança de que ninguém o note. Então, passando por uma sala apinhada de gente (a câmera corre rápido entre os figurantes) ele avista uma mulher linda, sentada sozinha em silêncio, que admira dos pés (a câmera sobe pelo corpo dela) à cabeça... sem um fio de cabelo! Ela é careca! Alguém que pode entender sua dor! Sem dúvida alguma ela é uma pessoa solitária, que deve se sentir igualmente envergonhada por uma característica física! Ele corre até ela, esbaforido, e lhe pergunta, todo tímido:

— Você vem sempre aqui?

Os olhos dela brilham.

— Ah, não...

Ele lhe dá as costas e sai batendo o pé, não sem antes gritar:

— Quem é você pra me chamar de anão?!

Nada me deixou mais feliz do que ouvir a gargalhada de Adam ricochetear pela casa de Kate e ganhar os ares da noite fresca.

— *Maravilhoso* — ele disse. — Adoro uma piada maldosa.

Cheguei à loja de bebidas já me sentindo meio bêbada. Fileiras e mais fileiras de garrafas de um lindo verde cintilavam à minha volta como juncos perfeitos. Pelo canto do olho, a palavra "AGUARDENTE" mais parecia "ANDA LOGO, GENTE!". Até as poses das modelos nos cartazes de propaganda de refrigerante não pareciam rígidas, mas elegantes e graciosas. Todo mundo estava segurando sua respiração. (Suas respirações? Tanto faz...) Pela primeira vez senti que não iam se decepcionar. Foi como assistir a um filme, quando os dois atores famosos se encontram pela primeira vez e você fica ali sentado no escuro sorrindo, porque sabe muito bem o que vai acontecer: eles vão se apaixonar.

Voltamos a pé, cada um com uma garrafa; nossas sombras pareciam quase idênticas à luz dos postes. Nos filmes já teríamos nos beijado, mas como aqui se trata de celulose e não celuloide, só conversamos. Falamos sobre a volta às aulas, sobre como ainda não tínhamos nos inscrito em nenhuma faculdade, sobre se Flora Habstat realmente citava o *Guinness* o tempo todo.

Quando chegamos, a temporada havia de fato começado: Darling Mud tocava ao fundo, parte do nosso ritual: música barulhenta durante a preparação, calma durante o jantar; e todos os convidados tinham chegado. V. e Jennifer Rose Milton, com Flora Habstat — com um visual meio nerd — em seu encalce, disputavam o título de mais bonita, ambas vestindo calça preta, para o constrangimento delas. Douglas, é claro, usava linho, e, encolhido de horror com o "sem parar, sem parar, sem parar" que ocupava o ambiente, já fuçava os discos em busca de algo para tocar durante o jantar. Essa é a função dele, além de trazer flores. Douglas é louco por flores. Natasha, que também já havia saído com ele, dizia ter a impressão de que estava sempre lhe oferecendo vaginas, mas eu não via nada de obsceno nisso; só ficava um pouco sufocada com todo aquele xilema e floema. Mas Douglas ultimamente devia estar torrando tudo o que tinha com Lily, porque havia apenas um vaso simples de margaridas na mesa. V. implorou a Kate que a deixasse polir os talheres. Por ter sido criada no meio de tanta opulência, ela tem uns desejos estranhos. Kate arranjou um produto, e V. se ocupou pelos quinze minutos seguintes polindo garfos que provavelmente eram feitos de aço inoxidável, mas foi o bastante para deixá-la feliz. Quando sentamos à mesa, nem precisávamos das velas: os garfos iluminavam a sala por conta própria. Ao lado dos outros utensílios de mesa, pareciam adagas reluzentes, prontas para tirar a vida de alguém e fazer da nossa um inferno. Não que Adam tenha sido assassinado por uma adaga, mas aquela teria sido uma boa hora para um presságio.

Antes do jantar, fizemos brindes. Kate, à cabeceira da mesa, lugar que lhe cabia e sempre caberia, bateu com um talher na taça.

— Obrigada por sua presença no primeiro jantar da temporada, senhoras e senhores.

— É sério isso? — Flora Habstat falou. — Vocês fazem uma temporada de jantares, tipo no futebol americano?

V. lançou a Flora um olhar que os livros descrevem como "malicioso".

— *Não tem nada a ver com futebol americano* — ela disse, com um ar irritado.

— É maneira de falar — Jennifer Rose Milton explicou correndo. — Ela quis dizer que é o primeiro do ano letivo.

Kate prosseguiu, com a postura de uma rainha.

— Acho que todos da mesa deveriam propor um brinde. Primeiro eu. — Ela pigarreou e olhou para baixo, como se estivesse pensando a respeito, embora eu suspeitasse que ela tinha escrito o discurso naquela tarde. Kate ergueu a taça pela haste, como V. havia nos ensinado dois anos antes, em nosso primeiro jantar. (Quero me esconder de vergonha quando penso que o cardápio era espaguete ao molho bolonhesa e pão de alho.) Todos seguimos seu exemplo. Enquanto o copo gelava a ponta dos meus dedos, me senti conectada a uma longa linhagem de círculos literários: Oscar Wilde, Dorothy Parker, Virginia Woolf, Byron, até Shakespeare. Eu fazia parte de uma tradição.

— A todos os convidados, de sempre ou não — Kate declarou, curvando-se regiamente em direção a Flora Habstat e Adam. — Que sejamos felizes, espirituosos e honestos, mas, antes de tudo, sempre interessantes.

Batemos as taças e bebemos. Gabriel, o próximo no sentido horário, olhava para Kate com uma expressão estranha.

— E que sejamos sempre *amigos* — ele disse. — Esse é meu brinde. Melhor sermos amigos que interessantes.

— *Por favor, né?* — Natasha resmungou à minha direita. — Melhor ser galinha do que ovo. Quem se importa?

— *Você* obviamente não — Gabriel retrucou. Um frio mortal invadiu a sala.

— Acho que ainda estou sentindo o cheiro daquele brie — disse Kate, e todos caímos na risada. Ela corou um pouco, e fez sinal para Douglas falar.

Ele pigarreou.

— Talvez isso soe péssimo, mas gostaria de propor um brinde à esperança de conseguirmos sobreviver à escola. Minha irmã chorava o tempo todo de tanto estresse quando estava no último ano. Acho que esse tipo de coisa pode ser um teste às amizades, por isso quero propor um brinde a sermos cuidadosos e tentarmos chegar lá. — Ele ergueu sua taça e, aos poucos, todos fizemos o mesmo. Douglas sempre foi meio pessimista, mas aquilo era realmente sombrio. Até o tim-tim pareceu soar um tom mais grave. Quase corri até ele e lhe dei um abraço, mas me contive.

Lily pareceu se sentir incumbida de descontrair o clima, mas improvisar piadas não era seu forte. Ela olhou primeiro para seu prato e depois para nós.

— Um brinde a passarmos sempre por cima das mesquinharias da vida.

— *Será mesmo?* — Kate perguntou. — Pelo que deveríamos lutar, se não por coisas banais, tipo como fazer brie? Precisamos mesmo reservar nossas forças apenas para os grandes conflitos?

— Desculpa. Não ficou bom. — Lily estreitou os olhos. — Um brinde a deixar nossas atividades superficiais favoritas, como assar brie, substituir outras que venham a surgir em nosso caminho, como entrar na faculdade. — A isso, todos bebemos; pensar nos processos de seleção sempre nos deixa com sede.

— Amém! — Gabriel e Natasha gritaram ao mesmo tempo. Eles se olharam de lados opostos da mesa e tentaram forçar uma careta, mas acabaram sorrindo.

Flora Habstat era a próxima e parecia hesitante. Na verdade, estava assim desde que havíamos sentado. Por fim seus olhos se iluminaram, cheios de confiança, e ela levantou sua taça.

— Um brinde a sermos desafiados até os limites acadêmicos, atléticos e sociais! — O slogan da Associação de Pais e Mestres. No meio de um de nossos jantares. O problema de todo mundo tentar não rir ao mesmo tempo é que você não pode de jeito nenhum encarar outra pessoa. Então ficamos olhando cada um em uma direção, paralisados, como se fôssemos manequins.

Na cabeceira oposta da mesa, Jennifer Rose Milton tentou salvar a situação.

— Faço o mesmo brinde que Flora, só que um pouco mais generalizado. — Se ela é mais gentil ou mais bonita ainda é uma questão em aberto neste livro. — Que todos os clichês que tentam nos fazer engolir nesta fase da nossa vida se tornem realidade. Tipo, seria mesmo ótimo se fôssemos desafiados até os limites acadêmicos, atléticos e sociais, não é verdade? Seria mesmo maravilhoso se vivêssemos a melhor época das nossas vidas e se nossos olhos brilhassem diante da promessa do que está por vir, não acham?

Todos assentimos sem dar um pio. Se abríssemos a boca, acabaríamos rindo da pobre Flora.

Natasha foi a única a ter coragem de nos desafiar até os limites sociais ao tentar desatar nossa risada represada.

— Nesse caso — disse ela, com a voz falsamente melosa —, proponho um brinde à paz mundial.

— Sabe — comentou Flora Habstat, radiante —, vi no *Guinness* que paz mundial é o tema de brinde mais comum em eventos oficiais.

Depois disso não deu mais pra segurar. Rimos alto e por um longo tempo. Por sorte, Flora Habstat pareceu confusa, e não magoada. Concluí que ela não sabia por que estávamos gargalhando.

— Se nossa anfitriã estiver de acordo — comentei enquanto todos ainda estavam rindo —, voto para que dispensemos o resto dos brindes. Depois da paz mundial, não há muito mais o que saudar.

Kate pareceu um pouco decepcionada, mas não insistiu.

— Bom, então vamos comer.

Gabriel foi apanhar a comida que ele tinha deixado no forno para que não esfriasse. V. foi ajudá-lo. Adam, à minha esquerda graças à sutil demarcação de lugares planejada por Kate, virou para mim com uma expressão de gratidão. Senti um cheiro leve de loção pós-barba.

— Como posso agradecer por ter me livrado da obrigação de pensar em um bom brinde?

Beber de estômago vazio me deu coragem.

— Outra garrafa de vinho com sua identidade falsa? — propus. — É raridade pra mim, uma simples menor de idade que nunca infringe a lei.

— Fechado — ele concordou. — Mas você vai ter que me ajudar a escolher. Te ligo.

"Te ligo." Simples assim. Bastou um jantar e eu já estava milhares de quilômetros à frente do que já sonhara.

Domingo, 12 de setembro

Desculpe as manchas; esqueci de pegar uma colher, então tive que mexer o café com o dedo. Estou no sofá da sala de estar com a TV ligada no mudo. São quase onze horas e estou esperando ligações, por isso o telefone está do meu lado. Para fazer um resumo completo do jantar, vou listar os temas principais e os comentários de cada um, seguindo a ordem dos telefonemas.

A FESTA EM GERAL

Kate: *Acho que foi tudo muito, muito bem, não concorda, Flan? Demorou para entrarmos no clima, mas é o esperado depois de termos passado o verão inteiro distantes.*

Jennifer Rose Milton: *Adorei.*

Natasha: *Foi ótimo. De verdade.*

Gabriel: *Foi normal. Acho que eu não estava no clima.*

Douglas: (Obs.: Todas as citações dele foram feitas por Lily. Douglas foi logo cedo visitar o pai e a madrasta, que é pior que qualquer madrasta que os irmãos Grimm já escreveram.) *Ele se divertiu bastante, ainda mais depois de ter saído de uma aula desumana no conservatório.*

Lily: *Eu também. Por que você está fazendo perguntas como se estivesse anotando as respostas?*

V.: *Eu queria ter chegado mais cedo para polir tudo. Poderíamos ter feito o jantar em casa, se meus pais não estivessem dando aquela festinha.*

Adam:

O VEREDICTO SOBRE ADAM

Kate: *Sou totalmente a favor. Vou fazer tudo o que puder pra ajudar.*

Lembro como foi difícil quando meu rolo com Garth começou, então só me diga o que fazer. (Foi difícil conter uma risadinha. Kate adora opinar sobre relacionamentos usando o que aprendeu em seu *rolo* com Garth, que foi o único que ela teve e durou uma semana e meia.)

Jennifer Rose Milton: *Ele parece legal, mas não faz muito meu tipo.* (Ela não elaborou qual seria seu tipo, se é que realmente tem um. A srta. Milton é uma mulher cheia de mistérios.)

Natasha: *Ele é bem gostosinho. Aquela camisa estava implorando pra ser desabotoada. Mas acho que não ia conseguir roubar o cara de você. Não sei o que você falou na hora em que foram comprar o vinho, mas parecia que ele estava em transe a noite inteira.*

Gabriel: *Ele me parece aceitável. Sei lá. Não me pergunte essas coisas, Flannery. Acho que sou meio, hum, superprotetor em relação a você.*

Douglas: *Ele suspeita que Adam segue o método Suzuki e odeia isso, mas fazer o quê?*

Lily: *Ele é muito charmoso, Flan, mas vai saber o que esconde por baixo disso...*

V.: *Não deixa esse cara escapar, Flannery Culp! Tão educado! Tão limpinho! Não sabia que ainda fabricavam esse modelo nas escolas públicas.*

Adam:

Kate: *Quem? Ah, tá. Precisa mesmo perguntar? Já é quase meio-dia e ela ainda não me ligou para agradecer.*

Jennifer Rose Milton: *Acho que ela estava se esforçando um pouco demais, mas até que é simpática, você não achou?*

Natasha: *Não te falei do* Guinness*?*

Gabriel: *Bom, imagino que ela seja uma boa pessoa, mas é um pouco, como posso dizer... chata? Uma pessoa nula, sei lá. Não, não é bem isso que quero dizer. Tenho certeza de que tem gente que gosta dela.*

Douglas: *Ele não comentou nada sobre Flora.*

Lily: *Fiquei em dúvida se ela tem um senso de humor incrivelmente sutil e ficou tirando com a nossa cara a noite toda ou se é só idiota. Às vezes é bem difícil saber a diferença.*

V.: *Bom, ela ajudou a tirar a mesa.*

Adam:

Adam:

Adam:

ADAM:

Vocabulário

CONFIDENTE NÃO CORRESPONDIDO EUFEMISMOS
EPIFANIA ELEFÂNTICO

Questões para análise

1. Você entendeu a diferença entre autoridade e autoritarismo? Responda honestamente.

2. V., na realidade, tem mais de uma letra em seu nome. Por que você acha que Flannery nunca o escreve inteiro? (Dica: sua família é muito rica e poderia obrigar os editores a suprimir o nome de qualquer um de seus membros de um livro que poderia vir a manchar sua reputação.)

3. As grandes óperas falam de amores proibidos, ciúmes coléricos e mortes violentas, mas são consideradas arte. Contudo, pessoas que colocam em prática esse tipo de comportamento são punidas. Você acha que isso é hipocrisia? Discuta.

4. Você certamente viu fotos de Flannery Culp em jornais e revistas. Ela é gorda? Não minta.

Segunda-feira, 13 de setembro

No segundo ano, a sra. Mills, professora de inglês que dizem que foi freira, nos ensinou o conceito de falácia patética: quando um personagem está experimentando alguma emoção de maneira intensa e todos os elementos inanimados ao seu redor — o tempo, a paisagem, coisas assim — tendem a acentuá-lo. Assim, dei uma olhada no tempo ao sair do ônibus, para que ele me dissesse como eu iria na prova de cálculo da sexta-feira. O céu estava cinzento, mas não chovia — concluí que tiraria uma nota bem mais ou menos. Comecei a me arrastar ladeira acima, para logo depois praticamente começar a galopar ao avistar a silhueta alta e magra de Adam meio quarteirão à minha frente. Tentei não correr para não parecer tão óbvia: "Adam? (Arf!, arf!) Nossa, não tinha te visto...".

— Adam? — chamei, um pouco atrás dele. Adam virou e me olhou com uma cara perplexa. Não era Adam; era Frank Whitelaw. Nesse exato instante começou a chover.

Frank Whitelaw levou uns bons três segundos para levantar os olhos para o céu e depois voltá-los para mim. Se fosse qualquer outra pessoa teria sido uma cena superengraçada. Mas, no caso dele, eu sabia que era só sua velocidade sináptica máxima. (Não sei se esse termo existe, porque, como você deve ter notado, mato as aulas de biologia o tempo todo.) Frank Whitelaw fazia parte da equipe técnica do teatro e sempre suspeitei que algum objeto cenográfico pesado tinha despencado na cabeça dele. A teoria da Natasha era consumo de drogas ilícitas, enquanto Kate achava que qualquer sobrenome que soasse tão neonazista era sem dúvida resultado de cruzamentos consanguíneos.

Ele abriu a mochila, tirou um guarda-chuva e o abriu sobre nós. Tive a impressão de estar sendo protegida por um grande macaco amigável. A água caía com fúria. Lutávamos para subir a rua.

Eu ainda estava pingando por conta do aguaceiro da falácia patética quando recebi meu treze. Na hora não entendi o significado daquilo: um treze circulado no topo da minha prova. Eu tinha ficado em décimo terceiro lugar? Havia cerca de trinta e cinco alunos na classe. Foi então que, aos poucos, a efervescência da verdade arrotou no meu cérebro: treze de cem. Se houvesse um acidente de trem e só treze por cento dos passageiros sobrevivessem, chamariam isso de desastre. Olhei para a prova e vi as pequenas marcas vermelhas de certo que apontavam para pedacinhos de equação, em tentativas corretas de resolução, como sobreviventes num lamaçal, debatendo-se no meio de todos aqueles *X* na ponte, que mal planejada e pessimamente construída, desabara ao primeiro teste. A explicação de Baker para "os problemas mais difíceis" — dando a entender que havia alguns *fáceis* — me rodeava como aqueles advogados charlatões que aparecem sempre que acontece um desastre, enquanto eu ficava ali sentada contemplando os escombros. Será que havia bons cursos de literatura inglesa nas faculdades de fundo de quintal? Lá estaria eu, ainda morando na casa dos meus pais, recebendo cartas entusiasmadas dos meus amigos, escritas em grandes bibliotecas de universidades de ponta, repletas de primeiras edições decrépitas de obras-primas. *Querida Flannery, aqui é incrível. Você ia adorar. Pena que se saiu mal naquela prova de cálculo.*

Considerando que Adam não me ligou ontem e não está sequer na minha aula de cálculo, não havia razão para que eu tivesse sentido sua mão forte e reconfortante sobre meu ombro, mas isso não me impediu. Só que, quando virei, vi que era o sr. Baker.

— Ei — ele disse, de um jeito brusco —, não se preocupe. Foi só a primeira prova. — Olhei ao redor; em algum momento do meu devaneio, a classe tinha sido dispensada. — Não acho que você não saiba a matéria. Só entrou em pânico. Sabe qual foi seu erro? — Deixei que ele respondesse à própria pergunta, pois a única resposta que me veio à mente foi: "Ficar pensando em ideias para histórias todos os dias durante a aula?".

— Você não seguiu a Regra de Baker — ele disse. Do que estava falando? Olhei para o livro devidamente encapado. — Quer saber qual é a Regra de Baker? — ele perguntou com o que deveria considerar um sorriso de vencedor, enquanto eu devia estar com a maior cara de perdedora. Estava atordoada demais com meu fracasso para pensar em jogos de palavras, mas *poderia* ter pensado neles, por isso estou escrevendo isso agora.

— *Faça alguma coisa.* Não fique só olhando para um problema que acha que não consegue resolver. *Faça alguma coisa.* Isso não se aplica só a cálculo, acredite em mim. — Ele me deu umas batidinhas na cabeça, um pouco forte demais. — Entendeu, Flannery?

— Entendi.

Muito obrigada, sr. Baker. Me sinto bem melhor agora. *Faça alguma coisa.* Por que esse homem desperdiça seu talento ensinando cálculo quando daria um excelente assessor de presidente? Na minha próxima aula irei ao coral para ver um homem que não me ama. Na hora do almoço, preciso procurar Jim Carr e pedir desculpa por ter matado a aula de biologia na quinta, caso contrário ele vai me humilhar na frente da classe inteira. Hattie Lewis agora está dizendo que amanhã vamos estudar "O dia do Juízo Final". Minha vontade é dizer que ele está rolando desde quando levantei da cama.

Adam abriu a porta, chamou meu nome e eu entrei. Então percebi que não era ele, e sim Johnny Hand, o cantor de boate bêbado e suposto professor do coral. Que palavra forte: *suposto*. E que importância ela adquiriu na minha vida... Ele sorriu para mim um pouco cambaleante e saiu da salinha, me deixando a sós com outra pessoa. Eu tinha praticamente certeza de que era o Adam, mas àquela altura já me enganara vezes demais.

Como eu espero que você já tenha percebido, o registro de hoje do diário só mostra que confundo Adam com outras pessoas. Estou apontando isso não apenas para que você tenha noção de como meu amor é gigante e intenso, mas para demonstrar o caráter completamente fortuito do crime; na verdade, da situação como um todo. Em outras palavras: Adam poderia ser qualquer um. Nosso corpo, nosso "eu" material, é, ironicamente, imaterial.

Só que aquele *era* Adam. Estávamos sozinhos, numa salinha de audição abafada. Tive a impressão de estar passando por um exame clínico, por isso reagi de acordo.

— Então, dr. State — comecei. — Estou sentindo uma dor no pescoço já faz quatro anos e acho que é por causa da escola. O senhor pode dar uma olhadinha?

Sentei numa cadeira dobrável. Adam ergueu os olhos do seu caderno.

— Está tentando me dizer que quer brincar de médico, sra. Culp?

— Por favor — falei, batendo os cílios. — É *srta.* Culp. — Caímos na risada. Eu mal podia acreditar em como conseguira ser charmosa. Talvez o espírito de Natasha tivesse baixado em mim por algum ato de magia negra.

Sim, eu escrevi *magia negra.* Mas é *brincadeira. Jamais me envolvi com magia negra.* Por favor, escreva para o juiz dizendo isso. Mais tarde voltaremos a esse assunto.

— Fiquei feliz quando vi que seu nome era o próximo da lista — Adam disse. — Se eu tivesse que escutar mais uma contralto desafinada, ficaria maluco.

O espírito de Natasha foi exorcizado do meu corpo num piscar de olhos.

— É... Bom... — eu disse, de modo nem um pouco espirituoso ou sedutor. — Hã... Eu sou uma contralto desafinada.

Adam se encolheu.

— Ah — ele balbuciou. — Eu não quis... Algumas das minhas melhores amigas são contraltos, sabia? — Ele abriu um pequeno sorriso para mim.

— Preciso cantar na sua frente?

— Você é mesmo uma contralto desafinada?

— Receio que sim. De acordo com Roewer, dirigir a revista literária e participar das peças de teatro não preenche os requisitos do meu currículo de artes. Por isso precisei pegar qualquer outra coisa.

— Certo — ele concordou. — Vou te colocar aqui como contralto. Não precisa cantar.

— Obrigada. — Levantei para sair. Decidi que, se ele me chamasse de novo, era porque gostava de mim.

— Espera um pouco! — ele falou, revivendo minha fé em um ser divino qualquer. E não, sra. State, não estou falando do demônio. — Vamos fingir que estou avaliando você. Preciso dar um tempo do cortejo de supostos cantores. Fica um pouquinho aqui comigo.

— Tá bom. — Voltei a sentar na cadeira. — Do que quer falar?

— Daquele jantar maluco. Foi legal. Vocês sempre fazem aquilo?

Maluco? Pude ouvir Kate berrando dentro da minha cabeça.

— Fazemos vários. É melhor do que ver um filme, não acha?

— Com certeza. Espero ser convidado de novo.

— Se jogar as cartas certas...

— É... Olha, acho que eu não soube mesmo... — Ele pigarreou. — Jogar as cartas certas. Desculpa não ter falado nada sobre as cartas.

Prendi a respiração. Há situações em que é melhor se calar — elas são bem raras, na minha opinião —, e aquela era uma delas. Então pigarreei e comecei a falar:

— Não se preocupe. Acho que nem tinha o que responder... *principalmente o último postal.* Eu estava, não sei, tão envolvida com a Itália... Não tinha mesmo como você responder... ainda mais o último postal. Desculpa. O verão às vezes tem um efeito estranho sobre a gente. Ele apaga tudo o que está em volta. Cria um tipo de vácuo. Eu só quis te escrever, ponto. Faz um tempo que queria me desculpar, mas não consegui. Mas vou fazer isso agora. Desculpa pelo último postal. Sei que você não soube o que fazer com as cartas, e muito obrigada por não ter contado às minhas amigas que era eu quem estava escrevendo, mas não precisa se preocupar... *principalmente com o último postal.* Vou fingir que nunca escrevi nada para você, e você pode fingir que nunca recebeu nada... *principalmente o último postal.* Quer dizer, ainda podemos ser amigos, ou conhecidos, ou seja lá o que somos... companheiros de jantar... mas vamos fingir que toda a correspondência ingênua embebida de vinho jamais existiu... *principalmente o último postal.*

Quando vou ao teatro ver uma peça e alguém tem uma fala assim tão longa me sinto constrangida, mesmo sendo só uma peça, onde você pode esperar esse tipo de fenômeno. Mas eu não estava em uma.

— Que postal? Não recebi nenhum postal — ele disse. — Só recebi duas cartas e queria dizer obrigado.

— Ah — falei.

— Você me mandou um postal? — Ele levantou e veio até mim. Em outro mundo, eu poderia simplesmente ter me inclinado e o beijado. Talvez tivesse feito diferença. Eu poderia ter agido rápido. Mas tudo o que consegui foi pensar.

— Não sei — respondi. — Achei que tivesse mandado. Mas escrevi tantos postais...

— Não contei a ninguém que foi você quem escreveu — ele disse —, porque achei que as pessoas podiam pensar que era algum tipo de declaração. — Ele moveu ligeiramente as mãos, viradas para cima, num gesto que não faço ideia do que significava. — *Eu* pensei que talvez fosse.

Agora era a vez dele me beijar, você não acha? "Eu pensei que talvez fosse." Ao fundo, um som aconchegante de violinos. Ele chega mais perto. O volume (da música, claro) aumenta. E então vem o beijo. Mas não veio. "Eu pensei que talvez fosse", e então nada.

— Talvez fosse mesmo — falei, então levantei e zarpei da sala. Quis bater a porta com força, mas ela era uma dessas que fecham bem devagarinho. *Suiiishhhhh!* O resto do coral se virou para mim por um instante.

— Próximo! — gritei de improviso antes de dar o fora dali.

Foi o acontecimento seguinte — o final da quarta aula de segunda-feira, 13 de setembro, no Colégio Roewer — que os tipos mais exagerados do grupo dos charlatões de sempre proclamaram ser o gatilho do que foi chamado de todo tipo de nome, desde "Desobediências em série" (dra. Eleanor Tert) a "O mais sanguinário ato cometido por adolescentes já discutido em meu programa" ("dra." Winnie Moprah, cujo título, honorário, lhe foi outorgado por uma escola de reputação acadêmica duvidosa). O livro de Tert, *Chorando demais para sentir medo*, diz:

> *Não há como exagerar a importância desse momento psicossexual e voyeurístico na adolescência de Culp.* [Até parece! É óbvio que haveria como exagerar a importância disso. E se ela dissesse: "Esse momento psicossexual e voyeurístico na adolescência de Culp foi responsável pela fome no mundo"? Seria exagero, não acha? Eis o problema com a cobertura da minha história: incorreção seguida por preconceito.] *Imaginem Culp, no rescaldo de sua iniciação sexual, tendo uma discussão com sua futura vítima* [de novo: incorreto, porque ele não foi minha vítima], *perambulando em um estado de torpor até a sala de um professor de quem gostava, em busca de aconselhamento e orientação* [incorreto, incorreto, incorreto]. *No entanto, ao entrar, ela o encontra traindo sua confiança, na*

verdade, traindo a profissão de educador, enlaçado a uma aluna [incorreto]. *Foi a traição suprema para a jovem Culp e desencadeou uma reação brutal, apenas um pouco tardia — da mesma forma que Poe em face da morte de sua mãe, conforme abordado em meu primeiro capítulo* [quantidade horrenda de informações incorretas].

Mesmo falando um monte de bobagem, a descrição da dra. Tert apresenta sérios problemas *semânticos. Enlaçado* é um termo elegante demais para o que Carr estava fazendo. A única coisa quase certa que ela disse foi que eu saí pelo corredor e entrei numa sala de aula. Fui recebida por bicos de Bunsen apagados, girinos semimortos e pôsteres velhos do sistema digestivo, mas nenhum sinal do professor. Ao lado da classe se encontrava o escritório dele, no qual não deveríamos entrar, devido à presença de produtos químicos perigosos. Escutei um farfalhar de papel.

— Sr. Carr? — chamei, cautelosa, apoiando a mão na porta entreaberta.

— Não sei — alguém falou baixinho.

— Sr. Carr? — chamei outra vez, escancarando a porta.

Ele estava vestindo um daqueles jalecos brancos que professores de biologia usam para parecer que estão numa propaganda de aspirina. A princípio, parecia que ele só estava ali parado, dando um sorriso para a mesa, mas, quando segui seu olhar, encontrei sua assistente sentada sobre ela, olhando para ele de maneira suspeita. Carr se abaixou e a beijou. A mão dele estava sobre a saia dela. Ela repetiu, em voz baixa:

— Não sei.

Não foi um "não sei" inocente. Foi um "não sei" atordoado. Não foi um "não sei… por que você não escolhe a melhor posição?". Foi mais um "não sei se eu devia estar fazendo isso". Não me movi. Tinha praticamente certeza de que não devia estar vendo aquilo e de que aquilo não devia estar acontecendo de jeito nenhum.

— Ah, deixa disso, vai — ele disse, tentando disfarçar sua irritação num tom sedutor.

Os olhos da assistente estavam semicerrados, mas ela me viu mesmo assim.

— Ai, meu Deus! — Ela levantou subitamente, se desequilibrando por um instante.

O sr. Carr girou o corpo e olhou para mim. Seus olhos brilhavam, assustados.

— O que você quer? — ele gritou. — O QUE VOCÊ QUER?!

— Desculpa ter matado aula na quinta — falei, recuando.

— Estou numa reunião — ele berrou. — Esse é meu escritório! Você não tem o direito de entrar aqui! — Saí correndo, passando pelos girinos e pôsteres. Uma cadeira tombou fazendo um estrondo. — SAIA! — ele continuou gritando, e eu obedeci.

No corredor, algumas pessoas haviam ouvido a gritaria e olhavam para mim: dois caras sentados no chão, com livros no colo e as costas apoiadas contra os armários; uma garota de cabelo tingido e um funcionário da limpeza fazendo hora. Corri até a escada e ouvi alguém se aproximando. Ver Carr beijando a assistente não foi assustador. Mas ouvi-lo aos berros, sim. E agora ele estava vindo atrás de mim.

A garota de cabelo tingido agarrou meu braço assim que cheguei ao térreo.

— Me larga — falei, até perceber que era Natasha. Dei um abraço forte nela. Pude ouvir minha própria respiração, pesada. Jamais vou esquecer aquele som.

— Que *merda* foi aquela? — ela perguntou, cheia de batom e unhas. — Por que ele estava gritando?

— Eu entrei no escritório dele pra me desculpar por ter matado aula na quinta — expliquei, ainda ofegante. Parecia ter água nos meus pulmões.

— Calma, respira — ela disse. — Senta aqui. Parece que tem água nos seus pulmões. — Sentamos no penúltimo degrau. Esfreguei o rosto. Algumas pessoas ficam bem quando choram, mas não eu, por isso tentei parar. Os gritos de Carr começaram a soar mais baixos aos ouvidos da minha mente, e lembrar da assistente se desequilibrando ao sair da mesa. Comecei a rir.

"Ouvidos da minha mente"? Desconfio que isso não existe.

Natasha me lançou um olhar inquieto, como se olha para alguém que treme, depois chora e ri. Uma sombra recaiu sobre nós. Erguemos a cabeça e demos com o vice-diretor, um homem gordo que estava sempre de colete xadrez e ar empertigado. O sr. Mokie gosta de dizer aos alunos para pensarem nele mais como um amigo que como um vice-diretor. Esse é bem o tipo de gente que Natasha gosta de trucidar.

— Vocês não podem ficar sentadas nas escadas, meninas — ele anunciou. — São ordens do bombeiro-chefe.

— *Eu* sou a bombeiro-chefe. — Natasha rosnou. — Estamos fazendo um treinamento.

— Ouçam — o sr. Mokie continuou —, não sou eu quem faz as regras. Estou falando isso como amigo, não como vice-diretor. Agora saiam daí.

— Um amigo não manda ninguém sair de algum lugar — Natasha respondeu. — Só vamos ficar sentadas um pouquinho, tá? Deixa a gente quebrar suas regras idiotas só dessa vez. Não vamos te denunciar para o Führer.

O sr. Mokie franziu a testa.

— Não falo francês — ele disse. — E as regras não são minhas. Não queria ter que mandar vocês para a detenção, mas pelo visto não tenho escolha. Minhas mãos estão atadas.

— Ninguém mais viu a gente — Natasha respondeu.

— Não posso fazer nada se vocês não seguem as regras. Minhas mãos estão atadas.

— *Cai fora!* — gritei. Pude ouvir o eco, quicando escada acima, até chegar ao último andar e além, onde Deus e o bombeiro-chefe moram. Foi um som brutal. O sr. Mokie sumiu em um segundo, provavelmente para buscar a papelada.

Natasha me olhou, claramente impressionada.

— Bom trabalho. Logo, logo você não vai mais precisar de mim.

— Não seja ridícula — retruquei.

Sorrimos uma para a outra, como verdadeiras amigas.

— Então, o que foi que aconteceu? — ela perguntou. — Tivemos que lutar por esse canto, então é melhor fazer bom proveito disso.

— Nem consigo falar. É melhor você ler. — Enfiei a mão dentro da bolsa e tirei o diário. As sobrancelhas dela saltaram; eu nunca tinha deixado ninguém nem encostar nele. — Anda — eu a encorajei. Abri na página certa e o entreguei para ela. Natasha voltou os olhos outra vez para mim e continuou ali sentada. Então leu a partir daquela página. Ah, espera aí. Não tive tempo de escrever no diário ainda. Maldito barulho!

O sinal tocou.

— Preciso ir. Tenho educação cívica agora.

— Conversamos depois — Natasha disse, devolvendo o diário.

— Não conte a ninguém! — gritei, e ela subiu a escada correndo. Entrei muda na aula de educação cívica, fui até uma cadeira e coloquei tudo o que tinha acontecido no papel.

Jennifer Rose Milton sussurrou para mim que, na noite anterior, *maman* havia tomado vinho tinto demais num jantar com alguns convidados; por isso, na aula de francês, Millie passou o tempo todo corrigindo trabalhos de óculos escuros, enquanto nos dividíamos em grupos e ficávamos lendo diálogos em voz alta, o meu e de Jennifer Rose Milton era mais ou menos assim:

— O que você pôs na sopa naquela noite?

— Cebolas e um pouquinho de vinho tinto.

—Vinho tinto! Meu Deus! Mas não foi muito caro?

— Não, não; não se você for àquela loja perto do lago.

— Perto do lago? Parece bucólico demais para uma garota moderna como eu! Ho-ho-ho! Você comprou as cebolas no mercado?

— Sim, mas tive que ir a quatro lojas antes de achar legumes frescos. Eles são tão raros nessa época da (intraduzível). Você viu seu professor dando em cima da assistente?

— Sim, eu vi.

— Ela estava gostando?

— Não, não estava.

—Acho que o professor era asqueroso demais para uma garota moderna como ela. Ho-ho-ho! Que época da (intraduzível) vivemos aqui em Roewer!

Terça-feira, 14 de setembro

La Bohème

Segundo ato: Uma praça no Quartier Latin. De um lado, o Café Momus. Mimi e Rodolfo circulam pela multidão. Colline está por perto, em frente à banca de uma vendedora de trapos. Schaunard está comprando um cachimbo e uma trompa. Marcello é empurrado aqui e ali pela massa de gente. É noite. Véspera de Natal.

Segundo ato: Uma aglomeração de carteiras no Quartier Roewer. De um lado, o Café Millie, onde Jennifer Rose Milton e sua mãe estão tendo uma conversa em voz baixa. Douglas e Lily estão por perto, se encarando. Tão longe que quase não se vê, alguém se sente como uma vendedora de trapos: Flannery. É manhã. O recesso de Natal está longe.

A Grande Ópera do Café teve pouca adesão. Douglas, vestido de modo relativamente informal, com casaco e gravata em vez de terno completo, só falou comigo uma vez, para apontar alguma irregularidade no tempo musical da trompa na abertura, ou alguma regularidade, não lembro bem. Lily sorriu para mim, então virou o rosto até estar sorrindo para Douglas. Jennifer Rose Milton ergueu os olhos do seu *tête à tête avec maman* no momento em que entrei e me deu um meio sorriso antes de se voltar outra vez para Millie. Todos estavam em pares. Até os namorados de *La Bohème* ainda não tinham se metido em apuros e cantavam feito bobos. Eu sentei e fiquei comendo um donut atrás do outro. Que ótima ideia, Flan: arrasando com os doces você *com certeza* vai ser mais notada. Talvez até possa se tornar uma atração de um show de horrores.

As calorias dos doces devem ter agido rápido, porque Jim Carr conseguiu me avistar a um quilômetro de distância.

— Vamos ter uma conversinha no meu escritório — ele falou seco, me levando pelo cotovelo para aquela mesma sala com girinos, bicos de Bunsen e tudo mais. Alguns poucos adolescentes já estavam ali para a orientação, lendo revistas em quadrinhos — o tipo de adolescente que chega cedo para orientação e sempre fica lá sentado com seus gibis, esperando a vida começar. Me mantive firme, porque aquele tipo de adolescente dava uma boa testemunha. Seja lá o que o Carr tinha para me dizer, podia falar na sala de aula, e não a sós em seu escritório sórdido.

Mal sabia eu. "Ela era superestranha", adolescentes como aqueles diriam, apenas alguns meses depois. "Sempre suspeitei dela." Não é exatamente o tipo de depoimento que se espera de uma *boa* testemunha.

— No meu escritório — ele repetiu quando me detive ao lado do pôster do sistema digestivo.

— No seu escritório, sozinha? — Falei em voz alta, e dois garotos levantaram a cabeça do último número das *Aventuras do Clube da Tarântula*. Jim Carr corou ligeiramente. Atrás dele, os intestinos — grosso e delgado — pareciam se curvar como se estivessem para se enrolar em seu pescoço. Sua voz baixou um tom, parecendo um sussurro estrangulado, como se quisesse falar baixinho e berrar ao mesmo tempo. Medo voltou a ocupar o seu olhar. Ninguém apareceria para interromper aquela conversa. Ninguém apareceria para me salvar. Os intestinos eram só parte de um pôster.

— Queria me desculpar por ter gritado ontem com você — ele disse, com o que nos livros se costuma chamar de "fio de voz". — Não devia ter falado daquele jeito. — Ele cruzou os braços e esperou que eu dissesse alguma coisa. — E aí?

Olhei ao redor, apreensiva. Os alunos já estavam enfurnados em seus gibis de novo. Eles sabiam o que esperar: violência, romance, um final feliz. Mas o que *Carr* esperava?

— Tá — murmurei, e comecei a me dirigir para a porta.

Ele tocou meu cotovelo outra vez.

— E aí? — Carr repetiu.

Não consegui encará-lo.

— Sei lá — respondi.

— Estava esperando um pedido de desculpa da sua parte por ter invadido meu escritório daquela maneira — ele falou, e ainda bem que o fez. Agora soava tão burocrático que já não parecia mais um completo maluco, estava mais para o sr. Mokie. Confrontar idiotas burocratas era algo que eu sabia fazer.

— Nesse caso, sinto muito por ter invadido seu escritório daquela maneira. Nos vemos na sexta aula — falei, e me voltei em direção à porta. Os alunos começaram a entrar em massa na sala.

— Calma! — ele gritou, sentindo que seu poder sobre mim estava de alguma forma se esvaindo, apesar de continuar segurando meu cotovelo. — Você não vai falar do que aconteceu com ninguém. Ainda não falou, certo? — Agora era *ele* quem não conseguia *me* encarar. — Não conta pra ninguém, tá? — Seu desespero era maior que sua capacidade de abrir um sorriso triunfante; ele moveu os cantos da boca para cima, mas só pude ver seus dentes.

— Nos vemos na sexta aula, sr. Carr — falei, saindo da sala. Os corredores estavam vazios e eu já estava atrasada para a orientação.

— Você está atrasada para a orientação! — o sr. Dodd gritou quando entrei.

De repente me senti cansada demais para discutir.

— Desculpa — falei, sentando.

Natasha balançou a cabeça e saiu do seu lugar para falar comigo.

— *Desculpa* — ela imitou, com uma voz de desdém. — Você consegue fazer melhor do que isso, vai.

Olhei para ela.

— Hoje não — falei. — E acabei de voltar da sala do Carr.

— Ia te perguntar sobre isso — ela respondeu, e pegou sua lixa. — O que foi que aconteceu?

Conforme eu contava, ela fazia as unhas com cada vez mais força. Cheguei a ter impressão de ver faíscas.

— Que *merda* — Natasha comentou. — O cara está tentando deixar *você* mal porque o viu pegando a própria assistente. Precisamos fazer alguma coisa.

Natasha falou como se estivesse citando a Regra de Baker.

— *Fazer alguma coisa* — repeti. — Mas o quê? Ela não é aluna, então isso não é ilegal nem nada. Não podemos contar a ninguém.

— Já contei pra Kate — ela disse. — Logo, logo todo mundo vai estar sabendo.

— Caramba, Natasha — desabafei. — Assim vou me ferrar.

— Por entrar no escritório de um professor na hora do almoço? Acho que não. — Ela balançou a cabeça. Seu cabelo balançou como se estivesse numa propaganda de xampu, se as pessoas das propagandas de xampu tingissem o cabelo bem preto. — Mas talvez ele se ferre. Com certeza é antiético, se não for ilegal. — Ela deu um sorrisinho malicioso. — Não se preocupe, vamos fazer alguma coisa. Confia em mim.

O sinal tocou.

Quarta-feira, 15 de setembro

Como drama nunca é demais, depois da aula foi a vez do grupo de teatro. Ron Piper é um anjo que sempre está de blusa preta de gola alta, embora todo mundo pareça um anjo com essa roupa, por isso talvez seja difícil ter certeza. Mesmo mais magro e, incrivelmente, ainda mais afeminado do que eu lembrava, nosso incrível professor de teatro veio saltitando pelo palco para nos dar boas--vindas ao que ele esperava que fosse um "brilhante ano teatral", se recusando a nos contar qual peça montaríamos e pedindo desculpa por não ter aparecido na semana anterior. O comunicado mais empolgante que tinha para dar era que — seria isso uma coincidência cósmica ou o quê? — tinha oito ingressos para assistir a *Hamlet*, que seriam dados às pessoas que pudessem citar o maior número de peças escritas pelo inglês. Bom, não estávamos todos lá, porque Lily é muito absorvida pela música clássica para se aventurar no palco e a mãe venenosa da V. acha que o teatro de Roewer é muito ordinário para uma... Opa! Não posso falar o sobrenome dela. Mas você entendeu o que eu quis dizer. Então nós seis começamos a gritar nomes de peças, afogando impiedosamente as vozes das dez mil garotas do primeiro ano tímidas que aparecem todo ano no grupo de teatro para fazer testes inaudíveis e, no final, acabam vendendo refrigerante para os pais na plateia durante os intervalos das apresentações. Aliás, por que pessoas *tímidas* sempre se inscrevem em cursos de teatro? Será que os técnicos de timidez delas que as obrigam a ir? Uma delas — acredite se quiser — chegou até a dizer *Cyrano de Bergerac*. Pelo jeito Shakespeare era canadense e também escrevia em francês.

Será que sou meio esnobe?

De qualquer modo, nem sei por que estou perdendo tempo com esse blá-blá-blá, vamos logo ao que interessa. Consegui um ingresso, assim como Jennifer Rose Milton, Gabriel, Douglas, Natasha — é lógico —, Kate — que citou um monte de peças históricas das quais eu nunca nem tinha ouvido falar — e Flora Habstat (William Shakespeare deve estar no *Guinness*), mas eu poderia muito bem tolerá-la no escuro do teatro. Bem na hora em que Ron estava para entregar o último ingresso a uma daquelas fedelhas introvertidas, quando eu já estava pensando que, com minha sorte, acabaria tendo de me sentar ao lado dela e passar a noite respondendo a perguntas idiotas sussurradas ("Mas por que a Ofélia está fazendo isso?"), emergiu do fundo do nosso imenso auditório um brado trovejante:

— *Cimbelino!*

Nem preciso dizer quem era, né? Quando se ouve um brado trovejante vindo do nada, só pode ser o herói romântico. Ele veio andando todo imponente pelo corredor entre as fileiras, enquanto Ron, puro sorriso (e acho que pude identificar em monsieur Piper um olhar que confirmava as suspeitas dos membros mais conservadores do conselho escolar sobre a contratação de pessoas do mesmo

— como posso dizer? — *credo* de Ron; tive vontade de vaiá-lo, no estilo Bette Davis: "Ele é meu!"), entregava o ingresso para Adam. Nem minha mais vã filosofia poderia sonhar com esse momento (e se você não entendeu minha piada deve ser do tipo que acha que Shakespeare escreveu *Cyrano*).

Depois de pegar o ingresso, Adam disse a Ron que não podia ficar; só tinha aparecido para se certificar de que estava inscrito na aula.

— Dentista — ele disse, apontando para seus dentes brancos e perfeitos. Quando percebeu que eu o olhava, Adam deu uma piscadinha para mim.

Eu sei... Uma piscadinha é algo que um tiozão depravado faz. Mas Adam fez isso com a mistura certa de inibição e malandragem. *Panache*... bem *Cyrano*. Muita coisa pode ser dita ou *apagada* por uma atitude dessas. Bom, não exatamente *apagada*. O amor não se apagou, nem mesmo a dor, mas o *contexto* mudou. Não senti mais o desespero, como se meus sapatos estivessem encharcados pela chuva e eu acabasse de perceber que estava esperando havia uma hora e meia no ponto de ônibus errado. Como se Adam não estivesse nem aí para mim. A tensão que eu sentia em relação a ele agora estava misturada com esperança, em vez de dor. Era como se Adam estivesse aguardando seu momento, esperando fazer sua entrada na minha vida em grande estilo, do mesmo jeito que fizera no auditório, chegando na hora certa para transformar meu pânico de uma noite com a srta. Timidez em algo que poderia ser chamado, com apenas o mínimo de exagero, em *um encontro com Adam*. Um *encontro* com meu amado. *Cimbelino*. Nenhum de nós tinha dito *Cimbelino*. Se estivéssemos no século apropriado, eu teria desmaiado. Já falei isso antes?

MAIS TARDE

Um último registro: como todos os meus amigos foram embora antes de mim, o ônibus já tinha partido com eles no momento em que cheguei ao ponto, com a cabeça ainda nas nuvens. Entediada e com fome, sentei. E quem veio se sentar ao meu lado, senão a assistente de Carr? Por falar em constrangimento.

— E aí, como vão as coisas desde que Carr se atirou em cima de você?

— Tudo bem — ela suspirou.

Tá bom, na verdade eu só falei:

— E aí?

Todo o resto parecia desnecessário.

Ela estava com um ar cansado, carregando um monte de pastas. Me dei conta de que deviam conter as provas de biologia. Inclusive a *minha*.

— Quer ajuda com isso? Posso corrigir pelo menos a minha prova — brinquei.

Ela sorriu tímida.

— Na verdade, sua prova é a única que Carr fez questão de corrigir pessoalmente, disse que há um conflito de interesse. Nem está aqui.

E por falar em constrangimento… ah, já estamos falando em constrangimento. Fiquei ali sentada, abrindo e fechando a boca como um filhote de passarinho. Toda hora eu tentava começar a falar alguma coisa. Na minha terceira tentativa, ela me interrompeu, se é que se pode chamar assim, considerando que eu não tinha dito nada.

— Ele é um filho da puta — ela disse. Nunca tinha escutado um educador falar "filho da puta" antes, com exceção de Millie. Nem sinal do ônibus. Voltei a ser um filhote de passarinho.

— Um filho da puta — ela repetiu. — Um pervertido de merda. Todo mundo me falou pra não pegar esse trabalho. *Todo mundo* — ela disse, batendo sua mão contra o mapa do ônibus ao lado do ponto, trajetos coloridos rabiscados pela cidade como um esquema de um livro de biologia. — Mas peguei mesmo assim. Quando cheguei em casa senti tanto nojo que nem consegui pegar meu próprio filho.

Um *filho*. Meu Deus. Quase engasguei com minha saliva. Então ela olhou para mim e se deu conta de quem eu era.

— Não devia te falar isso. Só que estou *fodida* — ela desabafou. — Desculpa. Mas é *ele* quem vai fazer minha avaliação no fim do semestre. Se ela for ruim, não vai fazer diferença se eu tiver outras referências ou não. Ninguém vai me contratar. Foi exatamente isso que ele fez com a assistente do semestre passado. Claro que só me contaram *isso* — ela apontou para meu entorno — depois de eu ter aceitado o trabalho. Eu não devia ter dito nada a você. Mas não esqueça uma coisa... — Ela levantou. Um ônibus havia parado, roncando feito um moleque catarrento. — Ele é um filho da puta. Lembre sempre disso. Você não vem?

Ela olhou para mim por cima da pilha de pastas. Atrás dela, o motorista gordo do ônibus me lançou um olhar impaciente.

— Não — respondi. Ao levantar, enfiei o pé numa grande poça de refrigerante. Os malignos edulcorantes químicos e corporativos começaram a ser sugados pela minha meia. As portas do ônibus se fecharam e o moleque partiu, choramingando e tossindo. Percebi que estava no ponto errado.

Quinta-feira, 16 de setembro

Carr nem leu. Ele nem leu essa merda! Estou na aula de biologia e acabamos de receber nossas provas. A minha foi corrigida pessoalmente por ele (que deve ter sofrido para fazer isso, tão acostumado que está com suas amadas escravas/ assistentes fazendo todo o trabalho), por conta do que chamou de conflito de interesse, como fiquei sabendo ontem, ou seja: o fato de que o peguei praticamente sem calça. Ele nem sequer leu a prova. Quase desmaiei quando vi o dez no topo da folha — era impossível que eu tivesse acertado o que fosse na questão dissertativa, e ela valia um quinto da prova. Mas ele nem leu. Tipo, literalmente. Fui até ela e li o que havia respondido: "Biologicamente, essas funções são importantes para o sustento de um organismo vivo". E mesmo assim tirei dez. O que é isso? Um pedido de desculpa? Um suborno? Estou me ferrando em matemática enquanto tento entrar na faculdade em meio ao caos que é minha vida amorosa, mas isso não basta: preciso ainda de um dilema moral.

— Aceite a nota — Natasha disse, dando um gole do seu cantil de álcool-ou-talvez-só-água enquanto girava o volante. Os transeuntes olhavam para o carro com ar preocupado, como se pudessem ser atropelados. Às vezes, aceitar a carona de Natasha não vale o estresse (embora isso também valha para a aula de biologia, e eu continue indo todo dia). Darling Mud berrava nos alto-falantes — quando esse texto for publicado, acho que vou procurá-los para negociar um pagamento pela divulgação.

— Sabe, tem uma boa chance de você ter *realmente* merecido essa nota — ela comentou. — Acho que vou passar por cima dessa mulher com chapéu horroroso.

— Esse chapéu não vale uma cadeia — observei. (Sei que essas digressões atrapalham o diálogo, mas posso falar só isso? Jeans, xadrez, penas amarelas berrantes.) — Não tem como, Natasha. Já calculei. Tirei no máximo um oito, isso se desconsiderarmos a qualidade dos desenhos.

— Ah, os desenhos não fazem diferença — Natasha comentou. — O que vale é a semelhança. E, na boa, fazer aquele chapéu desaparecer seria um favor à humanidade.

— Acho que ela estava usando um kilt. Devia ser um chapéu da realeza escocesa.

— Se me lembro bem das aulas de Shakespeare do ano passado — Natasha disse, descontraída, ao parar em frente à minha casa —, a coisa fica feia quando você mata alguém da realeza escocesa.

— Pois é — concordei, descendo do carro meio contrariada. Natasha não tinha conseguido me animar. — Quando a gente se vê?

— Amanhã, claro — ela respondeu, cuspindo o chiclete pela janela. —Você vai ao baile à noite?

Nem tinha pensado naquilo.

— Nem pensei nisso — respondi, brilhante como sempre.

Natasha revirou os olhos.

— Claro — ela falou. — Sei que você quer refletir longamente sobre isso antes de decidir. Mas é só um *baile do ensino médio*, Flan. Sabe, as pessoas não costumam ficar tão desorientadas quando tiram um dez no meio do semestre mais importante para entrar na faculdade.

— Natasha, o Carr é um *filho da puta*! — falei. — É nojento. Sinto como se não pudesse tocar em nada porque tudo está contaminado por ele.

Pensei na assistente não querendo pegar o filho.

— *Olha pra mim* — Natasha mandou. Foquei em seu delineador. — Esquece o cara. Não há nada que você possa fazer, e ele está te dando notas melhores do que você merece. Se tivesse meio cérebro, você tiraria vantagem disso e nunca mais colocaria os pés naquela sala. *Olha pra mim, Flan.* Agora vai lá para dentro, escreve no seu diário e seja um pouco mais dura. E não esquece: "Sua vida, sua angústia, sua morte: tudo abraçado em sonhos".

O efeito foi imediato. Caímos na risada, frouxa e sonora.

— Esse poema é realmente medonho — comentei. — É claro que, como editora, tenho de ser objetiva...

— E discreta — Natasha completou. — Por isso você nem precisa confirmar o que já sei: foi criação da Gótica Estrambótica.

— Como sabe?

— A jovem srta. State foi ficando cada vez mais vermelha enquanto detonávamos o poema. Foi ótimo, preciso confessar. Você costuma começar a primeira reunião com um dos seus próprios poemas, que são bons de verdade.

— Tá, não precisa puxar o saco, já estou mais animada — avisei, e era verdade. Olhei em volta. Sob a luz enevoada da tarde, a vizinhança sem graça parecia alegre: os gramados, os folhetos deixados na frente de cada casa, o chiclete de Natasha no chão, molhado como um beijo. Devia ser a falácia patética agindo outra vez.

— Não estou puxando o saco — ela falou séria. — Flan, você é muito talentosa.

— Sei, sei — retruquei, cutucando o chiclete com o sapato. Então me dei conta de que provavelmente era água no cantil... Ninguém bebe álcool mascando chiclete de hortelã.

— É verdade — ela disse, dando a partida no carro. Fiz uma prece mental por todos os transeuntes que atravessassem seu caminho, especialmente os malvestidos. — Tenho *certeza* de que você ainda vai fazer algo que vai obrigar o mundo inteiro a parar só pra prestar atenção.

Sexta-feira, 17 de setembro

Isso é engraçado de verdade ou só estou empolgada com o fim de semana? A mãe de V. não quer deixá-la ir ao baile por causa de algum compromisso idiota da família (insira nome de família rica e tradicional aqui). Lily, Douglas, Natasha e eu estávamos juntos na hora do almoço inventando apelidos maldosos para ela. Não posso citar nenhuma das sugestões, pois todas brincam com o primeiro e último nome da rainha-mãe, que naturalmente são segredo. Mas tanto faz; basta dizer que o que acabou pegando é bem hilário: *Satã*. Rimos sem parar, ali no pátio, Natasha com seu batom vermelho-sangue, Douglas em mais um de seus ternos de linho, Lily com seus óculos e eu parecendo surpreendentemente magra, pelo menos acho, naquela calça cinza que usava na época. Continuamos rindo, ao imaginar chifres bonitinhos de madrepérola saindo de seu coque cuidadosamente lambido, um forcado mantido no porta guarda-chuvas feito de pata de elefante na entrada da casa de V. *Satã*. Evidentemente, esse nome ia causar muita encrenca mais tarde, mas naquela manhã só era hilário.

MEU DEUS, JÁ É MAIS TARDE

Hoje à noite, hoje à noite, hoje à noite, dizia a música, e naquele momento era verdade. *Hoje à noite, hoje à noite, hoje à noite*. Durante o verão, simplesmente esqueci da intensidade surreal e idiota, mas irresistivelmente charmosa, do baile de Roewer. Credo, quanto advérbio. Mas tudo bem, porque... *Hoje à noite, hoje à noite, hoje à noite*. Não consigo parar quieta, e seria de esperar que uma garrafa de champanhe barato fosse um bom calmante. Mas, como você bem sabe, lindo diário de couro preto, não sei merda nenhuma de biologia. Flan, comece do começo, esse é sempre um bom ponto de partida. Parece que todas aquelas aulas sobre estrutura narrativa estão se esvaindo com a bebida.

Há duas vésperas de Ano-Novo (nada mau para o começo do começo do começo, né?), meus pais deram uma festa e não foi nada difícil surrupiar uma das cinco caixas de champanhe e levá-la para o quarto durante a bagunça. Eles passaram a noite toda me usando de garçonete, então considerei aquilo o pagamento. Ela vive debaixo da minha cama, onde meus pais nunca olham (o fato de os meus pais terem sumido este ano mostra que eles nunca olham *nada*). Em ocasiões muito especiais, pego uma garrafa. Acabei de fazer isso, depois de ter chegado de um dia terrivelmente tedioso na escola e ligado para todo mundo para ver quem queria me encontrar mais cedo no lago para beber antes do baile. Não consegui encontrar Natasha, Jennifer Rose Milton disse, meio envergonhada, que já tinha compromisso, mas que nos veríamos mais tarde (é lógico que eu ia tentar descobrir quem era o "compromisso" — a estrutura narrativa, Flan, a estrutura narrativa!) e Gabriel teve uma reação esquisita. Ele disse que não queria ficar bêbado comigo. Foi bem isso que falou, ou pelo menos é como lembro.

— A gente se vê por lá — Gabriel encerrou num tom desanimado. Vai entender...

Kate topou, mas precisaria haver mais gente para que eu chamasse Douglas e Lily. Não queria que o grupo fosse composto só por um casal dando amassos e duas outras garotas solteiras bebendo à beira do lago. Já vi esse filme; terminam todos revelando segredos terríveis e se matando em seguida. Mas sequer consegui falar com Douglas e Lily.

Então tomei banho, troquei de roupa e peguei o ônibus rumo ao lago, segurando a garrafa de champanhe pelo gargalo dentro da bolsa e sentindo a deliciosa paranoia que só um menor de idade carregando bebida no transporte público é capaz de sentir. Saltei do ônibus e sentei num tronco, onde fiquei assistindo ao sol se pôr e a um bando de garotas do primeiro ano beber algo que elas haviam levado escondido de casa num pote de comida. Elas davam gritinhos e riam enquanto derramavam sei-lá-o-que na roupa; me lembro de ter pensado que Carr sentiria o cheiro da bebida nelas e as levaria, abaladas mas ainda altinhas e risonhas, ao seu escritório para esperarem que seus pais fossem buscá-las. É verdade que eu não poderia ter pensado isso antes de descobrir que Carr estava encarregado de supervisionar os alunos no baile, mas você provavelmente nem ia reparar nesse detalhe.

— Feliz Ano-Novo! — Kate gritou quando estourei o champanhe. Ela estava de azul-marinho dos pés à cabeça. Kate sempre fez isso e vai fazer até o final dos tempos. Entre goles e risadas, conversamos sobre nada, aproveitando o calor fora de época, mas não os mosquitos que vinham com ele. Quando a garrafa terminou, o que eu julgava ser a mochila preta de uma das garotas do primeiro ano ergueu os olhos: era Rachel State, a Gótica Estrambótica, irmã do meu amor. Ela me encarou com seus olhos circulados pelo que parecia carvão. Na verdade, entre o batom preto, as roupas pretas e o cabelo preto, a primeira coisa que me veio à cabeça foi uma churrasqueira.

— Rachel! — gritei, esperando impressioná-la. — Vem aqui conhecer minha amiga Kate!

Fazendo cara feia, ela se aproximou com passos vacilantes, sob o olhar das amigas. O espumante deve ter feito Kate relaxar (falei mesmo "o espumante"?!), pois ela não se encolheu de vergonha, não fez gozação nem nada do tipo; simplesmente deu um oi.

— Rachel é irmã de Adam State — contei empolgada para Kate.

— E você... — Rachel balbuciou com a voz empastada, apontando um dedo coberto de esmalte preto na minha direção. — *Você* é a menina que ficou escrevendo cartas de amor pra ele durante o verão.

Se isso fosse um filme — e não me diga que não temos melodrama suficiente para um —, uma imensa catástrofe teria se abatido sobre nós naquele exato instante, e teríamos evitado aquele momento mortificante correndo para um abrigo, tirando água de dentro do barco, consolando a família do morto, acalmando os cavalos, qualquer coisa além de ficar ali... ao lado de *Kate*, nada menos que a fofoqueira *Kate Gordon*, enquanto a pior poeta que conheci na vida revelava meu único segredo. Mas, no fim das contas, não foi preciso haver um tsunami; não que o lago fosse capaz de produzir um.

— Não, não é ela — Kate respondeu, sem piscar. Ela não estava tentando me encobrir; só foi sincera e *idiota* por um instante. Amanhã de manhã, vou precisar me arrastar da cama, morrendo de ressaca, e ir gastar todo o meu dinheiro em velas para a novena. Se faltava prova de uma divindade benevolente, aqui está.

— Ah — fez a Gótica Estrambótica, fechando os olhos para recuperar o equilíbrio. Seu batom preto estava lambuzado, como se ela tivesse acabado de comer um brownie. — Então você deve ser a menina de quem ele gosta. — Rachel virou para as amigas, surpreendentemente não pintadas de preto, e explicou, com gestos moles. — Tem duas: uma que está correndo atrás dele e outra atrás de quem ele gosta.

Fodam-se as velas, vou dormir até tarde.

— Vamos — eu disse para Kate, me esforçando para parecer entediada. — Chega dessas meninas.

Chegamos ao prédio que nos desafia até os limites acadêmicos, atléticos e sociais, só para descobrir que Carr era um dos professores encarregados de supervisionar os alunos durante o baile. Isso é que é *desafio*. Ele pegou nossas entradas e me encarou. Pela segunda vez naquele dia entramos na escola, agora toda enfeitada. Pude ouvir a linha de baixo da música que vinha do ginásio como um exército se aproximando. Gabriel e Natasha surgiram pulando, já suados de tanto dançar, e nos puxaram.

— Está rolando! — Natasha gritou. Olhei para ela, de jeans preto justo e uma blusa com um enorme *X* de strass no meio, e esqueci de tudo. Fomos ao ginásio, dançamos, gritamos, dançamos. Eles estavam tocando aquela música do *hoje à noite, hoje à noite, hoje à noite*, e ainda está na minha cabeça. Amo essa música. Tudo parecia incrível, encoberto numa névoa de champanhe, e os garotos não olhavam para Natasha, mas para mim (vai sonhando, queridinha). Então saí para tomar água e, de repente, me vi em um show de horrores. Só posso descrevê-lo dividido por suas atrações.

ATRAÇÃO UM: JENNIFER ROSE MILTON FICANDO COM FRANK WHITELAW! Não sei se registrei aqui neste diário a única conversa que tive na vida com ele — talvez tenha sido na semana passada, quando estava chovendo —, mas ele é lerdo. Não estou dizendo que Frank se move devagar, mas que é muito burro. Só que, baseada na localização das suas mãos no corpo lindo e magro de Jennifer Rose Milton, agora eu diria que o sr. Whitelaw não é *nada* devagar. Então é com ele que Jenn tem se encontrado.

ATRAÇÃO DOIS: JIM CARR, PROFESSOR DE BIOLOGIA, PASSANDO A MÃO NO CABELO DE UMA LÍDER DE TORCIDA. Acho que nem preciso comentar. Os dois estavam bloqueando o bebedouro. Virei e andei pelo corredor onde não se deve andar durante os bailes da escola porque, não sei, algo horrível pode acontecer, e, como se eu fosse uma personagem de um desses panfletos religiosos que distribuem por aí, algo horrível realmente aconteceu, pois lá estava a...

ATRAÇÃO TRÊS: MARK WALLACE BÊBADO, encostado nos armários com os olhos injetados e a camiseta manchada de suor em que se lia

100% NEGRO. Era só o que me faltava. Ele talvez seja a pessoa mais insuportável de Roewer, e quando está bêbado é completamente insuportável. Natasha precisou quebrar uma garrafa de cerveja na cabeça do cara numa festa de elenco — mas essa é outra história. A história que nos interessa agora é a seguinte:

Era uma vez, em um corredor muito longínquo para ser supervisionado, uma jovem chamada Flan que encontrou com o Mark Wallace Mau. Ele perguntou a ela como estavam as coisas, e Flan disse que indo, então MWM quis saber por que ela estava com tanta pressa. Flan gaguejou alguma coisa e Mark falou que ela tinha uns peitões. O que você responde em uma hora dessas? Não falei nada, só dei as costas. Aí ele estendeu a mão e agarrou meu peito, ao mesmo tempo que tentava beijar meu pescoço. Acho que Mark esperava que meu corpo não seria capaz de se controlar, e no final das contas ele tinha razão: vomitei em cima dele. Então, enquanto Mark ofegava estarrecido, virei e saí correndo. Virei uma esquina e segui em frente. Eu já estava quase no ginásio quando senti um tapinha no ombro. Era Carr; atrás dele, uma líder de torcida olhava para mim com a mesma presunção dos State.

— Culp — ele disse, passando a língua nos lábios nervosamente —, você não deveria estar neste corredor. — Carr pôs o braço no meu ombro de forma autoritária, e acho que foi aí que a coisa degringolou.

— Carr — falei —, todos nós fazemos coisas que não deveríamos. Agora tira essa merda de mão de cima do meu ombro.

— Tá bom, Flan, vamos embora — Gabriel disse, surgindo do nada. Ele colocou um braço em volta de mim e na mesma hora desabei. Mantive a cabeça baixa para não ver mais nenhuma atração do show de horrores. Provavelmente estavam todos apontando para mim e rindo, mas não vi ninguém. Fiquei de cabeça baixa e continuei andando, uma estratégia que acabou se revelando conveniente mais tarde, nos degraus do tribunal e em situações do tipo.

— E aí? — Gabriel disse, para puxar papo, enquanto afivelava meu cinto e dava a partida no carro. — A noite foi boa? — Ri sem parar e contei a única das atrações que pensei ser segura: Jennifer Rose Milton e Frank Whitelaw. Ele ficou impressionado.

— Nada mau para quem está bêbada — ele comentou.

— Ei! — falei. — Você também estaria bêbado se tivesse ido comigo ao lago. O que foi? Tinha coisa melhor a fazer? — De repente ele pareceu bem chateado.

— Eu só... — Gabriel começou, e vi que estava querendo dizer alguma coisa. Ele tinha aberto a janela para mim, e o ar da noite estava gelado. Fiquei esperando, mas Gabriel não falou mais nada.

— Você só o quê? — insisti, no momento em que ele chegava na minha rua. O ar ainda estava gelado, e eu ainda estava esperando.

— Eu só... — ele disse, parando na frente da minha casa. Então suspirou e deu um sorriso vazio. — Só estou cansado — ele disse.

Entrei em casa e tomei toda a água com aspirina que pude. O que aconteceu? Bom, é tarde demais para pensar em qualquer coisa, principalmente nisso. Estou caindo de sono, mas vou me forçar a ficar acordada e escrever um poema, ou morrer tentando.

Não tem nenhum poema aqui. Tire suas próprias conclusões.

Sábado, 18 de setembro

De volta à terra da edição, passando a limpo este diário e tentando colocar as coisas em ordem, tenho sonhos de afogamento. Os gorgolejos que ouço a noite toda se infiltram por minha única janela e escorrem pelo chão. Acordo quando o nível da água chega ao colchão e o encharca. Tenho dificuldade em sair da cama, pois o cobertor de lã está pesado. Por toda parte se ouve a água jorrando. Ela enche minhas mãos e minha boca, e meus próprios gritos se misturam aos gorgolejos quando acordo, agora de verdade. Às vezes, quando grito desse jeito, a inspetora gorda vem me perguntar se está tudo bem. *Aí está* uma questão dissertativa que ninguém me daria um dez. *Em que* ninguém me daria um dez.

O Servo Satânico do Inferno da Ressaca devia estar querendo me pegar hoje cedo, porque o telefone tocou no meio de um sonho em que uma coisa terrível me perseguia. Era Kate, perguntando se eu queria encontrar o pessoal para uma focaccia no Levantar das Cortinas, aquele restaurante italiano fino que não tem nada de italiano em frente ao teatro. *Hamlet*. Esqueci *Hamlet* do mesmo jeito que todos esquecemos *Cimbelino* na semana passada. Se tivéssemos mencionado *Cimbelino*, eu não estaria preocupada com *Hamlet*. Mas agora Adam vai estar lá.

— Chamamos Adam? — Kate perguntou, e eu desejei que aqueles telefones de ficção científica já tivessem sido inventados, para que minha mão pudesse passar por uma tela, aparecer no quarto dela e lhe dar uma bofetada na cara. Ela mal conseguia disfarçar o prazer na voz pela minha noite desastrosa. Quantas fofocas boas para você espalhar por aí, né, Kate? Como você é gentil! Falei para ela que eu mesma ia chamar (toma essa, intrigueira!) e fui tomar um banho. Será que se eu ligar o chuveiro na pressão máxima posso fazer um pouco da minha banha sumir? Afinal, se riachinhos são capazes de erodir uma rocha…

— Você está pegando muito pesado com ela — Natasha me disse quando falei mal da Kate. Olha só que amiga: entrou em casa usando a chave que todo mundo sabe que deixamos debaixo da floreira (atenção, ladrões: ela não fica mais lá) e preparou ovo poché, café e bloody mary. Estava cortando o talo do salsão em formatos bastante sugestivos quando desci de moletom.

— Achei que você talvez estivesse precisando de ajuda na sua recuperação — ela explicou enquanto eu a abraçava.

— Às vezes ter você por perto é como andar com uma daquelas amigas lindíssimas, mal-humoradas e solteiras, da protagonista de uma comédia romântica.

Natasha mordeu a ponta de um dos... hum... talos.

— Eu *sou* essa amiga — ela disse. — O que aconteceu ontem à noite? Cada um me conta um pedaço da história; parece um mapa do tesouro espalhado por aí.

Falei para ela tudo sobre o show de horrores, mas o problema foi que não pude falar tudo, porque ninguém, ninguém mesmo, sabe que fui eu que escrevi as cartas para Adam. Eu daria meu braço direito para voltar no tempo, espancar o carteiro italiano que as levou e picá-las em pedacinhos. Natasha me ouviu atentamente. Foi quando contei do telefonema de Kate que ela disse que eu estava sendo dura demais. Aposto que você estava achando que eu esqueceria de voltar a esse ponto, né? Lembre: eu estava de ressaca naquele dia, mas, agora, passando a limpo a história, estou completamente sóbria. Sei o que aconteceu.

— Flan — Natasha começou —, Kate não está se divertindo com sua noite horrorosa. Mas tenho que admitir uma coisa: você ter dito para Carr tirar a merda da mão do seu ombro é uma fofoca das boas.

— Como ela já sabe de tudo?

— Kate sempre sabe. Não esquenta com isso.

— Mas ela vai contar para todo mundo sobre o Mark — retruquei.

— E daí? Todo mundo sabe que o Mark é um lixo humano — Natasha observou. — Talvez você lembre de certo incidente envolvendo o crânio dele e minha garrafa de cerveja. Agora relaxa e come esse ovo, depois vamos pegar um cinema. À uma e quinze tem uma matinê de *Pavor nos bastidores*; se eu dirigir rápido, a gente consegue chegar a tempo.

Eu não duvidava.

— Acho que meu estômago ainda não está bom — falei. O ovo poché olhou para mim como se fosse um seio farto. Pensei nos meus, murchinhos e nem um pouco superlativos; Mark devia estar ainda mais bêbado que eu... Não me atrevi a botar no meu corpo nada que pudesse se transformar em mais corpo. Que bela desculpa é uma ressaca para não comer nada. Eu devia beber mais vezes.

— Você precisa dar a seu estômago algo além de um bloody mary e uma xícara de café, ou você vai ter um ataque logo, logo — ela avisou.

— Vou comer focaccia mais tarde. Ah, falando nisso, eu disse para Kate que convidaria o Adam. Não acredito que ele também vai. Como isso foi acontecer?

— Quem diria que a gente ia esquecer *Cimbelino*? — Natasha comentou. — Seja lá quem ou onde for Cimbelino. Bom, liga pra ele.

— Não tenho o número — expliquei.

— Claro que tem — Natasha rebateu. Ela comeu o resto do salsão e cutucou o ovo intacto bem no mamilo. — Com quem acha que está falando? Tenho certeza de que descobriu meses atrás e anotou no seu maravilhoso caderno preto de couro. Onde é que está, aliás? Você nunca fica longe dele.

— Está aqui — falei. — Estou anotando essa conversa, inclusive.

Desculpe. Não consigo nem ouvir meus próprios pensamentos com essa porcaria de rádio no corredor. Dá para acreditar que eles estão tocando a mesma música que tocou no baile? *Hoje à noite, hoje à noite, hoje à noite.* Como o presente ecoa o passado! Como a Flan de ontem e a Flan de hoje se misturam, como melhores amigas, como confidentes!

Deixei uma mensagem na secretária eletrônica dele. Eram três da tarde e já não dava mais tempo de assistir ao filme. Natasha avisou que passaria na casa dela para trocar de roupa e voltaria para me pegar.

— O que você vai vestir? — perguntei pelo puro desejo de mantê-la em minha casa. —Você estava incrível ontem à noite com todo o strass.

— O *X* marca o tesouro — ela disse, refazendo o desenho no corpo como se estivesse jurando pela alma da mãe. — Quer pegar a blusa emprestada para usar hoje?

— Não vai servir em mim — falei

— É maior do que parece — ela explicou.

Cruzei os braços sobre a barriga.

— Nossa, obrigada.

— Ai, Flan — ela gemeu. — Não foi isso que eu quis dizer. Para! Você sabe. Só estava...

— Deixa pra lá — falei. — Te vejo mais tarde. Agora preciso passar minha bata GG.

— *Flan* — ela falou, colocando seus óculos escuros maravilhosos. —Vim até aqui, preparei seu café da manhã, ouvi tudo o que você tinha pra dizer... O que mais quer de mim?

Eu me senti uma idiota.

— Seu perdão — pedi, com toda a doçura. Ela sorriu e me abraçou, dando tapinhas nas minhas costas feito uma mãe cansada. Então deu tchau e foi saindo pela porta. — E uma carona! — gritei. Do lado de fora, o mundo ainda parecia um pouco claro demais, mas eu sobreviveria. — Preciso de carona!

Natasha foi embora. Subi a escada, encontrei meu diário ao lado da cama e anotei tudo isso. Depois eu conto o que acontece com aquele homem impenetrável e a louca que é apaixonada por ele, com todos os enganos, intrigas e assassinatos. E também sobre a peça, ha-ha-ha.

Domingo, 19 de setembro

Não fazia nem *cinco minutos* que tinha chegado ao café Grão-fino — estava saboreando os primeiros goles cheios de espuma do meu latte e ainda nem tinha aberto meu diário — quando Flora Habstat entrou, sentou à minha mesa e não parou mais de falar. Um dia inteiro perdido. Não tive chance de dizer nada, nem a ela nem ao meu diário. Só fiquei lá largada enquanto Flora embarcava num monólogo sobre suas inscrições em faculdades, o cansaço da escola, a Darling Mud — já ouvi falar deles? — e recordes mundiais. Ela conversou comigo por quase uma hora e meia, juro, e quando falei que precisava ir a uma livraria, ela se arrastou atrás de mim, fingindo examinar as prateleiras enquanto não parava de tagarelar. Quando consegui pegar o ônibus para casa já eram sete da noite, e eu só tinha tempo de fazer a lição de casa e ir dormir. E a ida ao teatro tinha sido uma experiência horrível: Douglas e Lily estavam supertensos por causa de uma briga; Ofélia era chorona e indevidamente rechonchuda; Gabriel não tinha aparecido e Kate, com ar evasivo, se recusava a me dizer o motivo; além do crânio que obviamente era de plástico. Para piorar, Flora sentou entre mim e Adam, e ficou falando com ele sobre recordes do levantar até o cair da cortina. Cacete, Flora, por que você sempre estraga tudo?

Uma observação bastante profética essa última — espero que você tenha notado.

Vocabulário

SUPOSTO PSICOSSEXUAL TÊTE À TÊTE
FOSFOLIPÍDIOS BELIGERANTE
VENDETA PROFÉTICA

Questões para análise

1. O que você faria se recebesse um dez sem merecer, embora fosse um aluno excelente, só não gostasse muito de biologia, como um tipo de pedido de desculpa ou de suborno de um professor desprezível, contra quem você provavelmente não poderia fazer muita coisa? Reflita sobre o problema antes de responder e lembre que você não tem como saber o que é estar na pele de Flannery Culp, porque não é ela.

2. Que funções considera biologicamente importantes para o sustento de um organismo vivo?

3. Qual foi a melhor experiência que já teve em um baile do ensino médio?

Segunda-feira, 20 de setembro

Depois de um fim de semana revigorante como este, estou ansiosíssima pelo início de outra semana que me levará até os limites acadêmicos, atléticos e sociais no Colégio Roewer. Uhu! Hoje, o ônibus chegou quarenta e cinco minutos atrasado.

Agora estou sentada neste veículo incrivelmente lerdo, pensando em como vou começar a segunda-feira: preenchendo um formulário de ausência injustificada para a secretária rabugenta. Da última vez que o ônibus estava atrasado desse jeito, ela só disse: "Não vai me dizer que o ônibus estava atrasado. Essa desculpa já está velha. Antes de você, dez alunos vieram aqui dizendo a mesma coisa". Tentei explicar que pegávamos o mesmo ônibus, mas nem valia a pena tentar enganá-la. A mulher não nasceu ontem.

MAIS TARDE

Quando entrei no prédio, pensei por um instante que tinha ido para a escola em um domingo por engano. Àquela altura, a aula orientação já deveria ter acabado, mas os corredores estavam vazios. Cruzei com um professor de educação física ranzinza que vociferou:

— Volte já pra orientação!

Então fui para lá, abri a porta e encontrei todos sentados em silêncio. Dodd estava de pé, solene, na frente da classe com as mãos para trás, como se estivesse esperando o pelotão de fuzilamento. Na lousa, sublinhada, estava a frase MINUTO DE SILÊNCIO. Fui para meu lugar. Até Natasha parecia respeitosa; foi aí que percebi que algo *realmente* grave tinha acontecido. Não me pareceu correto perguntar o que durante O MINUTO DE SILÊNCIO, então esperei que terminasse. Finalmente Dodd pigarreou e todos relaxaram e começaram a conversar baixinho.

— Agora vocês sabem por que não devem chegar atrasados — ele disse, se dirigindo a mim.

— O que aconteceu? — perguntei para Natasha. Ela suspirou e apertou minha mão, e foi aí que eu soube que alguém tinha morrido. Me sinto péssima por escrever isso, mas foi um pouco anticlimático quando ela revelou que tinha sido Mark Wallace. Evidentemente, ninguém usou essa palavra depois. A dra. Eleanor Tert, claro, foi a principal culpada disso. Cito na íntegra, e sem autorização dela, um trecho de seu *Chorando demais para sentir medo*:

> *A morte trágica de Mark Wallace, um dos alunos mais visionários que tive o privilégio de analisar, foi fundamental no desenvolvimento do fervor antirreligioso e apocalíptico de Flannery. Ver seu ex-namorado punido de maneira tão imediata por um raio vingador na forma de um acidente de carro agravou, sem sombra de dúvida, sua megalomania. Mark Wallace foi morto por um ato divino, ela ponderou; por consequência, todos aqueles que, no curso de sua tumultuada vida amorosa, tivessem lhe feito mal estavam condenados à morte, e talvez Deus, nesse caso, só precisasse de uma ajudinha. Daí o homicídio ritualista.*

Também cito *Qual é o problema dos jovens de hoje? Voltando aos fundamentos da família em um mundo perdido*, de Peter Pusher:

> *Flannery Culp viu, na reação pusilânime de sua escola diante do resultado inevitável da delinquência juvenil, especialmente entre as minorias, a chance de tirar partido do ambiente humanista e parasitário ao qual o sistema educacional havia sucumbido. Não nos surpreende que uma escola de ensino médio cujo curso de poesia dedicava-se a "gênios ignorados", tal como Anne Bradstreet e Emily Dickinson, mas não a Keats ou Shelley, acabasse por minimizar a morte do adolescente negro Mark Wallace, ou que uma adolescente, sendo educada em tal vácuo moral, visse nesse ambiente minimizador o cenário perfeito para esconder um crime quase perfeito.* [Acorde, América!]

Errado, errado, errado. Ah, e, por favor, observe que a última frase não se encontra ao final desse parágrafo em particular, mas encerra tantos outros ao longo do livro que precisei incluí-la. Não consigo nem começar a apontar as passagens incorretas, mas basta dizer que não estudamos Keats ou Shelley no curso de poesia AMERICANA por um motivo bastante evidente, mesmo para o sr. Pusher. E se fosse meu ex-namorado, acredito que Mark não perderia tempo mencionando meus "peitões" — está ouvindo, dra. Tert (que por acaso é uma tábua)? Sem contar que nossa boa dra. Tert só "analisou" Mark depois que ele tinha morrido.

Eis aqui o que realmente aconteceu, de acordo com o *Diário de uma mulher injustiçada*, de Flannery Culp:

> *Em algum momento da sexta-feira à noite, Mark Wallace, um garoto de quem ninguém gostava muito, tanto pelo seu comportamento em geral deplorável quanto pela forma condescendente como usava argumentos políticos antiescravistas para justificá-lo, após ter tomado todas e sido um babaca comigo, roubou um carro com alguns amigos e o enfiou num poste enquanto o Colégio Roewer dormia. Quando Mark Wallace acordou, seus amigos tinham desaparecido no meio da noite e ele havia morrido. Quando Roewer acordou, Mark Wallace era um jovem e nobre mártir, morto por estar, conforme o diretor Bodin anunciou pelos alto-falantes, "no lugar errado, na hora errada".*

Mas não é justamente assim que todo mundo morre: no lugar errado, na hora errada? Bodin passou um bom tempo naquela lenga-lenga, louvando o senso de humor maroto de Mark e suas habilidades artísticas. Ano passado ele havia grafitado um retrato nada lisonjeiro do vice-diretor com um balão de fala com sua frase favorita — "Pense em mim como seu amigo" — saindo da sua virilha, como uma espécie de performance erótica de um ventríloquo. Ele foi suspenso por isso, apesar de ter alegado se tratar de um protesto antirracista. Dodd circulou pela classe com uma expressão abatida no rosto, pousando ocasionalmente uma mão gentil sobre a cabeça dos alunos. Natasha arreganhou os dentes quando ele ameaçou fazer isso com ela.

Foi no coral que as coisas começaram a ficar ridículas. Eles interromperam os testes para que pudéssemos ensaiar uma homenagem para a cerimônia de amanhã. O ligeiramente embriagado John Hand tomou o comando e ficou um tempão falando de Mark, contando histórias que deviam ter acontecido com outra pessoa, até passar as cópias da música gospel "Conduzindo a carruagem", que ouvira dizer que era uma das favoritas de Mark. Aham. Nem posso acreditar que amanhã (na verdade, hoje... já passou da meia-noite enquanto escrevo aqui, sentada em meu quarto com Darling Mud tocando baixinho ao fundo) vou me levantar no meio de uma cerimônia para cantar "Vou conduzir minha carruagem pela manhã, Senhor", em memória de alguém que morreu em um acidente de carro. A única coisa boa da aula foi que Adam, destronado de seu posto como condutor pelo encomiasta beberrão, ficou de pé na minha frente, na minúscula seção de tenores, e não precisei encará-lo.

Biologia foi uma piada — até aí nenhuma surpresa, mas Carr tentou usar o término de uma vida para nos ensinar alguma coisa.

— Mark morreu de uma pancada na cabeça, mas isso, do ponto de vista científico, não é satisfatório — ele explicou, então começou a desenhar um carro na lousa, e os olhos de todo mundo se arregalaram. — Afinal de contas, qualquer um de nós pode ir até um poste e bater a cabeça nele. — Fiquei na expectativa de uma demonstração, mas não rolou. — Vamos ficar com dor de cabeça, talvez um galo, mas não morrer. — Carr ficou fitando o carro na lousa como se não tivesse ideia do que fazer com aquilo. — Portanto, a velocidade do carro tem obviamente um papel fundamental nisso. Não vi nenhum comunicado oficial do acidente, mas vamos considerar que ele estava a uns cento e trinta quilômetros por hora, ou "km/h". — Ele fez as aspas com as mãos. Os procuradores usam esse gesto o tempo todo, e mais parecem dois coelhinhos. — Portanto poderíamos dizer que Mark morreu por ter dirigido a cento e trinta quilômetros por hora, mas mesmo isso não é cientificamente satisfatório. Por que ele estava indo a essa velocidade? Todo mundo sabe que não é seguro. Mas o raciocínio dele estava alterado... pela bebida. — De repente a cerimônia de amanhã pareceu algo de muito bom gosto. — Por essa razão, podemos determinar cientificamente que a causa da morte de Mark foi o álcool, e eu acredito que uma lição moral tem muito mais força quando dada com uma explicação cientificamente satisfatória, em vez de dizer apenas que Mark morreu de uma pancada na cabeça.

— Mas isso não é cientificamente satisfatório — comentei. Genial. Depois de um monólogo de mau gosto, eu tinha me envolvido em um diálogo de mau gosto. — Por que Mark bebeu, em primeiro lugar? Ele estava em um baile com supervisão adulta. Talvez os adultos responsáveis não tenham feito seu serviço direito porque estavam ocupados demais *com a porra de uma líder de torcida*!

— Você, entre todas as pessoas, Flannery — o sr. Carr falou —, deve lembrar de que, como supervisor do baile, eu estava ocupado correndo atrás de outros infratores.

Todo mundo olhou para mim. Uma garota estourou uma bola de chiclete.

— *Eu* sou líder de torcida. Tem algum problema com isso?

A assistente do professor botou a cabeça para fora do escritório, curiosa com toda aquela comoção.

— Tem uma coisa que vocês deveriam saber sobre nosso admirável professor — anunciei, mas bem nessa hora o sinal tocou. Todos saíram, exceto por mim, Carr e sua assistente. Tivemos nosso MINUTO DE SILÊNCIO.

— Sei que você anda perturbada — Carr comentou —, mas seu comportamento hoje foi absolutamente inaceitável.

— *Meu* comportamento? — falei. Notei a raiva na minha voz, só que nem era como eu me sentia. Era como se ouvisse a verdadeira Flannery me dizendo para ficar calma, porque aquele era um semestre essencial e, se eu fosse mal, minhas chances de entrar em uma boa faculdade iam se reduzir drasticamente. Ainda assim, a Flannery violenta e furiosa não calava a boca. — *Meu* comportamento? Você assedia sua assistente, tenta me subornar com uma nota que não mereço, deixa um aluno morrer porque está ocupado demais se atirando numa...

— Acho que você já falou demais — Carr disse com uma voz implacável. — Está obviamente em choque com a morte do seu namorado, mas é melhor manter a calma em vez de descontar nos professores.

— Meu *namorado*? — falei. — Não bastava a dra. Tert, agora você também? — Saí da classe bufando e fui direto para a sala do diretor. A situação estava se agravando, e eu precisava de ajuda externa. Tinha perdido as estribeiras. Aos meus olhos, Carr tinha passado de um professor picareta para um verdadeiro monstro. Eu desabafaria tudo, sem me importar com as consequências. Em resumo, ia pedir transferência para outra turma de biologia.

A secretária do diretor seria uma mulher bastante encantadora, não fosse o fato de ter cobras no lugar do cabelo.

— *Que foi?* — ela rosnou assim que botei o pé na sala.

— Vim falar com o Bodin.

— O *sr.* Bodin já está com a agenda lotada.

— Só sei que tenho uma reunião marcada com ele agora.

Com uma cara desconfiada, ela abriu a agenda. Pude ver que estava vazia, como sempre esteve, desde o início dos tempos. Quem é que precisa falar com um diretor de ensino médio?

— E quem é você?

— A superintendente Culp — falei, me esticando ao máximo (o que não faz muita diferença). O olhar petrificante da secretária parecia estar apontado para o próprio cérebro.

— Diretor Bodin — ela falou ao telefone —, a superintendente Culp está aqui para vê-lo.

Jean Bodin, em carne, osso e o dobro de banha, abriu a porta.

— Superintendente Culp! — ele trovejou, como um herói do esporte de idade avançada. —Você é só uma adolescente.

— Uma adolescente que precisa de um novo professor de biologia — disparei.

— Estou ocupado — ele retrucou, levando as mãos para cima num gesto de "Socorro, uma aluna! Tirem essa garota daqui imediatamente!".

— Talvez você possa arrumar uns minutinhos antes que o superintendente apareça.

Bodin suspirou e me deixou entrar no seu santuário. Medusa fechou a cara; ela não suporta quando Perseu aparece.Veja só, Peter Pusher! Uma humanista pusilânime que conhece os clássicos!

O diretor Bodin sentou em sua imensa cadeira e pôs as mãos atrás da cabeça como se fosse começar uma série de abdominais — algo que provavelmente nunca tinha feito, a julgar por seu tamanho. Vale comentar que devia ter entrado em um regime radical alguns meses atrás — nas entrevistas coletivas em que falara ostensivamente sobre as novas medidas que San Francisco tomara para "garantir que os homicídios entre adolescentes se mantivessem em um nível historicamente baixo", ele certamente parecia esbelto.

— Qual parece ser o problema?

— Não *parece*: *é*. — respondi. — O sr. Carr e eu somos incompatíveis. Preciso de um novo professor de biologia. Me ponha com a sra. Kayak (*apesar de ela usar óculos escuros para poder tirar um cochilo durante a aula pelo menos uma vez por semana*). Me ponha com o sr. Hunter (*apesar de ele demonstrar, quando muito, um conhecimento bastante raso de biologia*). Me ponha com qualquer um. Só não posso continuar com ele. — Mordi o lábio, torcendo para que estivesse tremendo. Imaginei que uma abordagem lacrimejante seria uma boa tática. Se as coisas se complicassem, eu sempre poderia recorrer à abordagem mentalmente instável. Era uma pena não estarmos na aula de educação física; nesse caso, bastaria eu baixar os olhos para o meu colo e começar uma frase que o macho encarregado me daria qualquer coisa que eu pedisse.

— Não tenho como ajudar — anunciou Bodin. Seus três queixos se moviam enquanto ele falava. — Como você sabe, todas as turmas estão cheias. Se eu deixar que *você* troque de classe — ele apontou na minha direção, como para me lembrar de quem eu era —, vou ter que deixar *todo mundo* trocar. E aí o que aconteceria? A cada cinco minutos despencaria alguém aqui se queixando de *incompatibilidade*. Seria uma epidemia. A escola viraria de cabeça para baixo.

— Isso não é um vírus — falei, agora decidida a atacar com a abordagem indignada.

— Você tem razão — ele retrucou. — Isso não é um vírus. E quer saber? Acho que tampouco é um *problema*. Sabe o que é? — Ele abriu um enorme sorriso beatificante, como um buda caucasiano. — É um *desafio*. A aula de biologia é difícil? *Que bom*. É para ser assim mesmo. Você está em Roewer para ser desafiada até os limites acadêmicos, atléticos e outros que eu não lembro.

— Sexuais — sugeri.

— Isso. Não! *Sociais*.

— Dá na mesma.

Bodin olhou para mim como se acabasse de perceber que eu não tinha lhe entregado o presente de aniversário que prometera.

— Pois bem... — ele disse. — Não há nada que eu possa fazer. É um desafio para *você* superar.

— *Por favor* — implorei baixinho, tentando voltar para o modo lacrimejante.

— Medusa! — Bodin gritou. — Acompanhe essa jovem até a porta, por favor.

Com o titã ainda tagarelando às suas costas, Perseu disparou da caverna sem esperar ser conduzido, brandindo sua espada e decapitando a górgona na entrada da sala. Mas, à medida que fui me afastando pelo corredor, me sentia cada vez menos como um herói. Afinal de contas, amanhã terei de voltar lá e encarar Carr, e a secretária de Bodin certamente fará crescer uma nova cabeça.

Terça-feira, 21 de setembro

MARTIN, MALCOLM E MARK, dizia a faixa, estendida frouxamente no alto do palco, de tal modo que as letras ondulavam e se escondiam. Uma palavra que seria uma boa adição a essa aliteração seria MORTIFICAÇÃO; por isso gentilmente forneci grandes quantidades dela. Em vez de ter feito a besteira de procurar Bodin, eu devia ter ficado ali na sala de artes, pois assim que percebesse o que eles estavam desenhando, podia sair pisoteando tudo. Rasgando *todo* o papel kraft. Pois, depois que participei, sob condução de Johnny Hand, de uma versão mal aprendida e mal cantada do que certamente *não* era a música favorita de Mark Wallace, as turmas de artes apresentaram uma montagem perturbadora com um tríptico de retratos pintados às pressas, cada um do tamanho de... Bom, mais ou menos do tamanho de uma cabeça gigante pintada em papel kraft.

Martin Luther King, Malcolm X e Mark Wallace. Duas grandes figuras ligadas aos direitos civis e Mark "Peitões" Wallace. O diretor Bodin repetiu palavra por palavra de grandes trechos da elegia que tinha feito ontem pelos alto-falantes para quase o mesmo público, enquanto câmeras das emissoras de TV locais registravam tudo. No futuro eles usariam um trecho desse discurso durante o enésimo furo jornalístico sobre o Clube dos Oito — "A morte não é uma desconhecida do Colégio Roewer" —, com Bodin e seus queixos agarrados à tribuna e a metade de baixo do rosto de Mark ao fundo.

Quando o diretor terminava sua fala mandando que voltássemos para a classe sem nunca esquecer o garoto, um grupo de amigos de Mark levantou com os punhos erguidos. Um deles, se identificando como "um representante de Mark Wallace, de seus amigos e do povo", o que me pareceu uma distinção interessante, exigiu que as aulas fossem canceladas naquele dia, levantando a voz enquanto as câmeras de TV giravam para filmá-lo. Ele lembrou a Bodin que, se um aluno branco tivesse morrido, a escola teria fechado em definitivo. Aquela teoria viria a se revelar falsa, mas o diretor não discutiu. Ele concordou na mesma hora, umedecendo os lábios, e se pôs imediatamente debaixo da boca semiaberta da figura central, como se Malcolm X estivesse a ponto de devorá-lo. Todos celebraram — o que deu um aspecto ainda mais sinistro àquela situação — e então foram embora. Nem precisei trocar olhares com ninguém para saber que nos encontraríamos no Macaco Macchiato. E, de fato, em vinte minutos, Natasha, Gabriel, V., Kate, Douglas e eu estávamos bebericando lattes e com nossos casacos jogados na mesa. V., sempre na vantagem em termos de mesada, comprou um prato grande de biscoitos tentadores, e estou orgulhosa por poder informar que comi apenas meio. Natasha — você sabe, a magérrima e linda Natasha — pegou três.

— O que esta gangue aqui precisa — Natasha disse, mastigando o terceiro — é de outro jantar especial. Somos pessoas encantadoras e refinadas ou não?

Kate gemeu e apertou as mãos.

— *Somos! Somos!*

— Sim — V. concordou —, mas dessa vez vamos chamar só o Clube dos Oito. Sem forasteiros, especialmente aqueles que citam frases tiradas de um livro de recordes.

— Sexta à noite? — Douglas perguntou. — Sei que a Lily está livre.

— Cadê ela, aliás? — Kate quis saber.

— Precisou ficar em casa ensaiando — Douglas explicou, imitando um violoncelista.

— Ela precisa ensaiar para ficar em casa? — V. perguntou.

Douglas tentou parecer ofendido, mas desistiu e riu. Era bom vê-lo longe da supervisão de Lily.

— Então está marcado: sexta — Kate confirmou. — Onde?

— Meus pais vão...

— Vou adivinhar... — comecei.

— *Dar uma festinha!* — todo mundo gritou ao mesmo tempo. O último gole de espuma de leite me fez engasgar.

— *Meu Deus*, hoje estamos com tudo — Natasha disse, rindo. — Na minha casa também não dá.

— Nem na minha — avisei.

— Você já disse — Douglas falou. — Kate?

— Tudo bem — ela concordou. — Mas podemos ver um filme noir depois? Estou morrendo de vontade.

— Pode ser — Natasha concordou, num tom alegre. — *Acho* que aguento ver um filme velho. *Talvez*, vejam bem, eu disse *talvez*, até um com a Marlene Dietrich.

— Combinado, então — Gabriel falou, esfregando as mãos.

— Eu cozinho. Alguma coisa com amendoim, quem sabe. — Ele deu um beijo na testa de V. — Agora preciso ir. Flan, quer uma carona?

— Não precisa, Natasha vai me levar — falei.

— Que gentileza a dela — Natasha comentou, seca. — Vamos nessa.

Escutei algumas notas de Darling Mud quando Natasha deu a partida no motor, mas ela tirou a fita na hora.

— Cansei deles — falou, e de repente um homem cantando sobre corações partidos acompanhado por guitarras ecoantes começou a tocar. Nada típico dela. — Quer saber? — Natasha disse, dando um gole do cantil e fuzilando o carro à nossa frente. — *Gabriel*, Flan. *Gabriel*. Ele é todo cavalheiro, porra. Anda, anda, anda! O limite de velocidade é só uma *sugestão* — ela rosnou. — Ele é to-do ca-va-lhei-ro. — Ela pontuou cada sílaba com uma buzinada. — Não acha?

— Não sei do que você está falando.

— Acabei de pensar nisso — ela disse, mudando de faixa. — Ele sempre pergunta se você quer carona. Escuta suas queixas amorosas no lago. Te leva pra casa depois do baile, quando você está um caco. Está me entendendo?

— Não — respondi. Ela olhou para mim, aumentou o volume e ficou de boca fechada o caminho todo. Ao parar na frente de casa, destravou as portas e me encarou como uma mãe autoritária que observa a filha desobediente.

— Você não sabe — ela disse.

Saí do carro, fechei a porta e olhei para ela.

— Quer entrar e tomar um café? — convidei, mas ela já tinha ido. Como assim?

Quarta-feira, 22 de setembro

Deus, que tédio. Estou cansada da escola, dos meus amigos, de editar esse diário maldito. Não aconteceu nada hoje. E dizem que essa é a melhor fase da vida... Sei. Matei a aula do coral e passei um tempo com Hattie Lewis. Bom, isso é alguma coisa. Mas ela estava corrigindo trabalhos, então ficou quieta quase o tempo todo. Tinha tinta vermelha no nariz; é isso que você quer ler? Carr distribuiu drosófilas para a classe; o que mais quer? Vamos cruzá-las e ver as cores dos olhos da próxima geração; que registro fascinante, hein? Você aprova esse tipo de educação, Peter Pusher? Estudantes observando insetos fazerem sexo? Que tal isso como perspectiva psicológica de um símbolo da "juventude descontrolada", dra. Tert? Depois da aula, participamos de um jogo em que tínhamos de improvisar cenas com Ron Piper — vocês o conhecem bem, afinal, foram vocês que conduziram uma caças às bruxas contra ele durante todo o mês de novembro — mudando o tom diante da sugestão de um determinado gênero.

— Gótico — ele gritava, e todos virávamos góticos. — Faroeste! — E todos virávamos caubóis.

O que *você* quer, leitor? Como devo reescrever esse diário? Você está pagando pela minha casa e pela minha comida com seus impostos, por isso farei qualquer coisa que me pedir. Não era isso o que queria? *Acorde, América!*

Quinta-feira, 23 de setembro

É hoje. Hoje é o dia que Flannery Culp comete o crime. Quase posso sentir o comichão no couro cabeludo enquanto você coça a cabeça, leitor. Não achou que aconteceria tão cedo, não é mesmo?

Pensava que seria mais perto do Halloween. Que confuso isso. Será que temos uma narradora não confiável aqui? Sem chance. Meu raciocínio é só super-rápido. Sorte a minha, pois *amanhã* tenho prova de cálculo. Nela vai cair "Tudo o que nós estudamos até agora", Baker respondeu, me olhando como se eu fosse uma idiota por perguntar. "O que você quer dizer com *nós*?", eu quis saber, mas não tenho por que pedir um zero quando posso conquistá-lo por meus próprios méritos. Ai, ai.

Falando agora de outras "notícias de arregalar os olhos", Adam está olhando para mim a aula toda enquanto escrevo. Ele devia estar de olho nos tenores, que não conseguem cantar a parte deles direito por nada. Mas, mesmo enquanto os treina, continua me espiando. Isso causa aquele frio de cabo de elevador arrebentado na minha barriga. Todo mundo me odeia. Talvez eu junte coragem para falar com ele na próxima aula; não tivemos uma conversa de verdade desde que saímos para comprar vinho; exceto quando confessei que o amava na sala de audição. Minha vida é ridícula.

MAIS TARDE

Esperei todo mundo sair depois que o coral terminou, até ficarmos apenas eu, Adam, que estava folheando uma partitura em cima do piano, e duzentas mil cadeiras dobráveis. Ele fingiu não perceber minha presença por um longo minuto — contei no relógio oficial da escola, tiquetaqueando acima de nós como uma galinha autoritária. Cadê a Natasha quando preciso dela? Ela saberia o que fazer. A única coisa em que consigo pensar é pigarrear.

Ele levantou os olhos, parecendo mal-humorado.

— Oi — disse, como se preferisse arrumar as partituras a olhar para mim. — Tudo bem?

— Isso não é justo. — Suspirei, sem olhar para ele. — Essa era a *minha* fala.

— Como assim? — Adam perguntou. Ele tinha diante de si uma pilha de partituras, e tentava endireitá-las golpeando-as sobre o piano com força. Os estrondos entremeavam o zumbido na minha cabeça.

— *Eu* ia perguntar se estava tudo bem — falei, encontrando seu olhar vazio. — Você ficou me olhando durante todo o ensaio.

— Estou exausto, só isso — ele disse, mentindo. — Queria olhar para os tenores.

— Ah — eu disse. O relógio não parava. — Sabe, se tiver algo incomodando você, pode me dizer.

— Bom — ele disse —, estou meio irritado por você ficar faltando ao coral.

— Quê? Quando?

— Ontem, por exemplo.

— Ah, tá... *Isso*.

— Você já faltou várias vezes.

— Não é nada pessoal — expliquei. — Eu não tinha percebido que isso te incomodava. Quer dizer, você sabe como é. Às vezes tem outras coisas acontecendo.

— Deixa pra lá — ele falou, agarrando a mochila. — Preciso ir.

— O que tá acontecendo? — perguntei, e percebi horrorizada que estava agindo como uma namorada chata. — Você mal falou comigo no sábado.

Adam pousou a mão sobre meu ombro, parecendo furioso.

— Só preciso de um espaço — ele disse, puxando a mão para passar no (maravilhoso!) cabelo. — Só preciso de um pouquinho de espaço — concluiu, gesticulando para o nada.

Adam partiu e fiquei sozinha com as cadeiras. Olhei ao redor da imensa sala de ensaios e senti um comentário idiota subir pela garganta como um refluxo.

—Você não precisa de um pouquinho de espaço! — gritei para a porta escancarada. —Você já tem o suficiente, olha o tamanho dessa sala!

Saí batendo o pé e quase trombei com ele. Por algum motivo, achei que já estaria bem longe. Adam estava me observando com o típico distanciamento masculino, como se eu fosse uma criancinha birrenta que a qualquer momento ele tivesse que colocar na cama.

Bom, *isso* não ia acontecer, imaginei.

— *Que foi?* — perguntei.

— Sinto muito — ele disse.

Fiquei sem ar.

— Ah — falei. Ele não parecia estar sentindo muito, mas o que você faz quando alguém te diz que sente muito, particularmente se esse alguém não tem motivo real para se sentir assim. Eu amo o cara. Ele não sabe se me ama. O que se pode fazer?

—Vem, vamos conversar — ele disse, apontando para uma porta lateral que dava para uma salinha escura, que estava sempre vazia. Era ali onde as pessoas ou davam uns amassos ou terminavam namoros.

Suspiramos juntos quando Adam abriu a porta e entramos no lugar. Outro cartaz da Associação de Pais e Mestres, rasgado, estava colado na parede, com aquela baboseira de sermos empurrados até nossos limites. Havia uma lixeira lotada, bitucas de cigarro e um banco sobre o qual a assistente do Carr chorava loucamente. Ai, ai.

Adam e eu nos olhamos e senti nossos ínfimos problemas murcharem. Ele pigarreou, mas ela não ouviu, ou preferiu não levantar a cabeça.

— Eu vou... — falei para ele, já andando em direção a ela. Adam assentiu, se virou e foi embora. Quando a porta bateu, a garota ergueu os olhos, me viu e começou a chorar ainda mais forte. Não sei por que, mas congelei por alguns segundos, e senti o mundo parar junto... Ouvi até os passarinhos piando, como naquelas cenas externas de cinema, cheias de suspense. Não sabia o que fazer, dividida entre confortá-la e a vontade de correr atrás de Adam. Então só fiquei ali parada. Foi então que escutei na minha cabeça a voz do sr. Michael Baker, o professor de cálculo, recitando sua regra: *faça alguma coisa.* Acho que em algum canto da minha cabeça eu devia estar mesmo estudando para a prova. *Faça alguma coisa.* Então eu fiz.

A porta emperrou por um momento, por isso precisei puxá-la com uma força descomunal: ela soltou um chiado e me dei conta de que devia empurrá-la em vez de puxar. Então a empurrei e disparei pelo corredor. Ao virar, dei de cara com Adam. Sem nem pensar, eu o empurrei e o ouvi se chocar contra os armários. Continuei andando. Quando cheguei à sala de biologia, dei uma espiada pelo vidro para ver se Carr ou algum dos nerds estavam por ali, mas não havia ninguém. Aquilo devia querer dizer que a porta estava trancada e que eu precisaria remover as dobradiças.

Não tive tanta sorte. A porta se abriu imediatamente. O escritório também estava destrancado. Apanhei todos os tubos de ensaio, como se estivesse colhendo margaridas. Alguns caíram no chão e se espatifaram, mas agi metodicamente com os demais: depositei-os sobre a mesa e fui sacando as rolhas, uma a uma, e libertando as drosófilas. "Fujam", pensei. "Transem com quem vocês quiserem transar: olhos vermelhos, olhos azuis, iaques... Façam o que tiverem vontade, porra!" Saí da sala e avancei pelo corredor bem na hora em que o sinal tocou. As pessoas, uma mistura de fichários, chicletes e fofocas, passavam por mim. Pareci um zumbi durante toda a aula de educação cívica, então me dirigi devagar para a de biologia, como um general vitorioso a caminho de ver a cidade rival em chamas. Mas teria que aprimorar meu andar majestoso, porque estava atrasada.

— Turma, vocês estão dispensados — Carr anunciava quando abri a porta. — Hoje deveríamos começar a trabalhar com as drosófilas, mas minha assistente as deixou escapar. Ela foi demitida. Provavelmente teremos uma substituta na semana que vem.

Sexta-feira, 24 de setembro

Que tipo de fracassado mata aula de cálculo para ficar na biblioteca? Estou sentada num canto onde pôsteres de universidades tradicionais pairam como aqueles professores insuportáveis e superdesconfiados, que ficam passando entre as carteiras durante a prova até você perder a concentração e levantar a cabeça, só pra ouvir um "Preste atenção na sua prova, mocinha!". Esses pôsteres me lembram por que estou aqui: tirar dez em tudo, entrar em uma boa universidade e frequentar bibliotecas lindamente iluminadas, examinar tubos de ensaio em laboratórios ultraequipados, ler Thoreau em belos gramados e jogar frisbee com pessoas de vários lugares do mundo. Preciso esquecer que fico forçando a vista sobre caríssimos diários de couro preto em bibliotecas terrivelmente iluminadas, examinando tubos de ensaio com drosófilas (por sorte, isso eu posso esquecer mesmo, porque o próximo carregamento deve demorar algumas semanas para chegar), lendo um pouquinho de Dickinson em pátios com batatinhas espalhadas pelo chão e fazendo jogos psicológicos com pessoas que, em sua grande maioria, são do mesmo lugar que eu. Preciso me concentrar no futuro, no lugar para onde vou. Preciso tentar me esquecer de Carr. Ele é intocável. Indestrutível. Só tenho que aguentar um pouco mais, fazer minhas anotações e passar por isso. Quero entrar na faculdade; não quero ser uma fracassada, vivendo sozinha debaixo da ponte ou coisa do tipo.

Ou uma criminosa. Não quero acabar como uma criminosa.

Minha única sorte nessa história toda é que provavelmente não vou ser punida pela libertação das drosófilas, pois Carr já botou a culpa na pessoa errada. Então, mesmo que todo mundo saiba (eu podia jurar que a sala de biologia estava vazia... Onde aqueles nerds estavam? Escondidos debaixo da mesa, como se fosse um exercício de simulação de terremoto?) o que aconteceu, nada disso vai acabar no meu histórico escolar.

Pode botar no papel, Flan: hoje é o dia em que você começa a ser uma superaluna. Não vou me deixar afundar na lama do presente; preciso seguir em direção ao futuro. Mesmo agora, editando este texto, é assim que me sinto. Não posso afundar na lama do presente, mas preciso buscar o passado e trazer cada dia do último ano à luz, para que todos vocês conheçam a verdade.

MAIS TARDE

Apesar de todo o meu cinismo e preguiça, acho que sempre acreditei na existência de uma pessoa, em algum lugar do universo, para quem se está realmente destinado — *a quem se está destinado* —, e fico bastante incomodada com o fato de existir no mundo duas ou até mais pessoas por quem você possa se apaixonar. Isso dá a entender que, caso se esforce muito, você pode estar destinado a qualquer pessoa. Talvez essa seja uma ideia mais reconfortante. Esta noite, não parei de tomar champanhe, e agora sinto que ele está querendo sair de mim. Vamos recomeçar.

Gabriel me levou direto da escola para o mercado, e do mercado para o jantar, para que assim desse tempo de lavar e secar bem todos os cogumelos. Não lembro o tipo de cogumelo, mas era fininho. Fomos para a casa de Kate e me senti imediatamente malvestida, com a mesma roupa que estava usando na escola. É claro que Gabriel havia levado uma camisa e uma gravata, mas eu não tinha pensado nisso. Assim, enquanto ele fazia uso de sua escova especial para cogumelos, que viera na mesma sacola da camisa e da gravata, Kate pegou um suéter grande o bastante para mim (pois é, eles existem) num tom incrível de — adivinhe só — azul-marinho. Quando desci, Douglas e Lily já estavam lá e Natasha tinha acabado de subir os degraus da entrada. Darling Mud tocava (música barulhenta durante a preparação da comida, calma durante o jantar: imutável), enquanto Gabriel botava Kate para limpar os camarões. Dei uma espiada na cozinha, mas eles estavam no meio de uma conversa séria e me olharam como se eu os tivesse pegado com a boca na botija, por isso zarpei para a sala de estar. Natasha tinha trazido um patê de alcachofra, pimentas-malaguetas e brócolis; imagino que quisesse evitar toda a discussão do último fim de semana com o brie. Faz só uma semana mesmo? Parecem séculos. Ah, *foi* há séculos. Douglas — em um maravilhoso terno de linho — e Lily estavam comendo com vontade, como se tivessem passado a tarde fazendo algo extenuante. Natasha levantou a cabeça subitamente e foi até o aparelho de som.

— Já estou ficando de saco cheio desse Darling Mud. — Ela tirou a fita e a encarou, como se tivesse um gosto ruim.

— Claro — Kate gritou da cozinha. Ela tinha ouvidos supersônicos, o que era uma boa qualidade para uma fofoqueira. — Você já está cheia deles e ainda nem gravou uma fita para mim.

— Depois faço isso — Natasha retrucou, esvaziando sua bolsa sobre o tapete. — Em algum lugar dessa zona está o último álbum do Q.E.D.

— O *Papo furado e murmúrio*? Você comprou? — Douglas perguntou.

— Desde quando um esnobe da música clássica como você conhece *Papo furado e murmúrio*? — Não sei se fui eu ou Natasha quem perguntou isso.

— *Papo furado* e o quê? —V. perguntou quando surgiu nos degraus da frente. — A porta estava aberta, Kate. Trouxe flores. Douglas disse que não ia ter tempo. — Ela carregava um maço de lírios, um dos quais transformara num arranjo de pulso.

— O que você ficou fazendo a tarde toda, hein, Douglas? — Natasha perguntou incisiva. Ela estava ajoelhada, vasculhando a bolsa entre batons, delineadores, moedas, bombons e camisinhas. Douglas ficou vermelho e tossiu, mas foi salvo quando Natasha encontrou a fita. — Achei! E não é *Papo furado e murmúrio*, é *Gorgolejo e zumbido.*

— Do que estamos falando? — V. perguntou. — Kate, onde está o polidor de prata?

— É melhor você se apressar se quiser polir tudo a tempo — Lily observou, entregando uma camisinha perdida a Natasha com um olhar severo. — Gabriel disse que o jantar precisa ser servido às sete e meia *em ponto*, ou o arroz vai endurecer.

— Ainda são sete e cinco —V. disse, consultando um relógio de ouro. — E Jenn nem chegou. Ela é a única que falta?

— Acho que sim. — Comecei a contar até sete nos dedos. — Eu, Douglas, Lily, Gabriel, Kate, V. e...

— Flora Habstat? — perguntou Lily.

— *Não.* — Natasha respondeu, colocando para tocar a fita do Q.E.D. — Sem Flora Habstat.

— Bom, com Jenn somos oito.

— É tão bom finalmente termos um jantar só nosso — Kate disse, emergindo da cozinha e enxugando as mãos num avental com a imagem da *Mona Lisa*. — Me passa os brócolis?

Frank Whitelaw surgiu nos degraus da frente bem na hora em que a voz enérgica do vocalista do Q.E.D. se fez ouvir no aparelho de som.

Vivo encontrando o que não estou procurando, ele gemeu (o vocalista, não Frank) enquanto ele (Frank, não o vocalista) saltava os degraus. Ficamos olhando como se o garoto tivesse saído de uma nave espacial. Teríamos ficado lá a noite inteira, petrificados, se Jennifer Rose Milton não tivesse aparecido atrás dele, pedindo desculpa pelo atraso. Como se esse fosse o problema. Ela leva uma pessoa burra feito uma porta para um dos nossos jantares e pede desculpa por estar atrasada.

— Não tem problema! — Gabriel gritou da cozinha. Ele ainda não tinha visto Frank Whitelaw. — O arroz está demorando mais do que eu pensava. — Ele entrou na sala de estar. — Nesse meio-tempo, um pouquinho de brócolis cairia... Frank! — Ele merecia uma medalha por se recuperar tão rápido. — Não sabia que você viria! Que surpresa!

— Surpresa mesmo — Kate reforçou. — Melhor você polir mais talheres, V.

— Trouxe champanhe — Frank anunciou, como se tivesse sido treinado para dizer aquilo e não soubesse falar outra coisa. Ele ergueu quatro garrafas, duas em cada uma de suas mãos enormes. Eu me peguei pensando na proporção mão/ genitália. Quase arrisquei uma olhada em sua calça cáqui para ter um palpite, mas me detive e foquei nas garrafas. Bom, aquilo já era alguma coisa: ninguém havia trazido nada para beber, e eu não havia tido tempo de passar em casa e assaltar meu estoque de Ano-Novo.

— E já está gelado — Jennifer Rose Milton avisou num tom triunfante, como se ela tivesse lido nossas mentes. Todos ficamos esperando Kate tomar uma decisão.

— Ótimo — ela disse, afinal. — Vamos beber.

Frank serviu o champanhe, e fez isso pelo resto da noite. O arroz de Gabriel estava perfeito, perfeito, perfeito. Ficamos conversando, e Frank, para a surpresa de todos, não atrapalhou muito o encontro, já que era meio quietão. Só parecia haver um enorme pedaço de madeira plantado à esquerda de Jennifer Rose Milton, que às vezes a beijava. Após o jantar, Kate pôs um filme noir no videocassete, enquanto a louça ficava de molho. No entanto, bêbados de champanhe, cochilamos no meio dele, despertando apenas quando Natasha tirou o filme e o ruído da estática da TV invadiu a sala.

— Não aceito que durmam diante de Marlene — ela disse. — É hora de ir embora.

— Nem era Marlene, era Veronica Lake — Gabriel resmungou. — E você também estava dormindo. Vamos, Flan. Eu te levo para casa.

Levantei num pulo. Como cozinha, Gabriel nunca precisa lavar a louça, e eu tampouco precisaria caso fosse com ele. Dei um beijo de despedida em cada um (bom, *acenei* para Frank) e fiquei no alto da escada esperando Gabriel apanhar sua roupa da escola, seu moedor de pimenta e a escova de cogumelos, depois dar um beijo de despedida em todo mundo (bom, *acenar* para Frank). Kate agarrou seu ombro, lhe lançou um olhar expressivo e, num gesto rápido, levantou os dois polegares; pelo jeito, ela tinha mesmo gostado do camarão. Lá fora, fazia frio. O suéter de Kate era fino, mas Gabriel, cavalheiro como sempre, me passou seu blazer, e caminhei até o carro protegida do ar gelado da noite. Da colina onde fica a casa de Kate se tem uma bela vista da cidade. Apoiei as costas no carro e contemplei as constelações de postes de luz, piscando para mim como criaturas noturnas travessas, enquanto Gabriel tentava abrir a porta. A fechadura sempre enguiça.

— Merda! — ele esbravejou, me arrancando do meu devaneio. — Desculpa! — disse quando virei.

— Não tem problema — respondi. — Eu poderia ficar horas aqui contemplando a noite.

— Bom, espero que não leve tanto tempo assim — ele falou, cerrando os lábios. Parecia nervoso. — Você tem algum compromisso amanhã à noite?

— Ah, sabe como é — respondi —, sou a protagonista daquele musical na Broadway. E preciso fazer uma ligação para o papa. Só mais do mesmo. Por quê?

— Quer ir ver aquele filme em que o Andrew MacDowell é um professor que se apaixona pela aluna? Estreou.

"Provavelmente com uma participação especial do Jim Carr", pensei, mas acabei falando:

— Legal. Por que não comentou durante o jantar?

Gabriel tentou a chave outra vez, sem sucesso. Ele olhou para mim como se eu estivesse complicando em vez de ajudar.

— Eu quis convidar *você* — ele disse, e então compreendi.

— Ah, certo, melhor fazer planos sem o sr. Whitelaw por perto — falei. — A gente não precisa passar *o fim de semana inteiro* com ele.

— Não. Quis dizer *só você* — Gabriel falou, olhando para a fechadura. Ele ameaçou me encarar, mas baixou novamente os olhos para a fechadura. — Queria sair... *só com você*. — Ele me encarou e meio que revirou os olhos. Então me mostrou a chave que estava tentando usar, virou o chaveiro e escolheu outra. A porta abriu imediatamente. — Só um filme — ele disse, como se estivesse se desculpando.

— Só eu — falei devagar — e só um filme. — A porta do passageiro se escancarou. Ele estava abrindo a porta do carro para mim.

— Isso — Gabriel confirmou, voltando os olhos para a cidade. — Quer dizer, se você quiser. Ou podemos ir todos. Tanto faz.

Entrei no carro e Gabriel deu a partida, agarrando o volante como se pudesse escapar de suas mãos, embora ainda estivéssemos parados. Como se pudesse sair girando. Com todo o champanhe na cabeça, eu não conseguia dizer nada. Só sentar ao lado dele e pensar: "Mas e se Adam ligar e me chamar pra sair amanhã?".

— Por que você não me liga amanhã? — propus, e Gabriel olhou para mim com um enorme ponto de interrogação na cara. — Quando tivermos um jornal na nossa frente, assim podemos ver a que horas o filme vai passar. Bebi champanhe demais para conseguir agendar alguma coisa. E você? Está em condições de dirigir?

— Estou bem — ele respondeu. No escuro, ele sorriu igual àquele gato daquele livro. Gabriel me lançou um olhar encabulado que me partiu o coração. — Só um pouquinho tonto — ele falou —, mas bem.

Você sabe, apesar de todo o meu cinismo e preguiça, acho que sempre acreditei na existência de uma pessoa, em algum lugar do universo, a quem se está realmente destinado, e fico bastante incomodada com o fato de existir no mundo duas ou até mais pessoas por quem você possa se apaixonar. Isso dá a entender que, caso se esforce muito, você pode estar destinado a qualquer pessoa. "Talvez essa seja uma ideia mais reconfortante", pensei enquanto observava Gabriel dirigir, mas por dentro não sabia ao certo. Eu poderia descartar Adam e me destinar a Gabriel, mas como seria isso? Seria como me matar de estudar e tirar boas notas, ou seria como invadir uma sala que eu não tinha permissão para entrar e libertar insetinhos que nunca deveriam ser livres, que nunca deveriam estar voando soltos por aí? Eu sei, eu sei: *na qual eu não tinha permissão para entrar.*

Sábado, 25 de setembro

Douglas, o único homem na minha vida que eu *achava* que não estava fazendo coisas estranhas, bateu à minha porta às nove e meia da manhã. Nós dois nos olhamos, eu de roupão e cabelo molhado, ele de terno e chapéu.

— Oi — ele disse. — Como andam as coisas?

— Você quer dizer desde a última vez que te vi, nove horas atrás? Bem sonolentas. O que está rolando?

— Achei que era o dia perfeito para atravessar a Golden Gate.

Fiquei ali parada, pensando que talvez eu tivesse entrado em um túnel do tempo. Eu e Douglas sempre passeávamos pela Golden Gate; só faltavam as flores. Tive uma breve faísca de esperança de que aquilo que eu imaginava ter sido o último verão e o primeiro mês de aula na verdade não passasse de um sonho longo e febril, e que eu tinha acabado de acordar. Ainda estaria namorando com Douglas, não teria feito nada idiota como escrever cartas para um garoto, cursaria química em vez de biologia, não cometeria um assassinato muito em breve, não teria que me preocupar tanto com a faculdade.

— Não é um convite romântico, claro. Imagino que você já tenha recebido o bastante este fim de semana. Já tomou café?

— Ainda não são nem dez horas. Por que você veio tão cedo?

— Não consegui dormir. Além do mais, imaginei que se eu demorasse um pouco mais, outro membro do Clube dos Oito já teria te raptado para um interrogatório sobre Gabriel.

— E *você* queria ser o primeiro a fazer isso.

— Não, eu queria atravessar a Golden Gate. Podemos falar dele ou não. Podemos falar de *qualquer coisa* ou ficar em silêncio. Agora vai se vestir enquanto eu faço o café. Onde você guarda os filtros?

Ele já estava dentro da cozinha, abrindo os armários — só os errados, claro, como um típico homem. Nem parecia que ele já tinha vindo em casa e feito café para mim milhares de vezes. Estendi o braço acima de sua cabeça e abri o armário certo. Por um instante, meu rosto e minha boca se encontraram bem perto de seu pescoço, e senti uma onda de calor descendo pelo corpo, nu e ainda úmido debaixo do roupão. Já fazia muito tempo que não sentia nada remotamente sexual por Douglas. Foi esquisito. Ele ficou me olhando como se eu fosse bater nele. Quando evitei seus olhos e espiei outra vez seu pescoço, vi o porquê. Por um instante pareceu ser uma marca de nascença, mas eu conhecia aquele pescoço. Encarei-o de novo. Douglas parecia aterrorizado.

— Hum, você não devia estar usando uma gola alta para esconder isso? — perguntei para ele. — Você com certeza tem uma.

— Na verdade, não — ele disse. — Doei todas. — Sua mão se desgarrou até a marca e permaneceu ali. Ofereci o pacote de filtros para ele. Ele o olhou por uma fração de segundo antes de tirar a mão do pescoço e pegá-lo. De repente lembrei que tinha comprado uma blusa de gola alta para ele — preta, bonita — no último Natal. Achei que era um bom momento para subir e me trocar.

Era um dia perfeito para fazer um passeio pela Golden Gate. Os turistas sempre tentam tomar conta da cidade com suas bermudas e camisetas, mas, em dias de névoa como esse, são sumariamente derrotados. Podem ser vistos amontoados em carros alugados, agarrados uns aos outros enquanto fazem caretas para as câmeras — uma presença inofensiva. Flora Habstat poderia escrever ao *Guinness* comunicando que foi a única vez em que ninguém nos pediu para tirar um retrato em família com minúsculos veleiros brancos e uma ilha ao fundo. "Olha a gente aqui na Golden Gate", essas fotos costumam dizer — mamãe e papai com um sorriso vazio e as mãos artificialmente pousadas nos ombros de adolescentes irritados e constrangidos. O que Douglas tinha a me dizer era menos claro. Ele não parava de jogar conversa fora e cobrir nervosamente o pescoço quando alguém passava. No fim, caminhamos em silêncio, com ele olhando para o chão e eu olhando para ele, passando a mão pela grade que haviam acabado de instalar para dificultar o trabalho dos suicidas.

— E aí, como estão as coisas com a Lily? — perguntei.

Ele olhou para a grade atrás de mim.

— Muitas pessoas devem pular daqui — comentou. — Queria saber por quê. Quer dizer, eu *entendo* por que elas querem se matar, mas por que aqui?

— Imagino que não muito bem — comentei. Ele olhou para mim e sorriu.

— Desculpa — Douglas disse. — Acho que estou um pouco sombrio hoje.

— O *tempo* está um pouco sombrio hoje. Você está *muito*. Como andam as coisas com a Lily?

— Temos altos e baixos — ele falou, contemplando o mar. — Você namorou um músico clássico, então sabe como é. Com dois, é um drama sem-fim.

— Você fala isso como se fosse ruim — provoquei. — E como é que o sr. Músico Clássico sabe do novo álbum do Q.E.D.?

— Sei lá — ele disse, e pela primeira vez olhei para ele de verdade. Parecia tão cansado que seus olhos estavam quase fechados. Seu rosto estava todo franzido de preocupação, como se fosse um prisioneiro ou uma viúva. Douglas parecia estar prestes a chorar. Acima, as gaivotas gritavam. Ele ergueu os olhos na direção delas, depois os voltou para o mar, então para os carros passando, mas não para mim. — Sei lá — ele repetiu.

— *Ei* — falei. — Sou *eu*. *Flannery*. Pode se abrir comigo. O que está rolando?

— Nada — ele disse, pensativo, como as pessoas fazem quando

você pergunta se está tudo bem, elas dizem que sim e então lembram que estão com câncer. — Não sei.

—Você está incomodado com o lance com Gabriel e... comigo? Porque *eu mesma* não sei o que está acontecendo ainda...

— Não, não — ele falou, impaciente. — Não estou nem aí para isso. Quer dizer, é claro que eu ligo para o que acontece com você, mas...

— Então é alguma coisa com Lily?

— Não, não, não...

— Mas como é que as coisas podem estar indo mal se ela deixou uma marca dessas em você?

— Não foi Lily que fez isso — ele disse, rápido e baixinho, apontando para o pescoço. Senti um arrepio — e a culpada não foi a neblina, já que eu estava bem agasalhada.

— QUÊ? — gritei. Lancei um olhar furtivo ao nosso redor. Alguns poucos e corajosos turistas, tremendo de frio em suas bermudas, passavam por perto; dificilmente Lily teria qualquer relação com eles, mas nunca se sabe. — Como assim? Você está ficando com mais alguém?

— Hum...

— *Douglas* — falei —, você tem outra?

— Não, não — ele se apressou em responder. — Eu não... É muito complicado entrar nesse assunto agora, mas...

— *Douglas* — eu disse, me esforçando para encará-lo. — Lily é minha amiga. Você é meu amigo. O que está acontecendo?

— Não quero... Não *posso* falar sobre isso agora.

— Douglas, a Lily não vai falar com nenhum desses turistas. Não posso prometer que *eu* não vou contar para ninguém, mas...

— *Por favor,* preciso que você faça uma coisa por mim — ele pediu.

— O quê? — perguntei, percebendo que ele parecia assustado.

O que quer que fosse, era algo maior que Lily, eu e o Clube dos Oito inteiro. — O quê?

— Preciso esconder essa coisa, óbvio — ele falou, apontando para o pescoço e olhando à sua volta como um espião. — Pode me emprestar maquiagem ou qualquer coisa assim? Não posso deixar que Lily veja isso! O que ela vai pensar?

— Provavelmente o mesmo que eu — respondi. — Não vou te ajudar a esconder coisa nenhuma a menos que saiba do que se trata.

— Olha — ele disse, passando a mão no cabelo. — Não estou ficando com outra, tá? É isso que você quer ouvir? Não é o que está acontecendo. Mas Lily vai pensar que é, e eu preciso que você me ajude a esconder esse negócio! Por favor!

— Simples: compre uma blusa de gola alta — falei. — Não me envolva nessa história! Lily é minha amiga, e já é paranoica o suficiente sobre nós dois sem isso.

— Eu não posso... — ele começou. — Essa coisa vai demorar dias...

— *Chupão* — falei. — Chame pelo nome. Você está com um *chupão* de alguém que não é...

— Vai levar dias para isso sumir, e não posso usar blusas de gola alta todo esse tempo. Estou sempre de terno! O que as pessoas vão pensar? — Ele estava em pânico.

— Então compra uma base.

— Não posso fazer isso — ele respondeu. — Não posso fazer isso, não posso fazer isso, não posso fazer isso, não posso fazer isso...

— Calma, Douglas. *Nossa.*

— Você precisa me ajudar.

— Não sei.

O rosto dele foi ficando rígido, os olhos, apertados.

— Ouça, Flannery — ele disse em voz baixa. — Você não devia

ficar sabendo disso, mas, na quinta, o Bodin chamou alguns de nós na sala dele. Eu, V., Flora e sei lá mais quem.

Pisquei, tentando acompanhar a súbita mudança de assunto.

— E o que nosso admirável diretor queria?

— Bom, ele ouviu um boato sobre você ter soltado as drosófilas e chamou alguns dos amigos seus para uma espécie de interrogatório.

— Flora não é minha amiga.

— É, *sim*, Flan. Mas essa não é a questão.

— Quem mais ele chamou? Gabriel?

— Não.

— Natasha?

— Não. Ela não estava lá naquele dia, lembra? Na verdade, nem você, o que te salvou. Mas essa não é a questão.

— Como assim *eu* não estava lá? O que você quer dizer com isso?

— Bom, todo mundo sabe que você estava lá, mas por algum motivo você recebeu falta. Dodd devia estar viajando durante a orientação e não te viu...

— Ou me confundiu com a Natasha...

— Tanto faz. Mas isso significava que não pode ter sido você, já que não estava na escola. Mas essa não é a questão.

— Vocês confirmaram minha versão?

— Sim. Dissemos que também tínhamos escutado o boato, mas que devia ser totalmente infundado. Não dissemos que você não estava lá, porque não sabíamos, mas Bodin nem percebeu. E Carr estava louco para mandar a assistente embora...

— Carr estava lá?

— Estava. Mas essa não é a questão.

— Tá bom, tá bom — falei. — Qual é a questão?

— A questão é que defendemos você mesmo sem saber a história toda. Tínhamos ouvido falar que você tinha feito alguma maluquice e, conhecendo todo o seu amor pela *panache*, imaginamos que devia ser verdade. Mas, mesmo desconfiados, defendemos você porque somos seus amigos. *Confiamos em você*; sabíamos que, mesmo que tivesse feito uma coisa errada, teria sido por um bom motivo. E, assim que Kate nos colocou a par dos detalhes, ficou evidente que você *tinha* um bom motivo.

— Mas o que isso tem a ver com você?

— Acredite. Um dia você vai saber e vai entender que eu tive um bom motivo. Mas agora preciso da sua ajuda, então vai ter que confiar em mim. — Nisso, ele começou a chorar, bem ali. Foram só algumas lágrimas, mas isso é bastante coisa para um garoto, mesmo um que saiba a diferença entre Shostakovitch e Tchaikovsky e que use ternos de linho para ir à escola. — Por favor.

Eu o ajudei, mas não me senti bem com isso. Algo no jeito como ele me contou a cena na sala de Bodin me fez sentir obrigada a fazer aquilo. Como meus amigos, sem meu conhecimento, tinham dado um passo, eu precisava ir atrás. Ele havia subido o valor da aposta no Clube dos Oito, e tive que acompanhar. Está bem, admito: só fui me sentir assim mais tarde, mas bem que caberia no momento também. Bom, Douglas estava realmente paranoico, por isso tivemos que pegar o carro e ir até um bairro distante. Entrei em uma loja sozinha, comprei várias bases de diferentes tons e, assim que voltamos para minha casa, com as persianas baixadas, testei-as até encontrar a certa (surpreendentemente, uma relativamente escura, levando em conta o quanto eu considerava Douglas pálido). Apliquei-a em seu pescoço, esfumando até que o chupão desaparecesse. Ele me fez prometer maquiá-lo todos os dias antes da aula, até que a marca sumisse. Disse que iria de carro até minha casa para fazer isso e que me deixaria a par do ocorrido assim que pudesse. Não posso nem imaginar do que se trata.

Assim que ele saiu, lavei as canecas de café e reparei que Douglas havia deixado o chapéu na minha casa. Verifiquei a secretária eletrônica, pensando que encontraria uma mensagem de Gabriel e torcendo para que houvesse uma de Adam, mas eu tinha esquecido de ligá-la.

Eram quase seis da tarde. Pensei em ligar para os outros e perguntar se iam fazer alguma coisa, mas então me dei conta de que deviam ter planejado alguma coisa para que eu e Gabriel ficássemos sozinhos. Então fiquei sentada na sala de estar, ouvindo o Bach que Douglas havia colocado no som e escrevendo tudo isso. Agora são dez da noite. A última sessão do cinema era às nove e meia; por isso acho seguro afirmar que não vou sair com Gabriel hoje. Nem com Adam, Natasha ou qualquer outra pessoa. Estou sozinha. Daria um poema, mas não quero escrevê-lo. Não quero ser alguém que passa o sábado à noite sozinho em casa escrevendo poemas sobre isso.

Vocabulário

PUSILÂNIME ELOQUÊNCIA DROSÓFILA
GANDAIAR

Questões para análise

1. Neste capítulo, Flannery escreve: "Minha vida é ridícula". Você concorda com a avaliação dela? Por quê? E a sua, é ridícula? Por quê?

2. É grosseria levar alguém que não foi convidado a um jantar? E se essa pessoa for seu namorado? E se ele for burro?

3. Você acha que Flannery agiu corretamente com Douglas na Golden Gate? Você acha que Douglas agiu corretamente com Flannery na Golden Gate? Você acha que Bodin agiu corretamente com Douglas e os outros na sua sala? Você acha que Douglas e os outros agiram corretamente com Bodin e Flannery na sala do diretor? Você costuma agir corretamente? Questões desse tipo serão repetidas diversas vezes ao longo desse diário, mas responda uma de cada vez.

Segunda-feira, 27 de setembro

Hoje a Superaluna quase se atrasou para a orientação, pois esfumar a base no pescoço de Douglas levou mais tempo do que imaginava. Tive que me abaixar no carro quando chegamos ao estacionamento, porque Lily estava ali e ele não queria que ela nos visse juntos. Precisei sair correndo pelo corredor até a sala de Dodd, me perguntando por quê. Quer dizer, se ele me desse falta de novo, eu poderia causar mais confusão e não ser pega. Mas o que é isso? Eu sou a Superaluna! Lembra que na sexta me comprometi a isso quando estava na biblioteca? Enquanto deveria estar fazendo a merda da prova de cálculo?

Não se sinta mal; só fui perceber isso quando cheguei atrasada na aula e todo mundo já estava recebendo a prova corrigida. Baker sequer olhou para mim quando o sinal tocou e ficamos só nós dois na sala.

— Você vai tentar a abordagem "tenho uma boa explicação para o que aconteceu", ou vai pular direto para a "tenha piedade de mim, sr. Baker"? — ele perguntou, enquanto apagava a lousa.

Engoli em seco.

— A segunda opção.

Ele virou.

— Sabe, com base na nota da sua prova anterior, você poderia até elaborar um argumento convincente de que, em termos estatísticos, teria uma chance maior de melhorar sua nota simplesmente não aparecendo. Mas, mesmo assim, tomo isso como uma ofensa pessoal.

Se tem uma coisa que me deixa maluca é quando um professor toma como ofensa pessoal uma mancada que você dá. Quer dizer, *eu* já estava tomando como ofensa pessoal o fato de levar um zero na prova de cálculo e manter minha média zero e ter que ir morar debaixo da ponte, mas agora ainda tenho que aguentar o sr. Baker ofendido. Manda logo os zeros, mas sem a dose extra de culpa, por favor.

— Não era minha intenção ofender — eu disse, levantando e recolhendo meus livros. — Estava estressada, esqueci que tinha prova e matei aula. Desculpa. Vou mandar um balão com uma mensagem ou algo assim, para que você se sinta melhor ao me dar um zero.

— Sabe — ele falou —, *insolência* não vai te levar a lugar nenhum.

Com relação a isso, o sr. Baker viria a se revelar superenganado. Olhei bem para ele. Ciente de que, Superaluna ou não, não parecia boa ideia me indispor com todos os professores durante o primeiro semestre do último ano, pousei os livros outra vez na carteira.

— Imagino que agora não seja o melhor momento para lhe pedir uma carta de recomendação.

Nós nos encaramos firmemente, então ambos encolhemos os ombros e sorrimos.

— Posso lhe passar uma prova substitutiva? — ele perguntou. Fiz que sim com a cabeça. — Você vai tirar outro zero? — Fiz que sim de novo.

— Sabe — ele disse —, uma das minhas alunas está dando aulas particulares. Por que vocês duas não se juntam? Acho que não preciso te lembrar o quanto este semestre é importante, certo?

— Eu sei, eu sei. Quem é a garota prodígio?

— Flora Habstat. Vocês se conhecem?

Desculpe, mas estou cansada demais para registrar o resto da conversa. Nem consigo prestar atenção no que Hattie Lewis está dizendo. Hoje começamos a estudar Poe. Desde que descobri que ele era maníaco-depressivo, comecei a achar que também posso ser. Vai saber... Quer dizer, muitas pessoas alegam saber, a julgar por uma declaração da (des)especialista dra. Tert à rainha do talk show Winnie Moprah: "Acredito que Flannery Culp possua um monte de dores em sua vida". Foi exatamente assim que ela disse: que eu "possuo um monte de dores", como se fosse dona de um morro coberto de cactos e vidros quebrados. Acredito, Winnie, que você tenha um monte de dinheiro, mas nada além disso. Bom, a vida continua, acho, enquanto Hattie Lewis escreve números de páginas na lousa e olho para o número de telefone de Flora Habstat que Baker anotou para mim. Todos esses números especialmente atribuídos a mim: os autos, o registro prisional, os custos do processo, onde me encaixo nas estatísticas nacionais sobre adolescentes, homicídios e bruxaria.

MAIS TARDE

Gabriel estava me esperando na saída do coral. Você poderia achar que "fofo" fica em um país a milhares e milhares de quilômetros de "irritante", mas acontece que eles são vizinhos, e estão sempre em meio a disputas de fronteira. Gabriel faria qualquer coisa por mim. Mas por que não quero que faça?

— Oi — falei.

Ele ficou me olhando por um instante antes de responder.

— Oi. Podemos conversar?

— Claro — eu disse, levando-o em direção à mesma porta lateral para onde Adam havia me levado. As comparações estavam me deixando maluca. Abri a porta, entramos e sentamos num banco assim que uma pessoa levantou. Era uma mulher de vinte e poucos anos, que agora esmagava um cigarro no chão com seu sapato vermelho. Muito velha para ser aluna, muito nova para ser professora. O que ela estava fazendo ali? E eu?

— Só queria dizer — ele falou depressa, e senti meu coração afundar. Ele só queria dizer que tinha bebido muito na outra noite, ou que pensou bem e percebeu que sou uma lésbica gorda, ou não sei o quê. — Só queria dizer que não tem problema, estou feliz por você. Não estou bravo nem nada; só um pouco bravo com *ele*, mas por causa da Lily, não por mim. Acho que meu timing foi ruim, na verdade. Era o que eu tinha pra falar. Só isso. — Ele levantou como se não houvesse mais nada mesmo para ser dito.

— Do que você está falando? — perguntei.

— Você e Douglas. — Ele deu um sorriso cabisbaixo. — Acho ótimo que tenham voltado. Sempre formaram um belo casal.

— A gente sempre formou um casal medonho — rebati —, mas essa não é a questão. Não voltamos coisa nenhuma. De onde veio isso?

— Vocês não saíram?

— Não foi um encontro ou coisa do tipo. Só passeamos pela ponte e conversamos.

— Do que vocês falaram?

— *Gabriel!*

Ele encolheu os ombros, acanhado.

— Desculpa. Acho que era bobagem então.

— Como você ficou sabendo disso?

— Pela Kate.

— Douglas contou para Kate? — A situação não parava de ficar mais esquisita.

— Não. Sei que vai parecer coisa de espião, mas é a verdade. Uns primos da Kate vieram visitar a cidade. Eles foram até a ponte e tiraram algumas fotos, depois passaram num desses lugares de revelação em uma hora. Quando foram mostrar as fotos para a Kate, ela viu vocês no fundo.

— Não acredito.

— Verdade.

— Fala sério.

— *Juro.*

— Aí a Kate te ligou na hora e você decidiu aceitar isso como verdade absoluta sem nem falar comigo? — perguntei.

— Dá um desconto, Flan — ele disse num tom carinhoso. — Eu já estava bastante fragilizado, e todo mundo sabe que a ponte era onde vocês se encontravam.

Pousei uma mão em seu ombro. Ele sorriu instantaneamente, como eu esperava.

— Você ia desistir de mim sem nem brigar — falei. — Que vergonha.

Ele virou para mim. Nos olhamos, os rostos quase se tocando.

— O que você está querendo dizer? — ele perguntou.

Hesitei, e foi aí que a porta lateral se abriu e dela saiu Adam, rindo com duas pessoas que eu não conhecia. De repente senti necessidade de um pouquinho de espaço, como o próprio Adam havia me pedido.

— Preciso ir — avisei. — Tenho aula de biologia. Conversamos depois. — Levantei e, ao passar, esbarrei em Adam, que fingiu ter reparado em mim só naquele momento.

— Oi, Flan — ele disse. Olhei para ele e desejei não ter aula só para poder atirá-lo no fundo de um poço. Mas *qualquer um* poderia ter pensado isso, dra. Tert; é só à luz das minhas ações posteriores que meu desejo se torna sinistro.

Fui resmungando como uma mendiga velha por todo o caminho até a sala de biologia. Quando cheguei lá, sofri uma pequena humilhação. Tentei abrir a porta, vi que estava trancada e lembrei que ainda era cedo. Um tanto constrangida, me ocorreu o motivo de terem trancado a porta; enquanto dava meia-volta, cruzei com os nerds que estavam sentados no corredor, banidos de sua sala de estudos.

— Queria fazer alguma coisa aí dentro? — um deles perguntou, e dei o melhor de mim para manter meu ar de dignidade. A vida continua, acho; quando a aula finalmente começou, Carr apresentou sua nova assistente. A mulher que tinha esmagado o cigarro com o sapato vermelho. Lembra?

Terça-feira, 28 de setembro

Nunca uso muita maquiagem — exceto por um breve período de experiências infelizes com sombras de efeito cintilante no sétimo ano —, por isso nunca vivi aquela cumplicidade das meninas-em-frente-ao-espelho-do-banheiro-dando-risadinhas-e-fofocando que me prometiam pela TV desde que eu era pequena. Sendo assim, receber Douglas todas as manhãs para a cobertura do chupão é a coisa mais próxima que já tive disso. Também é como o fechamento de um ciclo com ele — no começo éramos amigos, depois amantes (bom, mais ou menos... nunca fizemos muito *daquilo*, Pusher), e agora nos encontramos todas as manhãs para que eu o ajude a esconder sua marca de amor dos olhos de sua amada. Ah, e assim gira o mundo. Este mundo, pelo menos — não creio que os camponeses do Zaire estejam discutindo Oscar Wilde e aplicando o tom certo de base nas peles uns dos outros. Mas será que existem camponeses no Zaire? O Zaire fica na África, né? Brincadeirinha, Peter Pusher; só queria escutar seus dentes rangendo. Posso ouvir claramente, mesmo com o som alto do gorgolejo.

— Sabe no que eu estava pensando? — Douglas me perguntou, esticando o pescoço enquanto eu me preparava para o toque final. Estávamos no meu banheiro. Se estivesse de olhos abertos, Douglas poderia enxergar meu quarto pelo reflexo do espelho e ver seu chapéu pousado sobre o suéter azul-marinho de Kate. Por algum motivo, ainda não devolvi essas coisas. Não sei por quê. No entanto, Douglas sempre mantém os olhos fechados durante o processo.

— Em me contar como arrumou isso aqui? — perguntei, sem muita esperança. Não havíamos avançado nem um pouco naquela questão.

— Não — ele respondeu. — Em absinto. Oscar Wilde tomava às vezes.

— Ah é? A sra. Lewis disse que Poe também. Mas e daí?

— Ah... Talvez seja divertido experimentar.

Olhei bem para Douglas. Drogas não faziam parte da rotina do Clube dos Oito. Não por nenhuma carolice puritana, mas por parecer simplesmente *vulgar*. A maconha evoca cabeludos que não tomam banho, LSD traz à mente uma espiritualidade que considerávamos imatura — ainda que pudesse ser genuína —, e todo aquele pó só me faz pensar em homens de cabelo lambido para trás, usando terno nas cores mais horripilantes, de braços dados com loiras altas e magras, burras e completamente chapadas. Mas absinto? Escritores, artistas e pensadores vadiando pelos salões, clareando as ideias graças a certa poção mágica... *Aquilo* era a nossa cara.

— Sabe que até pode ser? — falei. — Onde vamos conseguir?

— Não faço a menor ideia.

— *Bom* — Lily comentou enquanto discutíamos a possibilidade durante o almoço. Natasha, é claro, tinha topado de cara, mas Lily olhara para nós por cima de seus óculos como se tivéssemos enlouquecido. (Que tal a transição da minha casa para o pátio da escola?) — Esse negócio supostamente frita o cérebro.

— Que nem café — Natasha retrucou, com indiferença. Hoje ela estava vestindo (impunemente) uma capa. Uma *capa*. Ninguém mais seria capaz de usar uma *capa* na escola; os outros pensariam que a pessoa tentava se passar por um feiticeiro ou coisa do tipo. Mas Natasha parecia uma condessa numa viagem oficial, toda sexy e majestosa.

— Claro que não — Lily retrucou. — O absinto interfere nas substâncias químicas da cabeça, as quais a maioria de nós, imagino, gostaria de preservar.

— Poe tomava — arrisquei.

— Ele não é exatamente um modelo de saúde mental, né? — Lily disparou. Como eu poderia saber que o livro da dra. Tert, *Chorando demais para sentir medo*, conteria capítulos sobre Poe e sobre mim, porém sem jamais fazer a conexão com o absinto? Uma coisa esquisita, considerando que Winnie Moprah não apenas se concentrou nisso durante todo o episódio sobre o Clube dos Oito como também fez um programa especial sobre o uso abusivo de absinto entre adolescentes, com a participação de Flora Habstat, mais uma vez falando de algo que ela desconhecia completamente. Vaca.

— Você é uma estraga-prazeres — Douglas falou.

— Muito obrigada — disse Lily, fuzilando-o com o olhar.

— Para com isso — ele disse. — A Flan topou. Não acha que pode ser divertido?

— Estou me sentindo dentro de um filme ruim sobre más influências — ela disse. — Preciso ir pra outro lugar ensaiar.

— Você precisa ensaiar ir a outro lugar? — perguntou Douglas, alterando a gozação de V. Natasha e eu não aguentamos e rimos. Lily levantou e saiu batendo o pé; ou tanto quanto é possível bater o pé quando se arrasta um violoncelo consigo.

— Parece que vocês dois estão sempre brigando ultimamente — Natasha comentou, estendendo as pernas sobre o banco que Lily e seu violoncelo ocupavam antes.

Douglas suspirou.

— A culpa não é dela. É minha. Mudando de assunto, você está com meu chapéu, Flan? Acho que deixei na sua casa.

— Não — falei, sem motivo aparente. — Quer dizer, vou dar uma olhada, mas acho que não... — Não sei por que fiz isso. Tal como um motor enfiado embaixo d'água morrendo aos poucos, minha cabeça gorgoleja sem parar, esperando minhas sentenças terminarem: a que me mantém no ensino médio, a que me mantém na prisão, e a que eu tinha acabado de pronunciar e que parecia não ter fim. Pensando bem, nenhuma dessas sentenças parecem ter fim. Mas acho que estou perdendo o foco.

MAIS TARDE

Hoje é o dia de entregar meu trabalho de biologia, e acho que o fato de nunca tê-lo mencionado neste diário reflete bem o quanto tenho me dedicado. O tema é queimaduras solares. Um pouco antes da aula começar, fui até a mesa de Carr para botá-lo na magra pilha que ali havia. Ele estava de pé ao lado da pia, atrás de sua nova assistente, que lavava tubos de ensaio com a miniatura de uma escova de privada. Ele estava com a mão na bunda dela, mas ao ouvir alguém à sua mesa a tirou. Então viu que era eu, me encarou e voltou a botar a mão na bunda dela. Nem pisquei. Fiquei ali parada por uma fração de segundo e senti um arrepio, igual a quando se toma sorvete rápido demais. No caminho para o ônibus, avistei a assistente, de novo, sentada no ponto, sozinha e inconsolável. Então atravessei a rua e peguei o ônibus certo. Estou nele agora. Aonde vai minha vida? O que há de interessante nela?

Quarta-feira, 29 de setembro

Natasha e eu matamos aula o dia todo. Entre Adam, Gabriel, Douglas e Carr, quase não havia uma ilha no mar de Roewer onde essa frágil náufraga se sentiria segura. E Natasha... bom, ela não se preocupava com questões tão triviais e mundanas como presença. Fizemos uma parada rápida no Expresso do Meio-Dia para pegar um latte para viagem e fomos à praia. Acabamos deitando em uma grande pedra; eu bebericando meu latte e Natasha, seu cantil, e falamos de coisas bem mais importantes que as aulas que estávamos perdendo: livros, amor e o que pensávamos em fazer depois de deixar nossa escola sagrada. Marcamos de nos encontrar sábado à noite, só nós duas, para ver uma versão restaurada de um dos filmes sem Marlene favoritos dela, *Horizonte sombrio*. Combinamos de deixar os sábados à noite reservados quando não tivéssemos nada de absolutamente fabuloso para fazer, e então faríamos algo só nós duas. Decidimos que só precisávamos uma da outra. Flan e Natasha eram tudo de que Flan e Natasha precisavam. É claro que os outros do clube eram pessoas maravilhosas, mas não havia uma conexão como a nossa. Depois que demos um abraço forte, me afastei para ver seu rosto enquanto ela inclinava a cabeça para trás e dava outro gole, tirando o cabelo da cara e limpando o batom escuro do gargalo do cantil em seguida. Natasha flagrou meu olhar e revirou os olhos antes de pousar o cantil na pedra e afofar o cabelo, fazendo biquinho em uma pose de gozação. Amo Natasha. Sinto falta dela. Vou parar de escrever agora.

Quinta-feira, 30 de setembro

Enfim chegaram as transcrições do programa da Winnie Moprah que eu havia pedido — tanto a do episódio do Clube dos Oito quanto a do vício em absinto. Surrupiei um giz de cera e estou circulando minhas partes favoritas com uma cor que V. chamaria de "nude", um tom pálido e rosado que lembra um chiclete velho grudado no asfalto, todo achatado e patético. Eis aqui a abertura do programa da Winnie:

> *Que bom ter você aqui conosco hoje. O número oito assumiu diversos significados ao longo da história, mas nenhum tão sinistro quanto o que agora assombra os americanos com o Clube dos Oito, a famosa gangue de adolescentes* [aparecem retratos escolares medonhos da gente na tela]. *Ao olharmos pela primeira vez, achamos que são como quaisquer outros adolescentes, talvez exatamente iguais aos da sua cidade, do lugar onde você mora. Mas esses jovens* — [ela sacode a cabeça como se não pudesse acreditar naquilo] *crianças, na verdade — explodiram num surto de fúria, envolvendo drogas, álcool e todo tipo de abusos, incluindo satanismo e estilos de vida alternativos. O surto passou despercebido por pais e autoridades escolares até terminar no trágico assassinato de Adam State.* [Uma foto dele é mostrada; a câmera lentamente dá um close em seu sorriso até seus belos dentes ocuparem toda a tela.] *Ele era um dos garotos mais populares do Colégio Roewer, em San Francisco. No momento de sua morte, se encontrava diante de um belíssimo futuro, com a entrada na faculdade e depois uma carreira brilhante e lucrativa, talvez filhos. Mas o sonho de*

Adam agora acabou. Sua vida foi drasticamente acabada pelo Clube dos Oito. O processo de sua líder, Flannery Culp, ainda está em andamento, por isso não podemos comentar sobre sua culpa ou inocência, mas estão aqui conosco para discutir esse trágico caso [a câmera faz uma panorâmica] *a sra. Stacy State, mãe inconsolável de Adam e agora presidente do Conselho Adam State de Educação e Prevenção Contra Homicídios Satanistas de Adolescentes, primeira organização nacional a ter coragem de abordar essa questão tão dramática e complexa; Peter Pusher, renomado especialista em família, autor de* Qual é o problema dos jovens de hoje? Voltando aos fundamentos da família em um mundo perdido, *e presidente do Centro de Estudos Peter Pusher para a Reforma Nacional; dra. Eleanor Tert, renomada terapeuta de adolescentes e autora dos livros* Como os jovens conseguem (tirar você do sério)? *e o ainda inédito* Chorando demais para sentir medo, *uma abordagem histórica dos transtornos psicológicos por trás de americanos famosos, de Edgar Allan Poe a Marilyn Monroe e Flannery Culp; Flora Habstat, membro do Clube dos Oito que deu o sinal de alarme, atualmente em recuperação com o apoio de um programa de doze passos; e Rinona Wide, a atriz duas vezes indicada a prêmios que fará a protagonista do filme em produção* Clube dos Oito, Clube do Ódio: A história de Flannery Culp. *Obrigada a todos pela presença.*

Falei isso antes e falo de novo: *incorreto*. Tenho tantos comentários a fazer, que é melhor apresentá-los em notas separadas. As frases ofensivas serão reproduzidas entre aspas, seguidas pelo número da linha onde se encontram, para facilitar a consulta, seguida pelas retificações feitas pela pessoa que deu a Winnie Moprah um aumento indispensável nos índices de audiência.

1. "O número oito assumiu diversos significados ao longo da história" (linhas 1-5). Do que a querida (e honorária) Winnie Mo-

prah está falando? Talvez ela estivesse pensando no número de dias da semana?

2. "da sua cidade, do lugar onde você mora" (linhas 6-7). O que me deixa pasma é que ela não está falando isso de improviso; seus olhos seguem claramente o texto escrito em cartolinas que alguém segura por trás das câmeras. Portanto uma pessoa redigiu e depois escreveu em letras garrafais a frase "da sua cidade, do lugar onde você mora", sem que ninguém percebesse a redundância.

3. "estilos de vida alternativos" (linha 10). Perceba a maneira como ela alude à homossexualidade de Douglas, como se fosse uma abominação, semelhante ao espancamento de Adam até a morte. (Caramba, os gorgolejos de repente ficaram muito altos.) A cara de pau de fazer esse tipo de julgamento...

4. "diante de um belíssimo futuro" (linha 16). As notas nem tinham saído quando ele morreu.

5. "presidente do Conselho Adam State de Educação e Prevenção Contra Homicídios Satanistas de Adolescentes" (linhas 22-4). A sra. State é na verdade diretora; o conselho não tem presidente. Sei disso porque o CASEPCHSA me envia regular e incisivamente sua newsletter mensal. ("Autoridades estimam que haja mais de quinhentas Flannery Culps nos Estados Unidos, andando por aí sem qualquer controle." Como deve ser difícil para vocês, caros cidadãos, não conseguirem distinguir a Flannery Culp que vocês conhecem das outras quatrocentas e noventa e nove à solta.)

6. “renomado especialista em família” (linhas 25-6). Vamos ser honestos: renome do sr. Pusher e até sua expertise são fruto de suas aparições quase constantes no programa da Winnie Moprah.

7. “renomada terapeuta de adolescentes” (linha 29). Ver nota 6.

8. “Flora Habstat, membro do Clube dos Oito” (linhas 33-4). *Mentira, mentira, mentira.* Vaca.

MAIS TARDE

Fiquei tão alterada que nem lembro o que aconteceu na escola hoje. Não que eu esteja pessoalmente ofendida, só estou perturbada com toda a *incorreção*. O bilhete que Lily deixou para mim nem é grosseiro, mas muito *mal escrito*. Quer dizer, basta lê-lo:

Flannery,

Preciso tirar algumas coisas do meu peito que estão realmente me incomodando muito. Talvez você ache covardia da minha parte escrevê-las em vez de falar na sua cara, mas não tenho coragem. Você precisa admitir que às vezes pode ser realmente intimidadora. Sei que não é sua culpa, realmente, mas precisava explicar o motivo de ter escrito em vez de só conversado com você.

Você deve imaginar que quero falar sobre Douglas. E antes que tire conclusões precipitadas e ache que estou pensando que vocês voltaram, não estou. Gabriel me contou sobre você ter lhe contado sobre o que Kate contou a ele (Gabriel) sobre o que os primos dela contaram para ela sobre você e Douglas na ponte, e acredito em você. Mas realmente não faz diferença que não tenha acontecido nada. O que estou tentando dizer é que toda vez que você passa um tempo sozinha com Douglas, você está afastando ele de mim, mesmo que nada aconteça. [Essa última frase foi riscada, mas com um único traço, de maneira que eu conseguisse lê-la sem que pudesse realmente censurar Lily por ela.]

Realmente não estou tentando dizer que não quero que você e Douglas sejam amigos, mas acho que você não está realmente pensando em como me sinto por passarem tanto tempo juntos. Acho que minha relação com ele está sofrendo por causa do que quer que seja que ele está dividindo com você, mesmo que não seja nada de mais.

Não precisamos voltar a falar disso. Só preferiria que vocês dois [isso também estava riscado, mas com vários traços; precisei segurar o bilhete contra a luz e decifrar as letras uma a uma.]

Lily

Muito bem. Antes de eu fazer meus comentários, gostaria de lançar um pequeno desafio. Adivinhe quantas vezes a palavra "realmente" aparece no bilhete. Vamos lá: adivinhe. *Sete*, esse é o número de vezes, incluindo o que eu escrevi entre colchetes. Lily usou essa palavra *sete* vezes em um bilhete de uma página. *Sete vezes.* Agora passemos aos comentários:

1. "Flannery" (linha 1). Nem mesmo um "Querida". De uma hora para outra, já não sou mais querida. Isso me deixa furiosa.

2. "Preciso tirar algumas coisas do meu peito" (linha 2)

Ah, que saco. Que carta irritante. Houve apenas um acontecimento afortunado. Foi pequeno, mas crucial. Lily passou toda a reunião da revista me encarando. Ficou só olhando para mim, sem abrir a boca, nem mesmo deu uma opinião a respeito de um poema que alguém escreveu sobre um gato, pelo amor de Deus. Até que foi embora, adiantada e obstinada, me encarando antes de fechar a porta. Meu pedacinho de sorte repousava na ponta da mesa, onde Lily estava. Eu o ergui e embaixo dele estava o bilhete, escrito numa folha de caderno em tinta preta e dobrada ao meio, com FLANNERY escrito em letras grandes. Li o bilhete na mesma hora, ignorando o que havia em cima dele, e saí correndo para pegar o ônibus. Mas não sem antes guardar no bolso o que ela tinha esquecido.

Seus óculos, caros e imponentes, uma parte tão importante de Lily que era bem difícil de acreditar que os tivesse esquecido. São emblemáticos nela. Como o chapéu de Douglas ou o azul-marinho do suéter de Kate. Guardei os três objetos em uma prateleira do closet, em vez deixá-los na cadeira do quarto — não queria que ninguém os visse. Depois, é claro, eles foram colocados em sacos plásticos, numerados e mostrados a um júri, que visitou o museu da minha vida, ignorando as placas de NÃO TOCAR com o mesmo desembaraço de Mark Wallace ao apalpar meus peitos. Eles não puderam ver a imitação rápida e preguiçosa que Kate fazia do Cavaleiro Sem Cabeça quando deslizava dentro do seu suéter antes de sair, ou o jeito como o chapéu de Douglas assentava em sua cabeça, parecendo ao mesmo tempo tonto e sexy, ou a maneira como Lily botava os óculos sempre que precisava refletir sobre alguma coisa, como se as lentes deixassem até sua mente mais clara. Eles viram essas coisas apenas em *exposição*, como *provas*. Não podiam ver a floresta pelas árvores, ou seja lá qual é a expressão.

Sexta-feira, 1º de outubro

Douglas veio hoje de manhã e tocou a campainha enquanto eu estava secando o cabelo e cantarolando "Com você", do Q.E.D., que tinha ouvido no rádio mais cedo. Durante um minuto inteiro ficamos tendo uma série de mal-entendidos sonoros, como em um filme de suspense. Achei que tinha escutado a campainha por cima do barulho do secador de cabelo, mas, quando o desliguei, não ouvi nada. Voltei a ligá-lo e jurei ter ouvido a campainha. Desliguei-o de novo etc., até que desci e abri a porta, sabendo que Douglas estaria lá.

— Vai embora — falei. — Vou pra escola de ônibus.

— Quê? — ele retrucou nervoso. Olhava em volta como se fosse um fugitivo. Não que eu já tenha visto um, claro. — Podemos conversar?

— Não — respondi. — Converse com Lily.

— Posso explicar tudo — ele disse.

— Duvido muito. — Comecei a fechar a porta. A música do Q.E.D. tinha me deixado numa paz gostosa, mas ele estava estragando tudo.

— Eu sou gay! — Douglas gritou.

Afastei minha mão da porta, mas não a abri. Ainda via o rosto de Douglas pela fresta. Suas bochechas ficaram vermelhas. Sob a aba do seu chapéu, pude ver que estava chorando.

— Quê? — retruquei com nervosismo.

— Sou homossexual — ele disse, como se fosse um diagnóstico médico.

Olhamos um para o outro por uma fração de segundo. Algo no silêncio quase nos fez sorrir. A porta foi abrindo devagar, sozinha, revelando Douglas cada vez mais. Então estava totalmente escancarada e Douglas entrou, amarrotado e sem fôlego, como se tivesse saído de um lugar apertado. Tipo, bom, um armário.

De repente, ele começou a chorar. Colocou a cabeça no meu ombro, mas manteve o resto do corpo a certa distância de mim. Ele literalmente tinha vindo chorar no meu ombro. Fui me aproximando de Douglas até nos abraçarmos. Eu nunca tinha visto alguém que não fosse uma criança perdida ou machucada chorar daquele jeito, se sacudindo todo.

— É melhor eu fazer um café — falei, e me surpreendi ao perceber que também estava chorando, mas só um pouquinho.

Fui rápido até a cozinha e apanhei um filtro. Tive um flash da primeira vez que vi a marca de chupão, com minha boca próxima à dele enquanto alcançava a mesma caixa de agora. Naquele momento, por uma fração de segundo, pareceu que íamos nos beijar. E então tive outro flash: Douglas e eu costumávamos nos beijar o tempo todo, e agora ele é gay. E, num terceiro flash — com os dois primeiros ainda na minha cabeça, como lâmpadas acesas —, entendi o que o chupão queria dizer. Ele me garantiu que não estava ficando com *outra*. Me dei conta então de que tinha amassado o filtro. Olhei para ele e senti como se estivesse saindo de um abrigo depois que uma longa tempestade tivesse enfim passado.

Virei e olhei para ele.

— Tem certeza? — perguntei, e ele fez que sim com a cabeça, enxugando os olhos. Não chorava mais convulsivamente. Seus ombros estavam imóveis, mas as lágrimas ainda rolavam soltas por seu rosto. Ele sentou no sofá, eu me endireitei e fui fazer o café. Enquanto esquentava o leite, fiquei olhando para o nada e acabei deixando queimar. O alarme de fumaça disparou, o que foi ótimo, porque Douglas foi correndo afastar a fumaça do dispositivo estridente com seu chapéu, e assim ficamos no mesmo cômodo outra vez.

— Vou tomar o meu puro — ele disse, abrindo o armário errado para procurar as canecas. Com um sorriso forçado, observei o chiado fumegante da água fria no recipiente queimado. Peguei as canecas; ele serviu o café. Bebemos em silêncio.

— Então foi assim que você arrumou o... — finalmente falei, tocando meu pescoço, e ele assentiu. — É alguém que eu conheço? — perguntei, tentando não parecer que estava fazendo fofoca.

Douglas soltou um longo suspiro. Parecia bastante cansado.

— Nem *eu* conheço — ele respondeu.

— Você está tomando cuidado? — perguntei. — Não quero falar como se fosse sua mãe, mas...

— Meu novo estilo de vida é muito perigoso?

— Não quis dizer isso — expliquei. — Desculpa, Douglas. Só preciso de um tempo pra me acostumar. Acabei de ficar sabendo.

— Você não imaginava? Não dava para ver?

— Não sei — respondi, olhando para meu amigo, músico clássico e ator, que só usava ternos de linho, sempre trazia flores para os jantares e chorava nas partes tristes das óperas. Quando namorávamos, passava um bom tempo defendendo a sexualidade dele na Roewer. É claro que "quando namorávamos" é a chave da frase. Não era minha intenção namorar alguém que não estava interessado em mulheres.

— Está tudo bem.

— Você já sabia naquela época e não me falou? Aliás, Lily já sabe?

— Ninguém sabe — Douglas respondeu. — Eu nem ia contar para você. Só saiu. Nem sei há quanto tempo *eu* sei. E acho que nem preciso dizer que não quero que ninguém mais saiba.

— Nem mesmo Lily? — perguntei. — Deixa eu te contar uma coisinha sobre as mulheres, Douglas... Elas geralmente supõem que seus namorados são hétero.

— Não conte pra ela! — Douglas disse. Gritou, na verdade.

— Não vou contar. Mas acho que você devia.

— Não posso — ele respondeu. — Ainda não. E não conte para ninguém.

— Não vou contar, não vou — falei, já imaginando o que Natasha pensaria a respeito. — Prometo. Mas você precisa assumir a responsabilidade e falar com ela.

— Estou começando com esse lance de *assumir* — ele disse com um esboço de sorriso.

— Quê? Ah. Tá. Douglas, Lily está uma fera comigo porque acha, bom, não sei o que acha de verdade. Vou te mostrar o bilhete que ela me escreveu. — Subi os degraus da escada pulando e entrei em meu quarto. Quando peguei a folha, reparei que minhas mãos tremiam. "Não é nada de mais", me peguei pensando. "Várias pessoas são gays."

Desci e mostrei o bilhete para ele.

— Por que ela numerou as linhas? — Douglas perguntou.

— Fui eu quem fiz isso.

Ele ergueu os olhos.

— Por que *você* numerou as linhas?

— Deixa isso pra lá. Lê logo. Viu como ela riscou aquela parte mais pro fim, mas deixou visível, pra que eu lesse?

— Flan, dá um tempo. Vou contar pra ela em breve, prometo. Agora vamos, eu te levo até a escola.

— *Douglas!*

— Já estamos atrasados.

— Não vou para a escola. Nenhum de nós vai. Vamos ficar aqui e conversar sobre isso. Ah, espera... Eu *preciso* ir pra escola. Tenho que entregar meu ensaio pra Lewis, senão ela me mata. Vamos!

Durante todo o caminho, Douglas não falou comigo. Ou não *quis* falar. Douglas não *quis* falar comigo durante todo o caminho. Fiquei ali no banco do passageiro, com o bilhete de Lily amarrotado nas mãos. Me lamentei por não fumar, seria ótimo ter agora um cigarro entre os dedos, queimando por dentro como eu.

Douglas estacionou. Escancarei a porta, quase derrubando Gabriel. Quando olhei para ele, senti que o mundo inteiro empalidecia, como se todas as pessoas tivessem pegado uma gripe ao mesmo tempo.

— Oi — falei com uma voz rouca, tentando (sem sucesso, eu sei) fingir que ele não havia nos flagrado. Ouvi Douglas saindo do carro, atrás de mim, e esperei que dissesse alguma coisa. Mas ele só saiu andando, e fui deixada lá, tremendo no frio matinal.

— A orientação já começou — Gabriel comentou.

— Ainda vai chegar o dia em que estarei lá e receberei presença por isso — eu disse.

— Estava procurando o Douglas — Gabriel disse, parecendo impaciente. — Queria falar com ele.

Apontei para o vulto cada vez mais distante.

— Ele está logo ali.

— Vocês dois estão juntos? — Gabriel me perguntou.

— A gente já não teve essa conversa? — perguntei.

— Sabe — Gabriel disse, olhando para o céu. — Não fiquei surpreso quando não te vi hoje cedo. No seu lugar, também não viria pra escola. — Mesmo vindo de alguém tão doce quanto Gabriel aquilo parecia uma ameaça.

— Gabriel — falei —, por favor.

— O que está acontecendo? — ele perguntou. — Você está me deixando louco, Flan.

Olhei para ele, alguém que estava na minha mão, à mercê dos meus sentidos, e só consegui pensar em uma coisa a fazer. Talvez outra pessoa tivesse feito diferente, mas eu não era outra pessoa, era só uma aluna do último ano tentando entrar na faculdade, me ferrando em cálculo, presa em biologia com Jim Carr, subitamente no centro de uma confusão envolvendo meus amigos, que me viam como uma confidente, uma adúltera, uma mentirosa, uma vadia, uma conspiradora, uma gorda desleixada e sabe-se lá o que mais, todos menos Gabriel, que estava ali parado no estacionamento dos alunos vendo em mim a pessoa que ele amava, e de repente me pareceu tão fácil me ver como alguém que estava apaixonada por Gabriel, assim como ele estava por mim, então prendi a respiração, do jeito que se faz quando se abre uma caixa de leite com a validade vencida e o beijei. Foi um beijo longo, com a duração devida para o começo de uma relação, eu disse para mim mesma. Senti Gabriel enrijecer, então reagir contra sua vontade, finalmente se render e me beijar também. Sorrimos um para o outro; seu sorriso era tão grande quanto um oceano; o meu, receio, era tão raso quanto uma poça de água. Uma música do Q.E.D veio à minha cabeça, mas não sabia qual era.

— Você tem certeza de que é uma boa ideia? — ele me perguntou, e minha mente voltou para Gabriel. Ele era fofo. Cozinhava e jamais ia me tratar mal. Tudo estaria resolvido.

— Tenho — respondi.

No mesmo instante, ele pegou minha mão e me conduziu para o prédio da escola. O sinal tocou assim que passamos pela porta, e os corredores começaram a se encher.

— A gente se vê depois — gritei para ele por cima do barulho das pessoas da minha idade que tinham um propósito, que sabiam aonde estavam indo e só tinham três minutos para chegar lá. — A gente se fala depois.

Abri a porta lateral e lá estava Adam.

— Flannery! — ele exclamou, sorrindo. — Estava te procurando!

Tentei soar como se a voz dele não deixasse minhas pernas bambas. "Você tem um namorado", me peguei pensando, tentando evocar a imagem de Gabriel.

— O que você quer?

— Qual é o problema? Você está um caco.

— Muito obrigada — respondi.

— Poxa, achei que fôssemos amigos.

— E eu achei que você precisava de um pouquinho de espaço

— revidei, um pouco cansada de tudo aquilo, até que, do nada, ele pegou minha mão. De repente, me senti aquecida pela primeira vez naquela manhã, desde que tinha saído do chuveiro. Um calor igual ao de uma música boa.

— Quê? — gritei. Do jeito que minha vida andava, era bem capaz que um tio-avô de Kate estivesse observando pássaros e por acaso tirasse uma foto minha com Adam, que acabaria chegando até Gabriel. Mas não estava nem aí. Ele que fotografasse. *Estou bem aqui, tio Bob!*

— Eu queria te chamar para jantar no sábado à noite — ele falou, sem rodeios. Estava com uma camisa de um branco puro; já falei isso? Ele me faz sentir como um clichê ambulante; já falei isso também? Derreti ao som da sua voz, desmaiei por dentro, senti uma dose pura de desejo.

— Sério? — comecei a falar, mas me segurei bem a tempo. — Sábado? — perguntei. Comecei a sacudir a cabeça negativamente, mas uma frase surgiu do nada na minha cabeça, como uma mensagem numa garrafa. "Gabriel não precisa ficar sabendo." — Tá.

— Sério? — ele perguntou, e então franziu a testa como se não tivesse conseguido se segurar. Adam estava empolgado em me chamar para sair. Empolgado. Talvez um tantinho *nervoso*. Tudo de que ele precisava era de um pouquinho de espaço; quem não precisava disso às vezes? — Hã... Vou estar ocupado durante o dia, por isso não vou conseguir te ligar. Podemos nos encontrar num café. Umas seis e meia?

— Que tal o Descafeinado Nem Amarrado? — sugeri. — Fica perto da minha casa. Podemos ir para lá depois pra transar. — Não disse essa última frase, mas deixei a ideia no ar.

— Parece ótimo — ele disse, piscando. — Descafeinado Nem Amarrado, sábado, seis e meia. Te vejo lá, então. — Ele me olhou e abriu um sorriso enorme como se tudo tivesse sido mais fácil do que imaginava. Com uma pontada, me lembrei de Gabriel, depois do último jantar, me mostrando que havia encontrado a chave certa do carro.

"Vivo encontrando o que não estou procurando." Era *essa* a música do Q.E.D. que me veio à mente depois de beijar Gabriel no estacionamento. Mas dessa vez foi outra, a última do álbum. "Você é jovem e tem experiência", murmura o vocalista no começo da música, acompanhado do ronronar suave da guitarra. Nosso primeiro beijo foi doce, e achei que não passaria disso. "Posso sentir seu gosto", o vocalista rosna, então surge a bateria, a banda em plena força, o baixo crepitando como a sensação do cimento frio nas costas quando me apoio contra um prédio que odeio e sempre odiei para beijar um homem que amo e sempre amei. Não sei o resto da letra — não ouvi a música tantas vezes assim —, exceto pelo refrão: "Arrebatado por seu desejo impaciente/ eu me rendo ao seu beijo ardente". Esse é o título. Quando o beijo terminou, nós nos olhamos, sem fôlego, cercados por um silêncio promissor, exatamente como ao final de um grande álbum. "Beijo ardente."

Sábado, 2 de outubro

Bom, podia ser pior. Não estou presa sob um bloco de gelo nem nada do tipo, na verdade, nem a droga do gim estava gelado... Bom, preciso vomitar. Ele que vá à merda.

Pois é. Já é tarde. Embora "sóbria" não seja a palavra para classificar meu estado, vai ter que ser assim mesmo; pelo menos não estou mais sentada no piso frio do meu banheiro com a luz da lua em forma de personagem de desenho animado rindo de mim. Ele não apareceu, foi isso que aconteceu.

Acho que a maneira mais fácil do meu desnorteado cérebro registrar essa derrota infame é por meio de uma linha do tempo.

18h27: Flan sai de casa para ir ao Descafeinado Nem Amarrado, planejando chegar alguns minutos atrasada.

18h33: Ela chega. A.S. foi mais esperto, e Flan é forçada a pedir um latte e ficar sentada esperando. Por sorte, levou *Nove histórias*, do Salinger, que está relendo pela enésima vez. Ela imagina que possa ser um bom artifício para puxar assunto, sem contar que consegue lê-lo sem muita concentração, assim quando Adam chegar, vai encontrá-la descontraída. Na verdade, suas mãos estão suando, e ela não para de enxugá-las com guardanapos apesar do condescendente aviso de PENSE NAS ÁRVORES: USE APENAS O MÍNIMO NECESSÁRIO.

18h48: Flan pede outro latte. Com excesso de cafeína no sangue e nervosa, de repente se dá conta de que leu a mesma frase de "Para Esmé, com amor e sordidez" dezesseis vezes seguidas.

19h: Esse é o limite. Finalmente, Flan vence seu autocontrole e faz aquilo que ela sabe que não pode terminar bem: tira o caderno preto de couro da bolsa e confere a hora que Adam disse que ia encontrá-la. Sim, seis e meia. Ela guarda o diário na bolsa e pede outro latte.

19h18: Flan se pega rezando.

19h22: Ela constata que suas mãos estão tremendo tanto que talvez derrube o latte ao voltar para a cadeira, portanto não pede outro.

19h33: Não sabe o que fazer. A noite de sábado se estende diante dela como uma limusine que não pediu, enquanto o chofer espera que lhe diga aonde ir. Não quer ir para casa.

19h41: Ela pensa em pedir algo para comer. "Descafeinado Nem Amarrado oferece uma grande variedade de saladas" avisa outro cartaz, justo quando já estava se sentindo gorda o bastante e a ponto de desmaiar como resultado de três lattes de pura agitação nervosa despejados quentes em um estômago vazio. Ela relê o cardápio sujo de mocaccino, virando as páginas sem entusiasmo, para ver se o que quer está mais adiante. Não, ele tampouco está ali.

De repente, não vi mais nada. Adam pôs as mãos sobre meus olhos.

— Adivinha quem é? — disse uma voz nitidamente feminina, e num instante tudo ficou tão claro como se eu mesma tivesse inventado: Natasha, a quem eu havia me esquecido de ligar para cancelar o compromisso, fora ao Descafeinado Nem Amarrado pegar um latte antes de me encontrar para ver *Horizonte sombrio*, como tínhamos combinado outro dia na praia.

— Ei! — falei, torcendo minha voz como se fosse uma toalha molhada para lhe conferir um tom de surpresa e entusiasmo. Isso exige prática, mas funciona.

— O que foi? — Natasha perguntou.

— Nada.

Ela revirou os olhos, exasperada.

— Em todo caso, que bom que te encontrei. Já estou com os ingressos, mas precisamos correr, sério. Se não apertarmos o passo, vamos ter que sentar na primeira fileira.

Atravessamos a rua esbaforidas. Enquanto o lanterninha, com ar entediado e cheio de piercings, rasgava meu ingresso, olhei para trás e vi Adam, correndo até o café, com a roupa toda rasgada e coberta de sangue. Ele tinha sofrido um acidente de carro. Brincadeirinha.

As luzes estavam diminuindo quando entramos, por isso sentamos na última fileira e pusemos nossos pés em cima dos assentos à nossa frente. Eu me sentia desorientada. Com *quem* eu estava? *O que* íamos fazer? Meu estômago vacilante vibrou igual àquele filme em que a mulher está grávida de um monstro alienígena. Não sei o que era — a cena de abertura com Lillian Sei-Lá-O-Que, parecendo abatida e triste, ou as notas melancólicas da música de abertura —, mas logo no início do filme comecei a chorar. Eu não estava fazendo barulho, acho, mas meus ombros agitados acabaram derrubando o casaco com estampa de leopardo de Natasha do encosto da cadeira. Ao ouvir os botões de ossos falsos baterem no chão, ela tirou os olhos da tela e me observou com a mesma atenção absorta e impassível. Natasha enfiou uma mão no bolso do seu casaco caído. Achei que estivesse pegando um pacote de lenços, mas eu já devia saber. Iluminada pelo brilho amarelado do filme antigo, ela me entregou o cantil, de um metal tão perfeitamente polido que dava para ver o reflexo do filme com nitidez nele. Lillian, que fazia uma mulher abandonada, acabara de descobrir que estava grávida.

O gim estava quente. Dizer que queimou minha garganta está longe da sensação que tive. Li *Júlio César* quando estava no segundo ano e parecia mais com o suicídio da sra. Brutus, que engoliu carvões em brasa. Agora, graças ao método de interpretação, eu podia fazer o papel de Portia com perfeição. Tomei outro gole e àquela altura já não sabia dizer se ainda estava chorando ou se um pouco do gim escorria pelo meu rosto. Você não precisa ser um aluno nota dez em biologia como eu (rá!) para saber que estômago vazio + três lattes + gim puro e quente = uma garota bêbada no momento em que a heroína está agarrada a um bloco de gelo descendo o rio. Continuei bebendo; quando dei por mim, Natasha estava colocando os braços debaixo das minhas axilas para me ajudar a sair da cadeira de veludo detonada. Do lado de fora do cinema, tentei ficar de pé sozinha, mas acabei deslizando de costas pelo muro até o chão. O lanterninha ficou me olhando de um jeito estranho; me ocorreu que ele provavelmente trabalhava para Kate. Abri a boca para contar isso a Natasha, mas, para meu horror, me vi chorando outra vez. Ela estava de cócoras, me observando feito uma gárgula, só que linda.

— Meu Deus, garota! — eu disse. Quer dizer, *ela* disse. Vou lavar meu rosto de novo.

— Meu Deus, garota! — ela disse. — Quanto você bebeu?

Esfregando o rosto e me sentindo imunda, olhei para ela e virei o cantil. A última gota caiu sobre o chão encardido. Apoiei a cabeça no expositor do cinema, anunciando o que entraria em cartaz, e senti a fria onda de vergonha me envolver como uma rede grossa.

— O que aconteceu com você? — Natasha perguntou, e eu contei tudo: do beijo em Gabriel, do beijo em Adam, do cano que Adam me deu e de tudo que tinha acontecido com Lillian. Enquanto estava no meio dessa última parte, me dei conta de que ela também estava vendo o filme.

— Eu sei, eu sei. Também estava vendo o filme — ela falou, levantando e me ajudando a ficar de pé. A rua inteira tremeluzia diante de mim como um globo de neve. A névoa de San Francisco se espalhava, como uma música de fundo pré-gravada para minha escuridão interior.

— Agora olha pra mim, Flan — Natasha ordenou. Ela passou a mão em seu cabelo perfeito, aureolado pela luz do poste. Agarrou firme o cantil e fechou com força. — Você foi sacaneada esta noite. O que vai fazer a respeito disso?

— Você está brava comigo? — perguntei com o lábio tremendo. — Por que devia estar, né? *Você* foi sacaneada. Esqueci completamente o cinema...

— Não esquenta — ela falou, levantando a mão. Então pegou minha bolsa esquecida no chão e a colocou no meu ombro como se fosse uma bandagem. — Estou sempre aqui, a qualquer hora que quiser, você sabe disso. Sei tomar conta de mim mesma. É com você que devia se preocupar. O que você vai fazer? *Precisa fazer alguma coisa.*

—Você está parecendo o sr. Baker falando.

— Quê?

— Essa é a regra dele: faça alguma coisa.

— Baker está certo.

— Não sei.

— É claro que não sabe — Natasha falou, suspirando. — Bom, preciso ir. Vou encontrar alguém. — Ela ergueu um pouquinho as sobrancelhas, glamorosa. —Te ligo amanhã cedo, Flan. Ou passo na sua casa. Talvez você não aguente escutar o som do telefone. Não vai dormir sem tomar algum remédio.

— Sabe — falei, mudando de assunto de um jeito que só alguém que bebeu muita cafeína é capaz de fazer. — Sempre achei que no seu cantil não havia nada além de água.

Ela sorriu. A neblina caía cada vez mais espessa.

— Às vezes é mesmo, Flan. O segredo é deixar todo mundo na dúvida. É preciso que fiquem tentando adivinhar, caso contrário você não tem nada. Você não devia ter escrito aquelas cartas, Flan.

Ela me fez uma continência e adentrou na névoa, que estava ficando cada vez mais espessa; em pouco tempo os aviões já não conseguiriam mais pousar e eu ficaria presa ali para sempre. Não havia mais sinal de Natasha, o que fez com que me sentisse vazia e sozinha, como se tivesse levado o cano em um encontro e simplesmente bebido sozinha enquanto assistia a um filme antigo no fundo de um cinema a seis quarteirões da minha casa. Como se meus sábados à noite fossem assim. Com nojo de mim mesma, peguei a chave do carro e voltei tremendo para casa.

Ai, cala a boca, Peter. Não voltei dirigindo para casa; eu tinha ido *a pé*, lembra? Até dei uma dica no parágrafo anterior: "seis quarteirões da minha casa". Mas você não presta atenção. Qual é o sentido de escrever isso tudo se você não presta atenção, porra?

Vocabulário

RANGER INEXPLICÁVEL SUBJUNTIVO PROVOCADOR
EXORBITANTE INVULNERÁVEL PROMISSOR INFAME

Questões para análise

1. Discuta as vantagens e desvantagens da abordagem "tenho uma boa explicação para o que aconteceu" e da "tenha piedade de mim, sr. Baker". Qual você teria usado no lugar de Flannery?

2. Lily usa "realmente" sete vezes em um simples bilhete de uma página. Estude seus próprios textos e encontre uma palavra que repete com muita frequência. Faça uma pesquisa em dicionários e arranje pelo menos sete bons sinônimos para ela.

3. Flannery escreve: "Bom, podia ser pior. Não estou presa sob um bloco de gelo nem nada do tipo". O que você acha pior: ficar presa sob um bloco de gelo ou levar um bolo de quem ama?

4. Todo mundo está sempre bravo com Flannery, mas não é culpa dela. Discuta isso.

Segunda-feira, 4 de outubro

Que bom ter você aqui conosco hoje. O absinto assumiu diversos significados ao longo da história, mas nenhum tão sinistro quanto o que agora assombra os americanos, depois do Clube dos Oito, cujos atos foram desencadeados pelo uso abusivo desse líquido de aparência inocente. Aqui conosco para discutir o consumo de absinto pelos americanos estão [câmera faz uma panorâmica] *a sra. Ann Rule, mãe inconsolável de um viciado em absinto e fundadora da Associação Americana contra o Alarmante Abuso de Absinto, primeira organização nacional a ter coragem de abordar essa questão tão dramática e complexa; Peter Pusher, renomado especialista em família, autor de* Qual é o problema dos jovens de hoje? Voltando aos fundamentos da família em um mundo perdido *e presidente do Centro de Estudos Peter Pusher para a Reforma Nacional; dra. Eleanor Tert, renomada terapeuta de adolescentes e autora dos livros* Como os jovens conseguem (tirar você do sério)? *e o ainda inédito* Chorando demais para sentir medo, *uma abordagem histórica dos transtornos psicológicos por trás de americanos famosos, de Edgar Allan Poe a Marilyn Monroe e Flannery Culp; Flora Habstat, membro do Clube dos Oito que deu o sinal de alarme, atualmente em recuperação com o apoio de um programa de doze passos; e Felicia Vane, adolescente que alega usar absinto apenas socialmente. Obrigada a todos pela presença.*

Quando a campainha tocou hoje cedo não me surpreendi; só senti o mesmo que os egípcios quando a água do rio se transformou em sangue e todo o gado morreu. "Puxa vida, gafanhotos! Acho que Ahmed ganhou o bolão das pragas." Quando abri a porta, Douglas estava ali parado, meio envergonhado, mas elegante em seu terno off-white de linho.

— Ai. Você não arrumou outro chupão, né? — falei. — Não posso mais me atrasar para a orientação. Este é um semestre importante, e alguns de nós não têm esse lance com música clássica pra colocar nas cartas de candidatura para as faculdades.

Douglas levou um dedo aos lábios e sorriu como um elfo. Com sua outra mão, colocou na frente do rosto uma garrafa de líquido esverdeado, fazendo-o parecer um duende.

— Você conseguiu! — exclamei. — Como?

— Ah, vamos dizer que com minhas andanças no submundo — ele explicou.

Dei espaço para deixá-lo entrar.

— Verdade — falei. — Esqueci que agora você vive entre os depravados.

— *Sempre* vivi entre os depravados. Tem certeza de que quer ser vista comigo? — ele perguntou, torcendo a voz como se fosse uma toalha molhada para lhe conferir um tom casual. Isso exige prática, mas funciona com a maioria das pessoas. No entanto, consigo perceber a quilômetros de distância. Dá para ver nos olhos. Douglas estava com medo.

— Não seja bobo — falei. — Entra logo antes que você seja visto com uma substância ilícita.

— Contei pra Lily — ele anunciou, bruscamente e muito alto, então tirou a garrafa de absinto da frente do rosto. Voltou a parecer uma pessoa normal.

— Entra — repeti. Ele obedeceu e o abracei. Senti seus braços quentes sob o linho. De repente, tinha um bom motivo para sair de casa e ver outros humanos. Alguns deles eram *bons.*

— Estou orgulhosa de você — disse.

Ele ficou ali parado e fez o mesmo gesto vago cinco vezes.

— Também estou — ele respondeu, revirando os olhos.

— Como ela reagiu?

— Bom, você conhece Lily. Ela precisou pensar no assunto. Pediu alguns dias. — Ele encolheu os ombros.

— Ah, Douglas — falei.

— Está tudo um caos — ele desabafou. — Ferrei com tudo.

Dra. Tert: Descobrimos que um sentimento geral de desespero costuma levar à experimentação de substâncias entorpecentes.

— Tudo até pode estar um caos — observei —, mas não é culpa sua.

— Não importa — ele disse, olhando para o tapete.

— Preciso ir pra aula. Me dá uma carona?

— Com orgulho — ele respondeu, abrindo um sorriso de orelha a orelha. — Quer dizer, e daí se formos vistos juntos no estacionamento, agora que todo mundo sabe que não como da sua fruta?

— Que não compra na minha loja — sugeri. Subitamente tudo pareceu mais simples.

— Que não comungo na sua igreja.

— Que não joga no meu tabuleiro.

— Que não toco seu instrumento — ele falou, e fomos o caminho todo chorando de rir como adolescentes felizes dando uma voltinha de carro.

Felicia Vane: É como dar uma voltinha de carro. Posso parar quando quiser, mas não quero. Porque me tranquiliza.

Sra. Rule: É triste.

Peter Pusher: Não é triste. É patético!

Winnie: Dra. Tert?

Dra. Tert: Precisamos ser justos. É triste e patético.

— Então, quando você acha que rola? — perguntou Douglas, o duende. Sabe, duendes não são tristes nem patéticos. Pensem nisso, respeitáveis convidados e especialistas. Passageiros de aviões, vasculhadores de livrarias, viciados em histórias de crimes reais.

Peguei a garrafa da mão dele e a examinei. O líquido esverdeado em seu interior era brilhante e meio grosso. Olhei para tudo através dela: meu querido e corajoso Douglas; o sinistro estacionamento dos alunos; o enevoado lago; o vulto magricela da minha professora de economia aplicada, Gladys Tall, carregando um retroprojetor para a entrada lateral, com o fio se arrastando atrás dela como uma espécie de cordão umbilical. Tudo parecia mágico através daquele líquido verde. Como um lugar idílico, melhor.

Sra. Rule: É claro que muitos adolescentes usam absinto como fuga das pressões do dia a dia.

Peter Pusher: Que pressões os jovens de hoje têm? Não sabem que canal escolher? Por favor. Não invente desculpas.

— Sexta à noite? — propus. — Parece muito longe, mas não vale a pena fazer isso e vir pra escola no dia seguinte. E é difícil que estejamos os oito livres antes do fim de semana. — Viu como sou responsável, Peter? Bela peruca, aliás.

— Talvez devêssemos fazer um teste só nós dois — Douglas sugeriu. Ele olhou timidamente para mim e então percebi que, pelo menos naquele instante, eu era sua única amiga. — Antes de deixar todo mundo beber.

— Boa ideia — falei. Pela primeira vez na vida, o comichão de fazer algo potencialmente idiota começou a se arrastar feito uma lagarta pela minha espinha. Não era uma sensação ruim. — Amanhã, depois da aula? — perguntei. — Pode ser na minha casa.

— Ótimo — ele respondeu, e me deu um beijo na bochecha.

Devo ter pulado, pois ele me olhou como se eu fosse bater no seu nariz com um jornal.

— Não esquenta — eu disse. — Vai dar tudo certo.

A primeira coisa que vi quando entrei na minha amada escola foi Kate, encostada em seu armário conversando com Adam. Será que não posso ter um dia de paz aqui? Será que não posso voltar um dia para casa sem ter o que escrever neste diário? Ainda é *segunda-feira*. Que tipo de pacto cósmico preciso fazer?

> *Peter Pusher: Se esses garotos se voltassem a Deus, veriam todas essas ditas pressões virarem fumaça. E não estou falando da fumaça do absinto!*

— E aí? — falei, e ouvi minha voz soar perfeitamente tranquila. Cheguei até a me pegar olhando por cima do cocuruto da cabeça deles para que suspeitassem que havia alguém mais interessante ao fundo. — Tudo bem?

Eles foram amigáveis, serenos. Os dois. *Adam*.

— Um novo dia, a mesma merda — Kate respondeu, virando os olhos. Adam deu um sorriso mirrado para mim e enfiou as mãos nos meus bolsos. Quer dizer, nos *seus* bolsos. Aí está, você ouviu? Um gorgolejo, tão claro como… ah, você não pode ouvir, lógico. Quando este livro se tornar um audiobook para leitores que pegam transporte público para ir ao trabalho e não podem ler em movimento porque ficam enjoados, talvez possam incluir esse gorgolejo alto e profundo.

— Como foi seu fim de semana? — Kate perguntou. Não havia nenhum sinal de malícia em sua voz ou seus olhos, mas tampouco dá para enxergá-la no rosto da boa Winnie Moprah.

— Ah, sabe como é — falei. — O sol nasceu, depois se pôs. O sábado à noite foi bastante divertido.

— *Divertido?* Escolha muito interessante de palavra — Kate comentou. — Ouvi falar que você e Natasha ficaram bem loucas.

Aquele maldito lanterninha. Para não ter de estrangular minha amiga, tentei mudar de assunto.

— Falando nisso, precisamos falar de sexta à noite.

—Verdade — Kate respondeu, fingindo saber do que eu estava falando.

—Você não sabe do que se trata — eu disse —, mas logo vai saber. No almoço?

— Comemos em horários diferentes — ela disse, sorrindo. Os olhos dela encontraram os de Adam por um instante. — Qual é o grande segredo?

— Desculpa — respondi, lançando um olhar apressado para Adam —, mas é só para membros.

Eu devia saber que não podia tentar fazer esse jogo com Kate tão cedo. Ela não ficava para trás.

—Ai, Adam — ela falou num tom resignado e complacente.— Será que você poderia dar uma licencinha?

— Na verdade, preciso falar com a Flan — ele disse, ainda com as mãos nos bolsos. Os dois se olharam como se estivessem parados diante de uma porta aberta negociando quem ia entrar primeiro, mas sem se importar muito.

—Tá, falamos depois — Kate disse. — Preciso mesmo ir passar a limpo a tarefa de francês ou Millie vai me matar. — Ela acenou e saiu andando sem pressa. Adam virou e me contemplou, como um garçom fazendo uma pausa. Será que ele faria o favor de me pegar um copo d'água?

— Não tenho nada a dizer — falei. Paradoxal mas verdadeiro, como tudo neste diário.

— Mas eu tenho — ele respondeu. — Desculpa.

— Seria bem mais convincente se você não dissesse desse jeito todo relaxado. Tipo se tivesse me falado pelo telefone. *Ontem.*

— Precisei passar o dia inteiro com minha família — ele disse.

— E anteontem?

— Quê?

— Lembra sábado? Às seis e meia? No Descafeinado nem Amarrado?

— Você tem que tirar sarro de tudo, né? — ele disparou.

— O que aconteceu? — perguntei. Senti meu corpo se inclinando para a frente, como esses brotinhos de feijão que todo mundo tem que plantar no primeiro ano do fundamental, serpenteando em um copinho de plástico com seu nome rabiscado numa letra de forma rudimentar tentando alcançar o sol. Eu estava tentando ficar furiosa com ele, mas toda a minha raiva foi desfeita pela fotossíntese do amor. "A fotossíntese do amor" seria um belo título. Vou guardar a ideia.

Adam olhou para baixo e deu um chute no chão. De repente pareceu exibir a mesma melancolia de Douglas. Em um átimo de segundo, me perguntei se todo mundo que eu beijava acabaria se revelando gay.

— Eu só... — Ele fez um movimento circular com o braço. — Só tem muita coisa rolando. Desculpa. Preciso resolver todas essas... *coisas.*

A compreensão caiu em mim como uma pedra n'água, me fazendo assentar, me deixando mais pesada. Tinha um monte de coisa acontecendo na vida dele.

— Ei, tá tudo bem — eu disse. — Só fiquei me perguntando onde você estava. É um ano complicado pra gente.

Ele levantou a cabeça.

— Exatamente isso — Adam falou, como se eu tivesse descoberto a penicilina. — É um ano complicado. Acho que estou meio esquisito.

— Infelizmente, minha vida está perfeita agora, por isso não consigo entender o que você está sentindo — comentei. Ele sorriu e pôs a mão no meu ombro, o que me aqueceu de imediato. Fiquei na ponta dos pés para beijá-lo, mas ele continuou sorrindo. Acabou sendo só um selinho em seu sorriso fofo, mas foi o bastante. Não foi um beijo ardente, mas bastou. — Me liga quando puder — falei, e ele concordou com a cabeça. O sinal tocou e corri para a orientação. Mesmo em meio a toda a agitação dos outros retardatários, eu o escutei suspirar, o que, naquele momento, a inocente aluninha do ensino médio que eu era interpretou como sinal de afeto, e não de alívio.

Dra. Tert: Flannery Culp queria que sua vida fosse um mar de rosas.

Winnie: Mas não é isso que todos queremos?

Dra. Tert: Sim, mas Flannery não soube parar e apreciar as rosas que já estavam em sua vida.

Peter Pusher: Na minha opinião, o problema de Flannery Culp — e, aliás, o problema de todos os delinquentes juvenis da idade dela — é basicamente que havia alguma coisa — ou pessoa — em sua vida.

[Aplausos fervorosos.]

Terça-feira, 5 de outubro

Hoje cedo, V. me pegou no ponto de ônibus, bem na hora em que estava considerando matar mais um dia de aula.

— Obrigada — falei, enquanto ela me dava um beijo na bochecha e saía com o carro. Coloquei sua bolsinha elegante e sua echarpe de seda no meu colo, para não sentar sobre elas. — Bom dia.

— Bom dia para você também — V. disse, contente. — Não vou conseguir terminar esse croissant aí. Se quiser, é seu. — Dei uma espiada no saquinho no painel do carro: de amêndoas, meu favorito. Olhei para baixo, para minhas pernas enormes dentro da calça jeans.

— Não, obrigada — respondi. — Estou satisfeita. — Continuo faminta enquanto escrevo isto na aula de cálculo. Devia ter comido aquele croissant.

Gorgolejo e zumbido, o álbum do Q.E.D. que eu adoro, estava tocando baixinho enquanto V. seguia para o estacionamento dos professores, como de praxe.

— Quero perguntar uma coisa — ela disse, fazendo sinal para os calouros tensos que esticavam o pescoço para ver se podiam atravessar em segurança ou se V. passaria por cima deles.

— Manda.

— Estou meio a fim de alguém, mas acho que não sou correspondida. Aí achei que talvez você pudesse me dar alguns conselhos.

— De quem estamos falando?

Ela baixou os olhos para o freio de mão e o puxou, mas manteve a mão sobre ele.

— Steve Nervo.

— Sério? — gritei fininho. Ele é um guitarrista lindo de jaqueta de couro que todo ano domina a eleição de garoto mais popular da escola. As coisas que escrevem sobre ele no banheiro das meninas do primeiro andar deixariam o aplique de Peter Pusher de pé. Sempre imaginei que V., a elegante V. que usa pérolas verdadeiras para ir à escola, estaria acima de qualquer garoto que todo mundo é a fim. *De quem* todo mundo é a fim.

— Não consigo imaginar isso — falei. — Só vejo você com um cara fino e bem-vestido.

— Tipo o Douglas? — ela perguntou.

— *Não* — respondi. — Definitivamente *não* como o Douglas.

Ela me olhou espantada.

— Por que esse jeito?

— Ah, por nada — respondi. — Na verdade, pensando bem, pode funcionar. O roqueiro destemido colocando a garota de boa família na garupa da moto e fugindo com ela.

— Bom, não precisa ser em uma *moto* — ela disse, com cara de desgosto.

— E será que Satã aprovaria? — Não, não, sra. State. Nós chamamos a mãe de V. de Satã, lembra?

— Provavelmente não, mas não faz diferença, porque não vai acontecer. Por isso achei que teria algum conselho para me dar. — Ela abriu a porta do carro e colocou com cuidado uma perna perfeitamente torneada sobre o asfalto.

— O que quer dizer com isso?

— *Você* sabe — ela respondeu, pegando sua bolsinha elegante de mim com a cabeça virada para o banco de trás, à procura de alguma coisa. — Você tem uma paixonite não correspondida e achei que talvez, sei lá, fizesse alguns exercícios de autocontrole ou algo do gênero. Você viu uma echarpe por aí?

— Só pra sua informação — falei num tom seco —, minha vida amorosa é tudo menos "não correspondida". Saí com Adam nesse fim de semana.

— Ah é? — ela disse. — Nossa, isso é incrível! Não acredito que não fiquei sabendo. Como foi?

— Bom — respondi correndo. Ah, Senhor, me fulmine agora! — Não quero falar sobre isso. Tenho medo que dê azar. Não conta pra ninguém, tá?

— Claro, claro — garantiu V., de maneira vaga e rápida. Merda. — Você não viu uma echarpe quando sentou? De seda? Não lembro a marca.

— Não — respondi, abrindo a porta para sair. — Quer saber, acho que vou comer esse croissant, sim.

— *Bon appétit* — ela disse. — Será que pus no porta-malas? Estou tão avoada hoje. Espera um pouco. Que *ótimo* que você saiu com ele, Flan. Mas Gabriel não vai achar ruim? Cadê essa echarpe? —V. se retorceu toda para finalmente sair do carro e ir até o porta-malas. Peguei o saco do croissant e bati minha porta. O porta--malas abriu, mas não havia nenhuma echarpe ali, claro.

— Podia *jurar* que a peguei hoje cedo —V. comentou. — Sempre uso com essa roupa. *Ilumina* o visual, sabe? Não pode ter simplesmente desaparecido.

— Que porta-malas imenso — me ouvi dizendo de repente. — Aposto que cabe uma pessoa inteira meio esmagada aí dentro.

V. me lançou um olhar vazio.

— Tenho que ir — ela disse. — Nos vemos mais tarde. — Com o sopro de algum perfume floral caro, fui deixada ali sozinha com o croissant. Agora, enquanto Baker está balbuciando sobre algum problema — "Faça alguma coisa", ele está dizendo, como se fosse assim fácil —, me arrependo de ter comido. Minhas pernas parecem estar mais inchadas, mesmo descontando a echarpe de seda embolada no meu bolso direito.

MEDITARÁS

Meditarás é, na verdade, um anagrama de *Mais tarde*. Como as mesmas letras podem formar coisas tão diferentes? Bom, se você pensar a respeito, nem tão diferentes assim. Para meditar você precisa de tempo. *Meditarás? Mais tarde vou, sim*. Douglas está sentado no sofá, e você provavelmente não vai acreditar nisso, mas percebi que, mesmo daqui do chão, deitada de bruços, consigo ver suas fibras. Do tecido do terno, quero dizer. E mais: consigo ver as fibras do estofado se misturando com as fibras do terno. Percebo que tudo se mantém unido por fibras. De fato, se pensar bem, os fios também são fibras, como os filamentos de DNA. Acho que Jim Carr me ensinou alguma coisa nessa vida, afinal. Na verdade, ensinou bastante. Deve ser por isso que é professor. Os olhos de Douglas não param de se arregalar, o que é um pouco bizarro. Que horas são? Bem tarde. Aquele suco de duende está me fazendo sentir tudo de forma tão intensa, se enrodilhando em mim como uma serpente, me asfixiando sem que eu me dê conta. Ou como uma echarpe de seda, ha-ha.

Quarta-feira, 6 de outubro

Hoje Ron Piper finalmente anunciou a peça. Estávamos todos largados no auditório, fazendo barulho com nossos assentos e conversando besteiras, quando ele caminhou até o centro do palco e bateu palmas para chamar nossa atenção.

— Não deveria ser o *contrário*? — Kate perguntou.

Ron sorriu, revirando os olhos.

— Se eu tivesse que esperar *vocês* baterem palmas para mim... — ele disse, e todo mundo riu. Ron pôs as mãos nos quadris esqueléticos quando começou a falar, e pela primeira vez reparei que Douglas também é bem magro. Ai, que idiotice, estou começando a relacionar os dois só porque são gays. Se Douglas morresse em um acidente de carro, provavelmente fariam um mural tríptico dele com Oscar Wilde e Platão. Era Platão o grego gay, né?

— Nos anos anteriores — Ron disse —, montamos comédias de salão e histórias de mistério, e todas funcionaram bem. *Muito bem*, na verdade. Acho que vocês cresceram muito como atores. —

Neste momento baixei os olhos para o chão do auditório, encarando modestamente o chiclete seco no chão. Na peça do ano passado, eu tinha feito o papel da assassina, dissimulando minha maldade com tanta habilidade que o público sempre tinha um sobressalto quando Kate topava com a pista fundamental que me incriminava.

— Acho que vocês estão prontos para algo mais *importante*. Talvez se sintam intimidados pela escolha, mas se me permitirem trabalhar com vocês — essa é uma frase que ele sempre usa — tenho certeza de que vamos conseguir. Alguns de vocês *não* vão se intimidar, eu sei — agora foi a vez da Kate olhar para o chão —, pois estão loucos para fazer algo do tipo.

— Só queria que ele falasse logo — Douglas sussurrou.

— Dá um desconto — Natasha disse, se jogando bem para trás na cadeira, com seu cabelo perfeito se abrindo em um perfeito leque. — O cara é professor de teatro do ensino médio. É o ponto alto da carreira dele.

— Isso não é legal — sussurrei. — Acho Ron ótimo. Tirando Millie, é o único aliado que temos neste hospício.

— Sem mais delongas, anunciarei nossa peça deste outono. As pessoas têm implorado por Shakespeare, e tenho a honra de informar que a próxima produção do Grupo de Teatro de Roewer será *Otelo*, de William Shakespeare.

Achei que todo mundo fosse bater palmas, ou ao menos soltar uns "Ooh" e "Aah", mas dava para ouvir uma agulha cair no chão. Não entendi o motivo. *Otelo* me parecia uma boa escolha, e fiquei me perguntando quem não teria agradado. *A quem* não teria agradado.

Examinei o rosto dos membros do clube que estavam presentes: Natasha, Douglas, Kate, V., Jennifer Rose Milton, que estava agarrada a Frank Whitelaw, e a Flora o-que-ela-está-fazendo-em-nossa-vida-se-ninguém-gosta-dela Habstat, e estavam todos olhando para mim. Ou melhor, para *trás* de mim. Quando virei, vi Gabriel, que parecia ter engasgado com alguma coisa. De repente entendi o motivo do silêncio: todo mundo sabia que Gabriel e eu tínhamos nos beijado, mas que eu não tinha mais falado com ele desde sexta. Kate devia ter contado tudo sobre Adam, e embora eu não faça ideia de quanto Natasha contou a Kate — com ela, nunca se sabe — todo mundo devia conhecer *alguma* versão da história. Mas por que as pessoas estavam subitamente preocupadas com o drama no meio de um curso de teatro? Será que ninguém se interessava pelo drama de um homem negro com ciúme de sua amada branca?

Ah. Foi aí que entendi por que todos estavam olhando para ele. Gabriel é o único cara negro no raio de dez quilômetros do grupo de teatro, e Otelo é o único cara negro no raio de dez quilômetros de Shakespeare. Bom, isso não é verdade — acho que tem um príncipe africano naquela peça antissemita... Mas *mesmo assim*. É um pouco esquisito anunciar uma peça com um homem negro no papel principal quando só há um homem negro que pode fazê-lo.

Se Ron estava ciente da tensão, não demonstrou. Ele avisou que os testes começariam na semana que vem, permanecendo impassível mesmo quando disse que ninguém deveria se candidatar a nenhum papel determinado. Então encerrou a reunião e em segundos o auditório ficou vazio, me deixando a sós com Gabriel e todos aqueles chicletes secos.

— Então — disse Gabriel, com a voz se perdendo no nada. — Flannery. — O tom que ele usou para falar me transportou para o quarto ano do fundamental, no dia em que fiquei olhando fixamente para minha pequena carteira vazia, quando a sra. Collins, uma mulher diabólica com um nariz gigantesco, me disse a mesma coisa. "Flannery." Era a minha vez de fazer a apresentação, e eu olhava fixamente para o espaço na minha carteira onde a maquete deveria estar. Em vez disso, ela estava em casa. Eu sabia que ia morrer.

— Não sei se tenho alguma outra coisa para te dizer — ele falou.

Bem em cima da minha cabeça, no teto do auditório descorado por vazamentos desenfreados, uma lâmpada queimou com um estalo.

— Mas eu tenho — falei. — Desculpa.

Gabriel piscou. Suas pupilas se moviam por toda aquela camada de gelo.

— Seria bem mais convincente se você não dissesse isso só quando consigo finalmente te encontrar sozinha. — ele disse. — Tipo, se tivesse me dito isso pelo telefone. Se tivesse me *ligado*.

— Os últimos dias têm sido uma loucura — expliquei.

— E antes disso?

— Quê?

— Você sabe, o fim de semana inteiro. A gente poderia ter se visto.

— Você tem que tirar sarro de tudo, né? — Me peguei falando sem qualquer motivo. Só queria quebrar o gelo. Talvez atirando algumas pedras nele.

— Quê? — ele disse. — O que está acontecendo, Flan? Não posso continuar assim. Me dá vontade de nunca ter dito nada.

Olhei para baixo e dei um chute no chão grudento.

— Eu só… — Fiz um movimento circular com o braço. — Só tem muita coisa rolando no momento. Desculpa. Preciso resolver todas essas… *coisas*.

Minha pedra descreveu um arco perfeito, e funcionou. Senti a compreensão caindo nele como uma pedra n'água. Tinha um monte de coisa acontecendo na vida dele.

— Ei, tá tudo bem — ele disse. — Só fiquei me perguntando onde você estava. É um ano complicado pra gente.

Levantei a cabeça e olhei para ele.

— Exatamente isso — eu falei, como se ele tivesse descoberto a penicilina. — É um ano complicado. Acho que estou meio esquisita.

— Infelizmente, minha vida está perfeita agora, por isso não consigo entender o que você está sentindo — ele comentou. Sorri, pondo a mão no ombro dele. Eu podia lhe oferecer aquilo. Ele se inclinou e me beijou, e foi o bastante. Não foi um beijo ardente (eu não podia lhe oferecer aquilo, não mais) mas isso pude lhe oferecer. O suficiente. Ele sorriu para mim. — Me liga quando puder — falou, e eu concordei com a cabeça. Ele foi embora e eu fiquei sozinha, olhando para o palco deserto e pisando em chicletes.

Talvez sexta-feira, 8 de outubro

Não faço ideia de que horas sejam, mas o sol está nascendo exatamente neste momento, então dá pra ter uma noção. Minha letra vai ficando mais bonita à medida que amanhece. Mesmo depois de não sei quantas horas, a luz parece esverdeada. Tudo é magnanimamente lindo. Ou melhor, *magnificamente.*

Minha letra sai tão caótica não apenas porque fiquei acordada até tarde e tal, mas porque o cimento deixa a superfície do papel irregular. Estou no estacionamento do shopping Rivertown com Gabriel e Natasha, deitada de bruços numa enorme jardineira de cimento, entre flores sem graça e embalagens descartadas. Os primeiros raios de sol despontam nelas e mal consigo ler os ingredientes. Por isso estou escrevendo em letras garrafais. Para entender o que estou dizendo. FOI UMA NOITE MÁGICA.

Foto & Cia 24hrs. é o único lugar da cidade onde você consegue revelar fotos em uma hora a qualquer momento. Caso contrário, juro que não estaríamos dando nosso suado dinheirinho (moedas de vinte e cinco centavos literalmente cobertas de suor, notas de um dólar dobradas em origamis) para um estabelecimento que não apenas usa a abreviação errada de "horas" como faz uso do mais batido recurso da escolha de nomes comerciais, o pavoroso "& Cia".

Enquanto esvaziava meus bolsos para pagar pela revelação, quase deixei cair o brinco de Jennifer Rose Milton e o canivete de Gabriel, os quais consegui pegar durante a confusão da noite. Neste instante, Gabriel está andando para cima e para baixo no estacionamento, refazendo seus passos e tentando encontrar o canivete, mas, até onde sei, Jennifer Rose Milton nem percebeu que um de seus brincos perfeitos sumiu. O suéter de Kate, o chapéu de Douglas, os óculos de Lily, a echarpe de V., o brinco de Jennifer Rose Milton, o canivete de Gabriel: agora só falta algo de Natasha. Ela está com um pequeno rádio portátil pousado ao lado do cantil, sobre a jardineira, fumando um cigarro e ensaiando passos preguiçosos de dança de salão. Tanto o rádio quanto o cantil serviriam, mas não preciso fazer isso agora. Posso apenas me aquecer à luz dessa noite mágica. Estou curtindo o nascer do sol com Gabriel e Natasha, esperando para ver o que vai ser revelado. (Metáfora.)

Todos concordamos que teria mais sentido fazer na minha casa — os pais dos outros teriam ficado na nossa cola —, portanto fomos para lá direto da escola. Tinha feito tanto calor durante o dia que praticamente todo mundo colocou roupas minhas, o que criou uma situação esquisita: todo aquele povo andando pela casa como se estivesse fazendo um teste para me interpretar em um filme.

V., claro, parecia absolutamente relaxada, apesar do dia longo e quente, e estava na cozinha fatiando alguma coisa com perfeição. Gabriel havia encontrado taças de champanhe antigas — sobras de alguma festa que meus pais deviam ter dado quando eu era criança

— e vestiu um avental muito branco para não se sujar enquanto as lavava. Lily desceu, usando minha blusa preta — que ficava melhor nela do que em mim — e seus óculos novos. Jennifer Rose Milton estava ao telefone com Millie, avisando que dormiria aqui ao mesmo tempo que gritava que seria a próxima a tomar banho. Douglas desceu com o cabelo pingando e despenteado, usando a única coisa minha que servia nele — uma camiseta GG da turnê dos Sartres, uma banda em que ficamos viciados por uns dez minutos no ano passado. Eu não lembrava mais daquela camiseta; ela era tão grande que não podia usá-la nem para dormir, por isso tinha guardado na prateleira mais alta do armário. *A prateleira mais alta do armário!* Subi a escada pulando os degraus enquanto ouvia um acorde familiar de guitarra vindo da sala. Alguém havia encontrado o álbum dos Sartres e colocado para tocar seu único sucesso: "Volta pra cama".

Quando abri a porta do quarto, tanto Kate quanto Jennifer Rose Milton soltaram um grito. Kate havia acabado de sair do banho e Jenn parecia estar prestes a entrar, então ambas estavam só de toalha. As duas estavam na ponta dos pés, olhando para a prateleira mais alta do armário, mas acho que cheguei bem a tempo.

— Que susto! — Kate gritou, brava, então andou a passos largos até a outra ponta do quarto, sentando rápido na cama. Jennifer Rose Milton ficou me olhando de um jeito estranho.

— O que vocês estavam procurando?

Kate girou o corpo para me encarar, mas vi Jennifer sacudir a cabeça para ela, bem levemente.

— Algo para vestir — Kate disparou. Senti um grande alívio. Acho que poderia ter explicado minha coleção sem dificuldade, mas não queria. Além do mais, teria que devolver tudo e começar do zero. — Aliás, você já me devolveu aquele suéter que eu te emprestei no nosso último jantar? — ela perguntou. — Seria uma boa hora.

— Acho que devolvi, sim — respondi, abrindo uma gaveta da cômoda. Dava para ouvir as pessoas cantando com os Sartres lá embaixo. — Senão estaria aqui. E está muito quente pra usar suéter, né? Pega essa aqui.

— Mas é sua camiseta favorita. Você nunca empresta pra ninguém.

Natasha botou a cabeça pelo vão da porta e ergueu as sobrancelhas e a taça de champanhe para mim.

— O que você está fazendo? — ela perguntou a Jenn, que olhava para o armário na ponta dos pés outra vez.

— Olha o que eu achei — ela disse, fazendo meu coração parar. — Uma câmera! — Ela ergueu a máquina que eu não usava desde a Itália. — Está com filme. A gente pode usar?

— Claro — falei.

— Isso vai ser *incrível* — disse Kate.

— Acho *incrível* — Natasha imitou a voz de Kate — pessoas que não fuçam o armário alheio.

— Eu... — Kate começou, mas Natasha já tinha ido embora; pude ouvi-la rindo lá embaixo, onde haviam aumentado o volume da música. Jennifer Rose Milton me entregou a câmera e deixou a toalha escorregar um pouco. O que eu não faria para ter peitos como aqueles. Kate enfiou a cabeça na minha camiseta como um avestruz, e desci a escada. Se havia ficado algum mal-estar, foi dissipado no mesmo instante. Natasha e Douglas tinham encontrado o anuário do ano passado e estavam rachando de rir com uma foto horrível do sr. Dodd com um sombreiro durante o Festival Internationale. Gabriel enfiou um pedaço de pão com tomate e queijo feta na minha boca, e quase desmaiei de tão gostoso. Ele estava tão fofo, sorrindo para mim daquele jeito, que até tirei uma foto. Então todo mundo começou a fotografar. Metade do rolo já tinha sido usado quando Jennifer Rose Milton surgiu na escada em um vestido vermelho claro que já não serve mais em mim porque estou um *bujão*. Se você não conseguir ler a última palavra é porque o cimento sobre o qual estou escrevendo é meio esburacado. Percebi que ela não tinha se dado ao trabalho de recolocar os brincos; ela devia tê-los deixado sobre a cômoda ou algum outro lugar.

Cada um tirava uma foto e passava para o próximo, registrando imagens quase ao mesmo momento, mas de ângulos distintos, sem nunca segurar a câmera mais que alguns segundos, como se estivéssemos jogando batata-quente. No final, juntei todo mundo no sofá para registrar o momento.

Pegue essa foto agora; espero que os editores tenham respeitado meu desejo de incluir uma cópia dela em cada exemplar. É bizarro pensar em você olhando para ela, enquanto estou aqui vendo o sol nascer, esperando para ver como ficou. Posso vê-la com clareza na minha mente: Kate apoiada num dos braços, em vez de sentada no sofá como um ser humano normal, numa pose meio convencida, como se estivesse acima de nós. V. bem ao lado dela, tateando suas pérolas, com uma cara bem melhor que a de todo mundo, graças à maquiagem perfeita — melhor até que a de Natasha, o que não é pouca coisa. Lily e Douglas, aconchegados no sofá, ela entre nós dois — como sempre — ele parecendo impaciente, louco para continuar a falar com Gabriel e não querendo perder a linha de raciocínio só por causa de uma foto idiota. Vai ser estranho ver uma foto dele sem terno. Gabriel, com suas mãos negras contrastando com o avental branco, espremido na ponta do sofá com ar desconfortável. A linda Jennifer Rose Milton, de pé ao lado do sofá, em uma pose que pareceria muito formal para qualquer pessoa que não fosse tão maravilhosa quanto ela. Estendida toda lânguida abaixo de nós, Natasha, com um longo dedo entre os lábios, piscando para mim. Mal posso esperar para ver.

A todos que estão na foto: sinto sua falta.

Comemos muito chocolate com avelãs e lambemos os dedos. Gabriel lambeu os meus, até Natasha pigarrear e ele parou. Enquanto isso, Douglas abria e fechava armários, com o rosto corado de champanhe e expectativa. Alguém finalmente tirou os Sartres e pôs um melodramático quarteto de cordas para tocar; Lily, provavelmente. Levantei cambaleante do chão, onde deixava Gabriel dar beijinhos no meu pescoço enquanto todos batíamos papo. Quando consegui ir até Douglas, ele já havia encontrado todo o equipamento necessário: um pequeno escorredor de macarrão, uma caixa de torrões de açúcar, uma tigela de inox, um pires delicado e minúsculo.

— Não foi desse jeito que fizemos da outra vez — observei.

— Ouvi falar de outro método — Douglas esclareceu. — Um ainda melhor. Na verdade, exageramos da outra vez. A gente podia ter se fodido de verdade. Agora vamos ingerir uma quantidade bem pequena; é mais gostoso assim. — Ele colocou tudo numa bandeja, com a garrafa de duende, e caminhou imponente de volta à sala.

Winnie: Frequentemente, os adolescentes entram no caminho do vício em absinto quando o experimentam em uma festa. Nesse contexto, sobretudo com a forte pressão do grupo, é quase impossível resistir.

Peter Pusher: Bobagem, resistir é bem possível. Acho fantástico que nossa jovem Flora aqui tenha resistido.

Flora Habstat: Eu não resisti.

Peter Pusher: Ah. Mas se tivesse...

— E agora o momento que todos estavam esperando — Douglas anunciou, e esperou que os outros tirassem a bandeja com queijo feta e migalhas de pão para que pudesse pousar o absinto na mesinha de centro.

— Pra que tanta coisa? — Lily perguntou.

— É, achei que a gente só fosse tomar uns shots. — Kate pegou o pires, como se estivesse comprando antiguidades e suspeitasse que aquela era falsa.

— Uns shots quase mataram a gente — expliquei.

— Sério? — V. falou. — E agora vocês querem que a gente experimente?

— Que ótima ideia — Lily falou.

— Ah, para com isso — Natasha disse num tom inconsequente. — Somos jovens.

— Mais um motivo para não fazer — Lily replicou. Gabriel quis interrompê-la, mas apenas olhou para mim. — Acho que vou deixar essa coisa do absinto pra quando tiver uns noventa e cinco anos. Assim, se eu *morrer*...

— Ninguém vai *morrer* — Douglas disse. Natasha tirou uma foto dele bem nessa hora. — Flan está exagerando, como sempre. Só descobri que tomamos mais que a quantidade recomendada. Mas agora vamos fazer de um jeito completamente seguro.

Ou foi a impressão que tivemos. E que temos agora, no estacionamento. Ah, a indiferença assumida de estar no último ano da escola. Talvez os jovens de gerações anteriores se rebelassem por algum motivo mais óbvio, mas hoje *sabemos* que estamos simplesmente nos rebelando. Entre filmes para adolescentes e livros de educação sexual, estamos tão ansiosos pela nossa fase rebelde que é inevitável sentir que ela é segura, controlada. Tudo vai acabar bem, apesar dos riscos, aconchegados dentro da proteção da narrativa rebelde. Isso faz sentido? Aquilo pareceu apropriado, por isso fizemos.

— Quantos somos? — Douglas perguntou, contando os torrões de açúcar.

— Vamos ver... — Kate franziu o cenho dramaticamente. — Qual é nosso apelido mesmo? O Clube dos Quatro?

— Ah — falei. — Que alívio estarmos só *nós* aqui. — Estendi minhas pernas e topei com as de Natasha, também estendidas. Nos entrelaçamos como algas.

— É verdade — Lily disse, com ar sério.

— Só a gente — falei —, sem, hum, não sei…

— Lara Trent — Douglas disse.

— Ou Adam — Gabriel falou, e todo mundo deu uma risadinha. Kate fingiu fuzilá-lo com os olhos.

— Ou Flora Habstat — Natasha acrescentou. — Ou Jim Carr.

— Ou Frank Whitelaw — Jennifer Rose Milton disparou. Todos olharam para ela. De repente a sala ficou em silêncio, com exceção do quarteto de cordas.

— *Sério?* — Kate perguntou.

— Estamos brigados — ela respondeu, com um ar afetado, então olhou para sua taça de champanhe como se tivesse derrubado algo dentro dela. — Mas não quero falar sobre isso.

— Tudo bem — V. disse, fazendo carinho no cabelo dela.

Douglas usou um garfo para bater em sua taça.

— Hora do jantar! — ele anunciou, e derramou o absinto sobre os torrões de açúcar, que adquiriram uma cor de bala de hortelã.

Douglas encontrou o olhar de Lily e ergueu levemente as sobrancelhas; ela foi até o aparelho de som colocar alguma música perfeita para ficar chapado. Depois de tudo, os dois ainda se comunicavam feito um casal. Ele pegou cuidadosamente cada torrão e depositou no pires. O último caiu bem no momento em que a música começou a tocar — era Bach, tenho quase certeza. Ficamos rindo feito criancinhas enquanto passávamos os torrões.

— Peguem o primeiro em que vocês encostarem — disse V., e todo mundo gargalhou alto. Todos nos largamos para trás e deixamos que fizesse efeito.

Em alguns aspectos, parece o nascer do sol. No começo, está tudo escuro. Até que você percebe uma luz vaga, vindo de uma direção quase indistinta, e antes que se dê conta o mundo todo está banhado de luz, pouco tempo depois parece algo radiante, e então tudo fica claro. A música era um tipo de fuga, o que normalmente me dá a impressão de que a pessoa está tocando notas a esmo, mas daquela vez consegui ouvir cada voz além da melodia, podendo descrever tudo em detalhes: a risada espalhafatosa de Kate fazendo contraponto aos acordes, então Lily lendo algo da aula de Hattie em voz alta, Poe, talvez, mas aí ficamos com fome e tudo que fizemos foi comer, comer, comer... Ainda tenho na cabeça a imagem de V. parada em frente à geladeira aberta, banhada pela luz como se estivesse sendo abduzida por alienígenas, estendendo as duas mãos para ela e pegando tudo o que fosse comestível para colocar sobre a bancada: macarrão, limão, mostarda, torradas, um vidro velho de cerejas. De repente Douglas estava segurando um pepino e explicava o jeito certo de mantê-lo na boca. Todo mundo ria alto, os rostos vermelhos. Subitamente, percebemos que o CD pulava sem parar, despejando fragmentos de música clássica que nos atingiam como granizo. Então começou um chá-chá-chá, com Natasha à frente de uma enorme fila subindo a escada, passando por todos os quartos, cada um de nós se revezando na banheira para executar um número solo de dança — o de Gabriel, duro e esquisito; o de Douglas, surpreendentemente ágil; o de Lily, selvagem e "havaiano"; o de Natasha, sensual ao máximo; o de Jennifer Rose Milton, espetacularmente elegante; V. parodiou um minueto com as palmas da mão esticadas como em uma pintura egípcia; Kate só colocou as mãos na cabeça como chifres e disse: "Sou um alce! Sou um alce!". De repente estávamos todos pulando os degraus da escada gritando "Sou um alce!", o que me fez querer saber as horas, então olhei no relógio da cozinha, mas acabei apertando por engano o botão de reinicialização e passei o que me pareceu o resto do fim de semana assistindo aos números vermelho-vivo rodando a toda a velocidade. Todos se revezavam para soprar bolhas de sabão de um urso de plástico de um azul tão vivo que parecia o céu de um postal de parque nacional. V. de repente caiu no sono e ficou roncando de boca aberta. Kate se enrolava nas cortinas da sala, dizendo que era uma múmia bege. Douglas via um livro de fotografias do *Davi* de Michelangelo. Lily foi para o banheiro do andar de baixo e ficou só olhando para o espelho, sussurrando seu nome sem parar, enquanto Jennifer Rose Milton ficava sentada na privada fazendo que sim com a cabeça e comendo manteiga de amendoim com a mão. Pensei em pegar uma de suas inúmeras pulseiras, mas então me lembrei dos brincos lá em cima; levei Gabriel para o quarto e ficamos nos beijando um tempão. Tentei tirar todo o chocolate da sua língua até lembrar que aquilo não era um morango. Gabriel agarrou meu peito por cima da camiseta e de repente começou a chorar. Natasha, que aparentemente estava embaixo da cama o tempo todo, pôs a cabeça para fora e revirou os olhos para mim. Nós três rimos, então enfiei o canivete de Gabriel e o brinco de Jennifer Rose Milton no meu bolso sem ninguém ver. Do nada fomos tomados pela ideia de que éramos detetives e precisávamos resolver um mistério: por que todo mundo estava dormindo lá embaixo, até Jennifer Rose Milton com uma mão ainda enfiada no vidro de manteiga de amendoim e a outra na boca? Peguei uma lupa e, sem parar de rir, saímos procurando pistas nos nossos rostos. Abri um dos olhos de Kate e vi que parecia uma bolinha de gude molhada. Gabriel ficou com medo de que queimássemos alguém sem querer com a lupa, muito embora o sol não tivesse levantado ainda, e foi aí que tivemos a ideia de ir revelar as fotos e ver o nascer do sol.

Gabriel chegou com as fotografias reveladas dentro de um envelope. Num glorioso círculo vicioso, cada rolo que você revela no Foto & Cia 24hrs dá direito a um rolo de filme gratuito. É como se você atirasse uma pedra no rio e pisasse nela assim que pensasse em procurar outra. Ou algo do tipo, você pegou o espírito da coisa. Agora que sei disso, sempre vou revelar minhas fotos aqui, apesar do nome problemático — a menos que mude para Foto & Cia 24hrs por dia, porque aí já é pedir demais. Natasha, Gabriel e eu não paramos de rir olhando as fotos: Kate apoiada num dos braços, em vez de sentada no sofá como um ser humano normal, numa pose meio convencida, como se estivesse acima de nós. V. bem ao lado dela, tateando suas pérolas, com uma cara bem melhor que a de todo mundo, graças à maquiagem perfeita — melhor até que a de Natasha, o que não é pouca coisa. Lily e Douglas, aconchegados no sofá, ela entre nós dois — como sempre —, ele parecendo impaciente, louco para continuar a falar com Gabriel e não querendo perder a linha de raciocínio só por causa de uma foto idiota. É estranho ver uma foto de Douglas sem terno. Gabriel, com suas mãos negras contrastando com o avental branco, está espremido na ponta do sofá e parece bastante desconfortável. A linda Jennifer Rose Milton, de pé ao lado do sofá, em uma pose que pareceria muito formal para qualquer pessoa que não fosse tão maravilhosa quanto ela. Estendida toda lânguida abaixo de nós, está Natasha, com um longo dedo entre os lábios, piscando para mim. E eu, é claro. Também estou ali, olhando direto para a câmera. Quando chegamos a essa foto, ficamos quietos para examiná-la por um minuto. Gabriel pôs a mão sobre a minha nuca, então peguei todas as fotos e as enfiei no envelope. Caminhamos de volta para casa em silêncio, nos sentindo mais decididos a cada passo. Assim que abri a porta e vi todo mundo ainda esparramado pela sala, meus planos de fazer café foram esquecidos. Que se danem meus amigos, que se dane o café. Quero toda essa gente fora da minha casa.

Vocabulário

DUENDE DEPRAVADOS ENTORPECENTES
FOTOSSÍNTESE

Questões para análise

1. Calcule as dimensões mínimas necessárias para que uma pessoa inteira caiba num porta-malas, se você a esmagar um pouquinho.

2. Você acha que atores de ensino médio estão preparados para algo tão importante como *Otelo*, de Shakespeare? Tenha em mente que no elenco da peça estavam os melhores alunos de Roewer.

3. Quem tirou aquela foto em grupo na festa do absinto? Eu sei o que você está pensando.

Segunda-feira, 11 de outubro

Por conta daqueles malditos torrões de açúcar, não apenas o sábado como também o domingo foram perdidos. Tal como o brinco de Jenn, que me ligou quando percebeu que não estava com ele. Fiquei o resto do dia no quarto. À noite descobri que estava faminta, então desci a escada e percebi que a casa não tinha sido arrumada. A tigela vazia de absinto continuava debaixo do escorredor de macarrão e havia guardanapos sujos por todos os cantos. Uma enorme marca de taça de champanhe repousava bem em cima da virilha de Davi. Quando consegui arrumar tudo e achar algo para comer (não havia muito: tínhamos limpado a despensa), só quis voltar para a cama. Hoje acordei cedo, tomei um banho, me vesti e então me dei conta de que era feriado, pois há cerca de quinhentos anos um sujeito chamado Colombo fez uma confusão entre continentes, passou varíola para todo mundo e depois foi chamado de gênio. Por isso, agora estou no Descafeinado nem Amarrado com um latte e um muffin que me foi vendido como "fresquinho", tentando começar um dia ocioso às sete e meia da manhã. Como não consigo decidir se estudo Poe ou Whitman primeiro, jogo para cima o papel do muffin, em vez de uma moeda. Ele cai como um pássaro morto. Então vou de Poe.

Terça-feira, 12 de outubro

CENA: O corredor do auditório, logo após os testes para Otelo. *No levantar das cortinas, KATE está em frente ao seu armário, guardando alguns livros e conversando com V. e FLAN.*

KATE, FLAN e V. (tirando com a cara das candidatas ao papel): Que eu amei o louro para viver com ele!

KATE (enquanto todas riem): Você quer dizer o mouro, menina.

FLAN (fazendo-se de ingênua): Ah, entendi. Que por ele eu morro.

ADAM (aparecendo do nada, como sempre): Falando de mim outra vez?

FLAN (piscando, impassível): Talvez.

V.: Oh, hum, nos desculpe, Adam. Nós precisamos...

KATE: ... lavar nosso cabelo. Nossos cabelos.

FLAN: Só "o cabelo".

KATE, V. saem

ADAM: Oi.

FLAN: Oi. Você fica muito bem no palco. (FLAN aguarda que um raio a fulmine.) Quer dizer...

ADAM: Obrigado.

FLAN: Você entendeu o que eu quis dizer.

ADAM (olhando nos olhos dela): Acho que sempre entendo.

CORO: Será este homem um anjo ou uma serpente?
Será ele honesto ou será que ele mente?
Flan pensa muito, mas não consegue achar resposta:
Será Adam amoroso ou só um grande bosta?

FLAN: Pois é.

ADAM: E quando vamos tomar aquele café?

FLAN: Sei que não é boa ideia marcar com você no Descafeinado nem Amarrado.

ADAM: Isso não é justo.

FLAN: Você tem razão. (FLAN suspira; ADAM chega mais perto.) Sei lá. Me liga.

ADAM (tocando a bochecha dela): Pode deixar.

GABRIEL (aparecendo do nada, é claro): Oi.

CORO: Merda.

KATE (fora de cena, em algum lugar do corredor): Adam, você me dá uma carona?

ADAM: Quê?

KATE: Adam?

ADAM (gritando): Tá.

(ADAM ergue as duas mãos, com as palmas viradas para cima, e sai.)

Gabriel olhou para mim como se não pudesse acreditar.

— Não posso acreditar — ele disse.

— Vamos conversar em outro lugar — falei.

Eu estava louca por um latte, mas acabei pedindo um bule de chá em formato de macaco para dividir com Gabriel. Achei que ele fosse gostar e estava certa, porque deu um pequeno sorriso. Sentamos bem debaixo de uma escultura de macaco, pendurada precariamente na parede. Isso me lembrou de uma piada que costumava me fazer morrer de rir no terceiro ano do fundamental: "Por que o macaco caiu da árvore? Porque estava morto".

— Olha — Gabriel disse, então ficou olhando para o chá por tanto tempo que me peguei olhando para ele, mas não vi nada além de uma xícara de chá. — Olha — ele disse, então olhei para seu rosto. Seus olhos estavam vermelhos.

— Olha — ele disse, então baixou a cabeça de novo.

— Estou olhando, estou olhando — respondi, e os dois sorrimos.

— Só preciso saber o que está acontecendo. Depois do último fim de semana, fiquei superfeliz porque achei que estávamos juntos. — Ele engoliu em seco. — Aí te vejo falando com Adam e não consigo entender o que está rolando. Se você só quer ser minha amiga, tudo bem. Vou sobreviver. Te amo demais pra não ter você na minha vida. Mas não aguento essa montanha-russa. Passamos todo aquele tempo sozinhos, vendo o sol nascer, e aí te vejo marcando um encontro com Adam.

— Não *marquei um encontro com ele* — respondi. Queria acrescentar: "E não passamos todo aquele tempo *sozinhos*, Natasha estava lá com a gente. E ficamos muito loucos. E para de dizer que você me ama demais, porque agora quero morrer".

— Bom, ele disse que vai te ligar, e estava todo... — Gabriel tentou colocar a mão no meu rosto como Adam fez, mas não conseguiu prosseguir. Nem precisava, porque eu ainda a sinto ali.

— Gabriel — falei baixinho. — Os testes para *Otelo* terminaram. Eu só estava conversando com ele.

Gabriel piscou e tomou um gole de chá.

— Acho que ainda estou no personagem — ele disse. Como uma marionete, estendi meu braço sobre a mesa e peguei sua mão. Gabriel deu um sorriso triste. — Talvez leve um tempo até isso parecer natural.

— Acho que sim — respondi.
— Você me faz muito feliz...
A escultura caiu.

CORO: O garoto por nossa Flan está deveras apaixonado
Mas ela sabe que em sua vida tudo dá errado!
Este é o último ano; suas notas deviam estar lá no céu.
Mas Flan está tomando pau em cálculo; oh, mundo cruel.
O garoto que ama parece estar fazendo joguinho.
Seu amor por G. é de outro tipo, mas não é mesquinho.
Ela não consegue passar ao amigo essa simples mensagem.
O romance entre eles é mesmo uma grande bobagem.
Flan está ganhando peso; logo todos vão chamá-la de baleia.
As palavras da professora Hattie deixam sua cabeça cheia:
"Relaxa", ela disse. "Você vai saber tudo isso. Ainda é nova."
Mas de sabedoria Flan ainda não vê nenhuma prova.
Mal sabe que em sua vida a desgraça vai virar lugar-comum
Pois ela mata o garoto em breve, no próximo dia trinta e um.

Quarta-feira, 13 de outubro

Há uma trilha sonora para quase todo o registro de hoje. Você consegue ouvi-la? Na verdade não é específica: qualquer tema de qualquer filme de espionagem que vier à sua cabeça serve. Você sabe... A vibração com ar de mistério das guitarras, uma linha de baixo agitada, um sax vigoroso, estrelas de menor escalão já esquecidas do público cantando sobre martínis, perseguições de carro e, não se sabe bem por quê, amor. Entendeu? Então podemos continuar.

A maior parte dessas fotos não pertence mais a mim. Elas foram vendidas a tabloides para cobrir os custos do processo. Qualquer que tenha sido o valor que paguei para revelá-las no Foto & Cia 24hrs compensou, considerando que os "jornalistas investigativos" chegaram a pagar oitocentos dólares por cada uma. Não consigo entender o que há de investigativo em ligar para o advogado da suposta criminosa e negociar um valor pelas fotos.

FOTO UM: Um casal feliz dando um amasso no ônibus. Odeio os dois. Por que gente malvestida *sempre* se dá bem? Quando recebi a foto revelada, escrevi ODEIO VOCÊS em cima deles, com letras garrafais em canetinha vermelha.

FOTO DOIS: Kate e Natasha me esperando no ponto de ônibus. Kate ainda não me viu, está ali parada com os braços cruzados e os lábios franzidos, claramente com frio. Atrás dela, Natasha está de frente para a câmera, revirando os olhos. Não me espanta, considerando a conversa que Kate e eu tivemos enquanto nos arrastamos até a escola.

— Flannery — ela disse num tom solene enquanto eu me desvencilhava do transporte público. Foi como se estivesse havia um bom tempo tentando chamar minha atenção e eu finalmente tivesse aparecido para encher seu copo. Natasha, ainda atrás dela, moveu os lábios olhando para mim, sem emitir som: "Flannery".

— Kate — falei.

— Sempre me acho uma perseguidora maluca quando fico esperando alguém no ponto de ônibus sem ter combinado — ela disse —, mas às vezes você precisa falar com uma pessoa e quando vê uma semana já passou sem que vocês se encontrassem.

— Parece que você vai me demitir ao fim desta conversa — comentei.

— Para de ser boba — Kate respondeu. — Só quero conversar.

— Tá — respondi, encolhendo os ombros e revirando os olhos.

Era muita consideração da parte de Kate me dizer que eu não seria demitida. — Então fala logo, senão, quando perceber, uma semana já vai ter passado.

Natasha bufou. Andamos em silêncio por alguns segundos enquanto Kate observava o contorno de Roewer despontar no horizonte, tentando se concentrar. Ela suspirou e começou.

— Só queria saber qual sua situação em relação ao Adam. Agora que você está com Gabriel, imagino que não se interesse mais por ele, então tecnicamente é uma pergunta irrelevante, mas...

— O público quer saber? — eu a interrompi, ecoando uma propaganda de TV de um tabloide que publicou alguns artigos sobre nós particularmente ofensivos. *Agora que você está com Gabriel.* Foi uma expressão subitamente canonizada, como o nome "Clube dos Oito". Primeiro ficamos às escondidas, depois em uma festa, e de repente já estou com ele.

— Não. — Kate pegou um lenço azul-marinho do bolso de seu blazer azul-marinho. — Não é por fofoca. — E realmente nunca é o caso com Kate. Ela sempre tem um motivo filantrópico para querer saber alguma coisa.

— Nunca é por fofoca, né? — perguntei. — Você sempre tem um motivo excelente pra querer saber da vida dos outros.

Havia cinquenta por cento de chance de Kate se ofender com um comentário daqueles. Ela me olhou por um momento, hesitante, e então, ainda que estivesse sorrindo, disse de um jeito tenso:

— Você não deve ter tomado café hoje. Ou pelo menos não *o suficiente*. — Atrás dela, Natasha ergueu seu cantil e o agitou para mim. Kate deve ter notado de canto de olho, pois lançou um olhar aniquilador para ela. — Conversamos depois, Flan.

— Não — falei. — Eu tomei bastante... é... *café*. Pode falar.

— É só que andei pensando... E achei...

— O Santo Graal — Natasha disse.

Kate ignorou a gracinha.

— Todos estávamos conhecendo Adam e, não sei, *gostando* dele. Acho que todos gostaríamos de gostar dele *melhor*.

— Quê?

— De *conhecer* ele melhor. Todos gostaríamos de *conhecer* Adam um pouco mais. Acho, e não falo só por mim, que ficamos com o pé atrás em relação a isso porque não sabemos como você se sente.

— Estou bem, obrigada.

Kate me concedeu um sorriso gratuito.

— Quero dizer que gostaríamos de ter Adam em nosso círculo. O que você acha?

— Do jeito que você fala parece que é um culto — respondi. Eu sei, eu sei: é irônico.

— Eu só queria saber se você está de acordo com isso.

— Claro. Mas preciso ir agora.

— Certo. — Kate disse, cautelosa. — Eu também. Nos vemos depois?

— Provavelmente.

FOTO TRÊS: Uma bela foto, e não sou só eu que penso assim, porque a *América Desvendada* pagou duzentos dólares por ela. Kate caminha pela entrada lateral de Roewer parecendo intrigada. Atrás dela, o cartaz de "DESAFIADOS ATÉ OS LIMITES ACADÊMICOS, ATLÉTICOS E SOCIAIS", num estado lastimável de caos que chega a ser interessante, representando algo como "Os jovens de hoje *não se importam com mais nada*".

FOTO QUATRO: Michael Baker à lousa. Esqueci de mencionar que tivemos outra prova ontem e que fui muito mal. Aqui podemos vê-lo sublinhando sua regra no quadro negro. *Faça alguma coisa.*

FOTO CINCO: Depois da aula de poesia, consegui tirar essa foto de Hattie Lewis em sua mesa, com Jennifer Rose Milton e Gabriel prestando atenção enquanto explicava algo. Flora Habstat está passando ao fundo, o que é um saco, por conta de toda a atenção que recebeu como "a delatora". Recebi quatrocentos por ela, o que equivale a mais ou menos uma hora de advogado.

FOTO SEIS: Uma tentativa de capturar Adam a caminho do coral. Só que o vice-diretor Mokie apareceu do nada na frente do visor e a encobriu.

FOTO SETE: Uma tentativa bem-sucedida de capturar Adam a caminho do coral. Arqueando as sobrancelhas e sorrindo por algo que uma segunda soprano sem noção diz, enquanto enxuga a testa com um lenço azul-marinho. Sorrindo para ela de um jeito que jamais sorriu para mim. Seu nome é Shannon, e ela usa coletes de lã floridos. Você pode ficar horas olhando uma fotografia e nunca enxergar o que está bem debaixo do seu nariz. Ou o que não está, como seu valor monetário. Cinquentinha.

FOTO OITO: Gabriel, emoldurado pela porta da sala do coral. Ele me espera com uma rosa. Sente muito pela crise de ciúme de ontem. Duzentos dólares.

FOTO NOVE: Lily e Natasha no pátio durante o almoço, escondendo com a mão algum diagrama do livro de economia e rindo feito bobas enquanto tentam recitar algo de cor. Na próxima aula elas têm prova, e vão se ferrar. No canto inferior direito, pendendo de uma lata de lixo abarrotada, está um saco com o meu almoço. Dentro dele, ninguém pode ver a rosa vermelha abandonada. Duzentos.

FOTO DEZ: A mão de Jim Carr no peito da assistente, que está fazendo cara feia. A imagem está um pouquinho borrada, porque ninguém podia me ver. Aposto que essa aqui teria rendido bastante dinheiro, se não fosse pelo que aconteceu ao sr. Carr. Mil, dois mil... vai saber... Nunca chantageei ninguém. Você agora deve estar pensando "grande coisa", mas para mim é importante, tá bom?

FOTO ONZE: A galera toda sentada na sala de Millie, antes da aula começar: Douglas, Kate, Lily, V., Natasha, Jennifer Rose Milton e Gabriel. Flora Habstat (saco) está passando ao fundo outra vez. Essa foto rendeu oitocentos dólares, mas fez o furor da mídia, cristalizando o mito de que Flora era uma de nós, o que ela não era. Um membro tinha que ser unanimemente aceito, e eu não a aceitei, Q.E.D. (a expressão original em latim, não a banda).

FOTO DOZE: Igual à onze, mas gorgolejada. *Borrada*, eu quis dizer. Me distraí.

FOTO TREZE: Igual à doze, só que nítida, com todo mundo olhando para a câmera.

— O que você está fazendo? — Kate perguntou. A agulha arranha o disco que tocava a trilha sonora.

— Nada — respondi. — Só tirei uma foto.

— Odeio quando tiram fotos sem eu saber. — V. falou, pegando seu estojo de pó compacto para se olhar no espelhinho.

— Eu queria fotos não posadas — expliquei, tentando imaginar como aquilo soaria.

— Pra quê? — Jennifer Rose Milton perguntou.

— Sei lá — respondi, e todo mundo riu.

Gabriel se aproximou e me deu um beijinho na nuca.

— Cadê a rosa?

— Você não vai acreditar, mas ela literalmente se despedaçou na minha mão durante a aula de biologia. As pétalas se soltaram e caíram por todo lado. Eu me senti a própria Rainha Má.

— *Quando* foi que você se sentiu assim? — Kate perguntou. Jennifer Rose Milton e V. morderam os lábios para não sorrir. Gabriel as fuzilou com o olhar.

— Ei, o que vamos fazer neste fim de semana? — perguntei.

— Vamos ver — Kate disse. — Sexta tem baile, mas estamos livres sábado. Estava pensando em alguma coisa?

— A gente ainda não fez uma festa no Jardim de Esculturas este ano.

— Verdade! — V. exclamou. — E já estamos em outubro. No que estávamos pensando?

— Então vai ser sábado — Kate sugeriu. — Quem mais além de nós oito?

— O que é o Jardim de Esculturas? — Flora perguntou.

— É um jardim de esculturas — Natasha respondeu, com uma rara paciência.

— Fica no Salão de Belas-Artes — Jennifer Rose Milton interveio.

— Do lado de fora do Salão de Belas-Artes, na verdade — comentou Lily.

— A gente leva comida, bota uma música...

— Mas isso não é ilegal? O lugar fica fechado à noite. — Flora ficou toda enrugada de preocupação. Enrugada *mesmo*, como se fosse uma uva-passa.

— Para com isso! — Kate disse. — Como se alguém pudesse ser preso lá.

Note a ironia.

— Ei — eu disse —, por falar em ilegal, sobrou absinto. O efeito no Jardim de Esculturas pode ser...

Todo mundo com exceção de Natasha e Douglas sacudiu negativamente a cabeça em uma unanimidade puritana.

— Não sei, Flan — V. titubeou. — Aquela coisa embaralhou meu cérebro. Acho que eu não deveria repetir a dose antes das provas finais. — Douglas, Natasha e eu trocamos olhares sem abrir a boca.

— Tá bom — falei.

— Muito bem, muito bem — Millie disse, batendo palmas. — Acho que devemos fazer valer o dinheiro dos contribuintes e ensinar alguma coisa a vocês agora.

FOTO CATORZE: A lista do elenco da montagem de *Otelo* do Colégio Roewer, abruptamente colocada na entrada da coxia:

Papel	*Explicação*★	*Quem vai fazer*
Otelo	Homem negro ciumento e implacável	Gabriel Gallon
Desdêmona	Linda e inocente vítima	Jennifer Rose Milton★★
Iago	Vilão	Adam State
Emília	Esposa de Iago	Flannery Culp★★★
Miguel Cássio	Braço direito de Otelo, acusado de adultério	Douglas Wilde

Papel	*Explicação**	*Quem vai fazer*
Rodrigo	Trouxa manipulado por Iago	Frank Whitelaw****
Duque	Hã, o duque	Flora Habstat*****
Brabâncio	Pai rabugento de Desdêmona	Steve Nervo******
Montano	Governador de Chipre	Rachel State*******
Bianca	Uma cortesã	Kate Gordon********
Oficiais, palhaços, músicos etc.		Pessoas sem importância

* Destinada aos leitores ignorantes que leem apenas livros apelativos sobre histórias de crimes reais em vez de clássicos.

** Kate vai cuspir fogo.

*** Ai, meu Deus, vou ser a esposa dele.

**** Um idiota no papel de um idiota. Ron Piper é um gênio.

***** Vaca. Vou ter que passar o tempo ensaiando com Flora Habstat fazendo papel de homem. Ron Piper é um idiota.

****** V. deve estar se mordendo por dentro por não ter feito testes para a peça. Ficar durante semanas repassando as falas ao lado da pessoa amada é com certeza uma excelente maneira de... calma, Flan, segura um pouco a onda.

******* Raramente alguém tão verde consegue entrar no elenco. Se bem que "verde" talvez seja a cor menos apropriada para descrever a Gótica Estrambótica. Ela provavelmente é a única pessoa do elenco que vai precisar remover a maquiagem antes de entrar no palco.

******** *Kate vai cuspir fogo.*

Ironicamente [neste momento Winnie executa à perfeição um sorriso amargo], *os membros do Clube dos Oito estavam ensaiando para a montagem de* Otelo, *de William Shakespeare. Mas eles acabaram interpretando sua própria tragédia: a tragédia do assassinato.*

O RESTO DO ROLO: Superexposto. (Assim como a fotógrafa.)

Quinta-feira, 14 de outubro

Reli *Otelo* ontem à noite. Adam vai me matar. Ah, que ironia! Mas foda-se *Otelo*, foda-se a tragédia e foda-se até a ironia. Enquanto fico aqui sentada bancando a esperta, o verdadeiro mal está debaixo do meu nariz, *bem mais* embaixo, em torno dos — como foi mesmo que o falecido líder dos direitos civis Mark Wallace chamou? — meus *peitões*.

A esta altura do diário, você me ouviria dizer: "Volte, Flan. Comece do início". Ora, toda aquela merda de estrutura narrativa que aprendi na turma avançada de inglês não está me levando a lugar nenhum, meus caros amigos e vizinhos. Começarei por onde eu bem entender. Ninguém vai ler mesmo. (Foda-se a ironia. *Foda-se.*)

Não é que eu já estivesse estressada... Quer dizer, não é que eu *não estivesse* estressada. Merda, não consigo nem pensar na lógica do que escrevo. O que quero dizer é que já estava estressada. Depois de ficar contemplando aquelas fotos deslumbrantes de Adam, me preparei mentalmente para combinar nosso café antes do coral. Ele estava resfriado e assoava o nariz com um lenço azul-marinho quando me aproximei. Antes que pudesse me conter, toquei seu pescoço, e Adam sorriu até afastar o lenço do rosto. Aí fez uma careta confusa, como se eu o tivesse acordado. Falei que queria conversar, mas ele explicou que precisava falar com o diretor do coral e perguntou se podia ser depois do ensaio. Eu disse "Claro", mas antes mesmo que nossa última nota cantada subisse espiralando até as vigas do teto (estou perturbada, então minha linguagem figurada não está em sua melhor forma), Adam já tinha saído da sala, me deixando sozinha. Gabriel estava me esperando com outra rosa, e eu deixei que me beijasse. No almoço, Lily e eu conversamos sobre... quem *se importa*? A questão é que, quando cheguei à aula de biologia, a nova assistente tinha se demitido e Carr queria falar comigo no escritório dele depois da aula e — por que não consigo simplesmente dizer? — senti sua respiração em mim.

Perceber o jeito como seu olhar se transformou ao fechar a porta do escritório para ficar a sós comigo foi como observar um inseto saindo da sua forma larval.

— Você me fez perder minha assistente — ele vociferou, segurando meu braço logo acima do cotovelo. Parecia uma armadilha que ninguém consegue escapar, a não ser que arranque o braço com os próprios dentes. *De que* ninguém consegue escapar. *Foda-se.* — Nunca perdi uma assistente antes. E você sabe qual é a única constante? A única causa possível? *Você.* — Ele era maluco. — Nunca perdi uma assistente antes e nunca tive *você* na minha classe antes. Logo...

Nesse caso, pensei comigo, talvez a ironia funcionasse.

— Tem certeza de que esse é o método científico de provar alguma coisa? — balbuciei em direção à porta. Ele se inclinou e me beijou. Sua língua parecia um horrendo pepino-do-mar. Em um mundo ideal, eu teria vomitado ali mesmo, dentro da boca dele. Mas era só a merda da classe de biologia no Colégio Roewer. Eu ia me atrasar para a aula de francês porque Jim Carr estava me encurralando ali. Consegui me desvencilhar dele e estendi o braço para trás, em busca da maçaneta, mas ao girá-la descobri que estava trancada. Carr riu com um grunhido e então me pegou pelos ombros, como se fosse me chacoalhar, mas na verdade me jogou em cima da mesa. Acho que eu nunca tinha sido *jogada* daquele jeito. Ainda estou com o hematoma. Uma pilha de pastas caiu no chão e uma xícara esquecida virou, derramando café sobre as folhas. Foi para lá que fiquei olhando enquanto Carr enfiava a mão dentro da minha camiseta e subia com ela pelas minhas costas, como uma serpente. Ele estava, sem sucesso, tentando abrir o fecho do meu sutiã. Bom, isso já é difícil para os caras quando a menina *quer*. Eu estava tendo todo tipo de pensamento louco. Desistindo do fecho, ele enfiou a mão por baixo do sutiã e torceu meu mamilo como se estivesse procurando outra estação no rádio. Gritei e ele tirou a mão do meu peito e me deu um tapa forte na cara. Então ele se colocou entre minhas pernas... meu Deus, quando foi que eu as abri? Será que Carr pensou que eu as tinha aberto para *ele*? Eu o senti se empurrando contra minha virilha. Em um mundo ideal, eu teria vomitado de novo. Mas era só a aula de biologia, e eu senti (vamos dizer de uma vez) o *pau* do meu professor de biologia contra mim. Era como se o esfregasse em mim. Na verdade, esfregava mesmo. Foda-se. Basicamente *ele* queria *me* foder.

Por um instante, achei que alguém tinha entrado na sala: Natasha ou talvez Millie, estranhando meu atraso. Ela estava histérica, lágrimas quentes e contínuas *esguichavam* do seu rosto.

— Para! Para!

Carr empurrava com mais força e mais rápido, e eu já tive namorados suficientes para saber o que isso quer dizer.

— Para! — alguém continuava gritando e chorando. De repente, o balançar da mesa fez uma prateleira se soltar da parede. Béqueres se espatifaram no chão, e então ficou tudo quieto. — Para! — ela gritou outra vez. Não preciso dizer quem era, né? A porta estava trancada, e não era Carr. Ele estava me encarando, ofegante, com o dedo apontado para mim.

— Você quebrou *milhões de dólares em equipamento*! — ele gritou. — Não tem noção da *encrenca* em que se meteu.

— ME DEIXA SAIR! — ela berrou. — Me deixa sair me deixa sair me deixa sair me deixa sair! — É exatamente o que o vocalista diz no meio de uma música do Q.E.D.

Levantei. Meu sutiã parcialmente aberto entrava nas minhas costas, o que doía *pra cacete*. Carr abriu a porta com um movimento rápido. Não parecia trancada; talvez ele possa usar esse argumento contra mim mais tarde. Levantei e senti as mãos tremendo contra as pernas gordas. Nunca tinha me sentido tão *grande*. Ninguém acreditaria que Carr teria feito aquilo a uma pessoa tão *feia*. Enquanto eu recuava em direção à porta, vi uma mancha molhada nas calças dele. Em um mundo ideal, eu teria vomitado em cima do cara na mesma hora, mas só vomitei no meio da aula de francês, e Millie nos dispensou mais cedo para me levar para casa. Ela não me disse nada o caminho inteiro; só fiquei sentada ereta no banco, com medo de me reclinar, pois não tinha arrumado o sutiã e ainda doía muito. Fiquei chorando o tempo todo e acho que ainda não parei.

Foi Natasha quem tirou minha camiseta e meu sutiã. Ele tinha cortado a pele. Ela pegou uma bolinha de algodão e derramou um pouco do líquido do cantil nela.

— Você está com um pontinho vermelho, mais nada — Natasha explicou. Nossos olhos se encontraram no espelho da porta do armário. Eu estava deitada na cama enquanto ela passava uma bolinha de algodão nas minhas costas nuas. Já escrevi isso. Natasha parecia uma massagista, de pé ao meu lado. — Só um pontinho vermelho. Uma coisa bastante hindu. Acho que está na moda até. — Quando me vi sorrindo para ela no espelho, senti minha vida de novo em minhas mãos, como quando seu pé roça o fundo da piscina quando se é pequeno e você percebe que está de volta à segurança da parte mais rasa.

Meus olhos se encheram de lágrimas.

— Agora vista uma camiseta com cuidado e desça pra tomar um chá — disse Natasha.

— Não sei se tem — respondi, obedecendo. — Acho que só leite e água.

— Água — ela disse. — Que gostoso. Que mais?

— O resto do absinto.

— Acho que seu cérebro já está bagunçado o bastante — ela comentou, mexendo no meu cabelo. Sentamos no sofá e fiquei olhando para o nada enquanto Natasha pegava água para a gente. — Cuidado… — ela disse outra vez ao me entregar o copo. Segui seu olhar e vi que minhas mãos estavam tremendo. Ela pousou os dois copos na mesa de centro e me deu um abraço longo e forte. Eu já não estava chorando, aparentemente, mas tremi como um desses bichos de brinquedo que eles deixam do lado de fora dos supermercados. Insira uma moeda e centrifugue seu filho. Eu me sentia centrifugada.

— Minhas costas estão doendo — finalmente falei.

— Vai ficar tudo bem — ela me confortou. — Foi um corte pequeno. O que importa é… — Ela tomou um gole d'água. — Isso mexeu com você?

— Como assim?

— O que você vai fazer a respeito? — Suas sobrancelhas estavam erguidas, casualmente, mas seus olhos me cortavam.

— Hum.

— Porque você vai fazer *alguma coisa*. Senão eu vou. — Ela estendeu as pernas e descalçou os sapatos.

— Acho que não tem nada a ser feito — falei.

— A Regra de Baker — Natasha replicou, mordaz.

— Mas não acho que...

— *A Regra de Baker* — ela rosnou. — *A Regra de Baker. A Regra de Baker. A Regra de Baker.*

— O que eu poderia...

— *Faça alguma coisa!* — Natasha ficou de pé e apontou para mim. — *Faça alguma coisa!* Se você não fizer...

— *Por favor!* — berrei. — *Por favor!* Não grita comigo!

Por uma fração de segundo, tudo parou. Senti a quietude da casa vazia.

— Desculpa — Natasha disse. Estendi a mão e ela a segurou, então sentou. — Acho que estou só... — Ela gesticulou para o vazio.

— Amanhã vou contar para o diretor — anunciei.

— Bodin?

Eu não conseguia me imaginar conversando com Bodin.

— Talvez Mokie. — Nós duas sorrimos, do jeito que fazem nos livros. Como se diz mesmo? *Desconsoladamente.*

— Se essa é sua melhor ideia, você precisa de algo mais forte que água. — Ela pegou o cantil e o agitou na direção da minha água, mas meu estômago se revirou e eu o afastei.

— Não consigo pensar em nada — falei, mas soei casual demais, então repeti. — Não consigo pensar em nada.

— Olha, se você reclamar com o diretor, nada vai acontecer. Lembra quando tentou mudar de turma? Você precisou lutar contra a Medusa só pra conseguir ver o cara.

— De qualquer forma, não acreditariam em mim — expliquei. — A porta não estava trancada. Eu poderia ter saído a qualquer momento.

— Isso é besteira — ela retrucou.

— Além do mais, olha pra mim. — Lancei um olhar pro meu próprio corpo. — Sou *gorda.*

— Você não é *gorda*.

— Tanto faz. Sou *grande*, *gorda*, não importa. Sou *feia*. Carr não ia me pegar. Quer dizer, ninguém acreditaria nisso. Sou feia. — Natasha me arrancou do sofá e me empurrou até o banheiro. — *Quê?* — falei. — *Quê?* — Eu estava aterrorizada; ainda não me sentia pronta para movimentos bruscos ao meu redor. — *Quê?*

— Olha pro espelho — ela disse, e bateu a porta do banheiro. Havia um espelho de corpo inteiro ali, mas uma toalha azul-clara encobria a visão. Natasha a pegou e a atirou no chão. — *Olha na porra do espelho, Flan!*

— *Não grita comigo!*

— Cansei dessa história — ela disse, então pegou minha cabeça e virou para o espelho. — Olhe para a porcaria do espelho *agora* — ela mandou — e me diga o que vê. Você é *gorda*? Me mostra onde! *Olha pro espelho!*

Pisquei e olhei meu reflexo, descendo os olhos até os pés e subindo de volta. Mostrei a língua para mim mesma, mas Natasha agarrou minha cabeça outra vez. Olhei para o espelho.

— Você é gorda? — Fiz que não com a cabeça. O sentimento simplesmente evaporou. Eu estava bem. Meus olhos estavam vermelhos de tanto chorar e minha camiseta era horrível, mas dane-se, eu estava sozinha em casa com Natasha, e tinha sido um dia de merda. Eu podia não ser um palito. Podia ser mais gorda que Natasha. Mas pelo menos era...

— Sou mais magra que Kate, de qualquer jeito — falei, então Natasha jogou a cabeça para trás e riu alto. Gargalhou. Ri também. Lágrimas rolaram pelo meu rosto enquanto eu ria olhando para o espelho. Ri tão forte que senti ânsia de vômito e precisei me segurar na pia. Estava ficando sem ar. Natasha abriu a porta do banheiro, e meu reflexo, solitário em meio à porcelana e às toalhas, oscilou na minha direção por uma fração de segundo antes de bater com violência contra a parede. Me apoiando nela, subi a escada e fui direto para a cama. Nem tirei a roupa. Fiquei de olhos abertos por um tempo. Natasha me vigiava. Ela ficou ali até eu fechar os olhos, e continuou me vigiando depois, porque acordei duas vezes durante a noite e lá estava ela. No entanto, pela manhã, havia desaparecido.

Sexta-feira, 15 de outubro

É incrível a quantidade de detalhes cruciais que acabei não fornecendo aos leitores. Quer dizer, hoje é o dia do Festival Internationale, e por ter sido violentada e tudo mais, me esqueci completamente de avisar vocês.

— Podemos traduzir, *grosso modo*, como Festival Internacional — Lawrence Dodd estava dizendo quando entrei na orientação. Ninguém se importou por eu chegar atrasada; todo mundo estava na correria de última hora. Tivemos que convocar uma reunião extraordinária da Grande Ópera do Café para ajudar Millie a preparar os crepes. Meu cabelo estava cheio de massa superdoce.

Depois da orientação, todas as turmas de idiomas já estavam montando suas barracas; as de chinês pareciam ter vindo com tudo este ano, trazendo lanternas, dragões de papel, blá-blá-blá. Durante a aula de poesia, me concentrei em Whitman, relendo cada verso enquanto Hattie puxava discussões. Minhas mãos não paravam de tremer, então depois da aula ela me perguntou se eu queria conversar.

— A última coisa que quero é conversar — falei. Posteriormente, Hattie se recusou a falar com a imprensa, por isso eu a amo, mesmo que também tenha se recusado a falar comigo.

Obviamente eu não queria encontrar Adam, por isso fui me arrastando para o coral, procurando uma desculpa para não faltar. Então trombei — literalmente — com Millie, que estava precisando de gente para picar as frutas para o recheio dos crepes. Eu não queria pensar em nada, então fui com ela. Eu disse a Millie que já estava bem melhor e comecei a picar com tanta força que até senti pena da tábua. Em pouco tempo, todas as frutas estavam prontas, mas faltava ainda pendurar as placas e escrever o cardápio em letras grandes com canetinha. Fiquei usando discursos à la Robinson Crusoé para me motivar: se você se concentrar em fazer seu trabalho, não terá tempo para levantar a cabeça e perceber que está sozinho em uma ilha deserta. Mas, quando de fato a levantei, Jim Carr estava na minha frente.

— Oi — ele disse. O Festival Internationale estava a pleno vapor; como sempre, as aulas da tarde haviam meio que se evaporado e todo mundo perambulava provando a gastronomia *internationale*. Som de salsa saía dos alto-falantes. Nosso *amigo* Mokie devorava um kebab. Em poucos minutos, algumas professoras de educação física fariam uma apresentação humilhante de dança do ventre. Por que não havia ninguém ali para me ajudar?

— Flannery? — ele me chamou.

— Só me diz qual fruta você quer — falei, surpresa com a raiva em minha voz. Era uma pena que não fosse a melhor coisa para se dizer furiosamente. Carr só deu um sorrisinho entojado.

— A que estiver mais gostosa — ele disse, sorrindo para as pessoas que preparavam o crepe atrás de mim. Então perguntou baixinho: — Você contou a alguém sobre ontem?

— Me deixa em paz — gaguejei. Parecia que eu havia gastado toda a fúria na minha frase sobre a fruta. Olhei para minhas mãos tremendo; tinha apertado com tanta força que deixei a marca das unhas, em meias-luas, na palma. — Só me deixa em paz.

— Você está perturbando minha ajudante? — Millie perguntou, em tom brincalhão, colocando um braço ao meu redor e agitando um dedo para Carr.

— Jamais — ele respondeu, então se inclinou e tocou a ponta do meu nariz. Millie riu e deu meia-volta.

— Estou colocando bastante chantili no seu, Jim! — ela gritou.

— Sabe... — ele disse baixinho, olhando para o outro lado. Parecia apreensivo. — Ninguém acreditaria em você.

— Jim! — Natasha gritou. Ela estava vestindo uma blusa justa com as mais diferentes bandeiras em metal. Onde é que acha essas coisas? — Jim — ela repetiu. — *Flan!* — Observei o professor espiando o peito dela enquanto se inclinava e me cumprimentava com dois beijos, fazendo uma breve pausa entre eles para me lançar um olhar direto e indecifrável.

— E aí, como você está? — ele perguntou, e ela se ergueu na ponta dos pés para dar dois beijinhos *nele*.

— Estou me sentindo *internationale*! — Natasha declarou, dando um passo para trás e uma viradinha para exibir a blusa. — Você vai supervisionar o baile de hoje à noite? Porque eu estava esperando que você me concedesse uma dança. Da última vez foi muito *profissional*. — Ela bateu os cílios. Antes que ele pudesse responder, Natasha continuou. — Você já provou alguma comida? Está tudo tão *maravilhoso*! — A voz dela estava tão aguda que parecia à beira da histeria.

— Estava prestes a provar o crepe — ele disse, olhando para mim.

— Ah, os clássicos! — Natasha disse.

— Que você deveria estar ajudando a fazer — falei sem rodeios.

Ela desconsiderou meu comentário com um aceninho de mão e então agarrou o braço de Jim.

— Você precisa vir provar esses coquetéis de frutas que as turmas de espanhol estão fazendo. *Aqua fresca*. Tem um de kiwi que tem um gosto *tão esquisito*. Vamos lá pegar, Jim.

— Jim? — ele perguntou, arqueando as sobrancelhas. Ele parecia... perplexo que Natasha estivesse lhe dando tanta atenção.

— Todos somos amigos durante o Festival Internationale, não é mesmo? — ela perguntou, levando-o embora.

Pude finalmente soltar o ar. Abri a mão assustada. Eu estava parada de pé com uma concha de pêssegos no ar, muito atrasada no meu trabalho.

— Flan? — Kate disse pela terceira vez. Ela estava com Adam, estalando os dedos na frente do meu rosto como se me fizesse voltar de uma hipnose.

— Desculpa — falei. — Eu estava só, hum, sonhando com a paz mundial. — Adam estava com a boca cheia, limpando molho do queixo com um lenço azul-marinho.

— Tenho certeza de que ela vai vir com o Festival Internationale — Kate retrucou, revirando os olhos. — Mas pelo menos a gente se livrou da aula, né? Escuta, será que você poderia me substituir na preparação dos crepes? Prometi ao Ron que ajudaria na parte técnica.

— Tudo bem — respondi. Ela e Adam trocaram um olhar rápido.

— Ah, e está tudo pronto para o Jardim de Esculturas sábado à noite.

— Kate me contou tudo — Adam explicou, finalmente engolindo o que estava mastigando.

— É, é... — falei, tentando localizar Natasha e Carr na multidão. — Vai ser legal. Mas a gente não vai se ver no baile hoje?

— Claro — disse Kate. — Estaremos lá. Só queria dizer isso.

— Legal — respondi.

— Preciso correr.

— Eu também — Adam nem olhou para mim.

Eles foram embora e fiquei para trás outra vez, recheando os crepes. O pátio estava ficando lotado. A salsa dava espaço a algum ritmo árabe. Por acaso a escola tinha turmas de árabe?

Eu estava me entretendo vendo a Gótica Estrambótica derrubar *chow mein* no suéter preto quando Natasha e Carr voltaram. Ele olhava bem esquisito para sua bebida verde-claro.

— Isso é *muito* forte — Carr disse, parecendo em dúvida.

— Termina esse daí pra provar o de morango — Natasha disse, dando um gole da própria bebida.

— Que interesse súbito é esse por coquetéis de frutas? — perguntei, encarando-a. Ela balançou a cabeça de leve para mim. Coloquei morangos num crepe e passei-o para Flora Habstat, que era a responsável por dobrá-los.

— Acho que nem consigo terminar este — Carr anunciou, fazendo careta.

— Frouxo — Natasha disse baixinho, e virou o dela num só gole. — Vou procurar um parceiro de copo à minha altura.

Carr mordeu a isca. Ele deu um sorrisinho afetado para ela e virou o coquetel, engasgando no final. — O que tinha nisso?

— Um afrodisíaco — ela respondeu. — Agora vai buscar um de morango pra mim. Preciso falar com a Flan. Conversa de menina.

— Tá bom. — Ele piscou para ela e deu meia-volta, quase trombando com o diretor Bodin de sombreiro. Natasha desfez o sorriso e pôs a língua para fora.

— Escroto — ela disse.

— O que está acontecendo? — perguntei.

Natasha me deu um sorriso.

— Tenho um presente para você. — Ela pegou um saquinho de papel. Estendi a mão para apanhá-lo, mas estava fora do meu alcance. — Aqui não. Vamos para o lago — ela disse.

— Mas Carr vai voltar.

— Ah, não! — ela disse, fingindo estar com medo. — Para com isso, Flan. Já coloquei você em alguma furada?

— Não começa — falei, então virei para Flora Habstat, toda

delicada. —Você pode me substituir alguns minutinhos? É que eu prometi ao Ron que ajudaria na parte técnica.

— Mas eu tenho que *dobrar* — ela gemeu. Estava usando uma boina horrorosa.

—Você dá conta — Natasha disse, pegando meu braço. Disparamos pelo pátio e saímos por uma entrada lateral onde Jennifer Rose Milton e Frank Whitelaw faziam as pazes/ davam amassos. — Com licença, crianças — Natasha falou, imponente. Ela não abriu mais a boca até chegarmos ao lago e sentarmos num tronco.

— Pega — ela disse, me entregando o saco.

— O que tá rolando? — perguntei. Dentro havia uma pequena garrafa de plástico, daquelas que se amontoam nos armários da cozinha de casa.

— Obrigada — falei. —Agora entendi por que não queria que os outros vissem você me dando isto. Poderiam ficar com inveja.

—Você não está entendendo — ela disse, correndo os olhos pelo lago como um general vitorioso que observa uma cidade em chamas.

Abri a garrafa e olhei dentro dela. Estava vazia, mas úmida; gotas verde-claro cintilavam aqui e ali. Cheirava a algo que não reconhecia. Chá gelado? Não. Conhaque? Também não.

— O que...?

— Sabe — ela disse — aquele coquetel de kiwi não pareceu tão estranho assim para mim.

—Você não fez isso — falei. Meu estômago se remexeu.

— Claro que fiz — ela respondeu, endireitando a postura. — Tive essa ideia ontem à noite enquanto você estava dormindo. Demorei pra achar onde você tinha guardado.

— Douglas disse que absinto demais poderia... bom...

— É, eu sei — ela falou, indiferente. — Ele devia estar exagerando, mas e daí? O cara vai ter uma viagem inesquecível.

Engoli em seco.

— Natasha…

— Acho melhor você não ficar com isso — ela disse. — Só queria que você o visse. — Ela tirou a garrafa de mim, levantou e caminhou em direção à água como se fosse atravessá-la, feito um messias. Eu a segui.

— Tchau — Natasha disse, então arremessou a garrafa longe. Por um longo minuto, ela ficou ali boiando, mas então se encheu de água e afundou como uma pedra, ou meu estômago.

— E então? — ela perguntou.

— Ninguém nunca fez nada assim por mim… — Ela sorriu e beijou minha bochecha. Ficamos olhando fixamente para aquele ponto na água como se estivéssemos num filme.

Voltamos bem a tempo. A comida estava acabando e as dançarinas do ventre estavam a pleno vapor no palco improvisado. Todos as aplaudiam e incentivavam, então a multidão se dividiu como um penteado malfeito. Carr. Ele agitava os braços para todos os lados, parecendo um helicóptero. A música de dança do ventre parou subitamente e as professoras de educação física ficaram ali, completamente imóveis, com seus braços e címbalos minúsculos nas mãos. Ele estava gritando algo, mas, por conta da multidão, não consegui escutar. Os outros riam, assumindo que era alguma piada *internationale*, até virem seu rosto. Eu também o vi quando Carr se virou segurando a cabeça com as mãos como se estivesse fazendo uma série de abdominais. Sua cara estava vermelha, coberta pelo sangue de um arranhão, e seus olhos fora de órbita. Talvez ele tivesse batido em algum lugar pontiagudo, ou talvez o tivesse feito com as próprias mãos.

— Bocas! — ele estava berrando. — Bocas! Moças! Moscas! — Carr cambaleou em direção à beira do pátio e todos saíram da sua frente correndo. Bodin observava, completamente lívido debaixo de seu sombreiro, e Mokie não parava de avançar e recuar um passo, como essas propagandas em que fazem isso para parecer a dança de um gato. — Moscas! — ele gritou. — Moscas! Moscas! Moscas! — Agora Carr estava bem perto de mim e Natasha, o suficiente para vermos seus olhos girando como pequenos animais capturados em uma armadilha e espuma branca saindo de sua boca. — Moscas! — ele falou, e despencou no chão, chutando a esmo. Provavelmente tinha se machucado sozinho. Pessoas começaram a gritar. Mokie saiu de sua paralisia e tentou levantá-lo com uma mão, enquanto segurava um prato de papelão com tacos na outra. — Moscas! — Carr falou, e então começou a berrar a plenos pulmões, feito um animal. Seu rosto estava ficando cada vez mais vermelho, como lagostas em água fervente. Mokie olhou para seu prato, largou-o e colocou os dois braços debaixo de Carr, mas acabou escorregando na comida e caindo com tudo no chão. — Moscas! — Carr estava em cima dele, se sacudindo como uma aranha gigante. Duas das dançarinas do ventre pularam do palco e correram até eles. Todo mundo estava gritando. Foi um pesadelo.

Olhei para Natasha, que assistia àquilo como se fosse um filme repetido, então fitou o céu, franzindo os olhos diante do sol.

— Não vamos esquecer desse Festival Internationale tão cedo — comentou, enfiando a mão na bolsa. Ela colocou os óculos-escuros.

— Moscas! — Carr continuava gritando.

— Drosófilas — ela me disse baixinho. Sorri e segurei sua mão. Carr havia infligido aquilo a si mesmo. Era quase certo.

Surpreendentemente, considerando tudo *aquilo*, o baile foi um dos melhores de todos os tempos. Sei que isso soa meio anticlimático, mas quero registrar aqui tudo o que possa ser interessante. De volta para casa, Natasha e eu dividimos outra garrafa de champanhe do Ano-Novo, e ela me emprestou aquela blusa incrível com bandeiras do mundo todo. Eu estava pronta para que o baile fosse cancelado, mas acho que eles já haviam pagado pelo DJ e tudo mais, então decidiram seguir em frente. A música estava ótima e fazia calor, então a festa foi no pátio. *Todo mundo* estava lá e não havia nenhum clima esquisito nem nada. Dancei como uma louca, quase exclusivamente com Natasha — naquela noite, não estava com a cabeça para garotos, não sei por quê. Várias vezes me peguei no exato lugar onde Carr havia caído e fazia de tudo para sair dali, mas você sabe como é difícil circular em uma pista cheia. Parecia que continuava sendo arrastada para lá, até que aceitei o fato. Eles tocaram aquela música "Hoje à noite, hoje à noite, hoje à noite" e por algum motivo aquilo uniu todos nós, o Clube dos Oito. Abrimos uma grande roda para cantar. *Bem alto*. Gabriel e eu dançamos no meio dela e todos bateram palmas. Eu o beijei até ficar sem fôlego, enquanto todos gritavam ao nosso redor. Acho que estava mentindo quando disse que estava sem cabeça para garotos. A única coisa ruim foi que uma das bandeirinhas de metal da blusa deve ter ficado roçando na minha ferida e fez com que abrisse outra vez, mas só notei quando cheguei em casa. Achei que estava só suando, mas era sangue que escorria pelas minhas costas. Muito. Quando entrei no banheiro e olhei no espelho, vi que tinha se espalhado, parecendo uma dessas fotos aéreas de vulcões. Por sorte, eu estava bem sóbria nessa hora, ou teria sido bem assustador. Eu me pergunto o que Carr viu, além de, é claro, moscas.

Limpei a maior parte do sangue com lenços de papel e agora vou tomar uma ducha, que deve tirar o que sobrou. Também vi um pouco de sangue no lençol, mas estou cansada demais para lidar com isso hoje. Parece que esse tipo de coisa é impossível de remover.

Sábado, 16 de outubro

Trim. Trim.

— Flan, é o Douglas.

— Oi — falei. — Curtiu o baile?

— Não tanto quanto *certas pessoas* — ele respondeu com malícia.

Uma bolha cheia de imagens estourou na minha cabeça. "Com você", do Q.E.D., tocando. Todo mundo dançando uma música lenta. Natasha e eu rodopiando no meio dos casais, fazendo nossos melhores passos falsos de balé. Gabriel sentado num banco, me observando com um sorriso desanimado e forçado. Eu fingindo estar mais bêbada do que de fato estava e evitando seu olhar, pois era uma música lenta e eu devia estar dançando com meu — *escreva, Flan!* — namorado. Mas eu e Natasha rodopiávamos em volta dos casais como se fôssemos as assistentes do Cupido: Jennifer Rose Milton e Frank Whitelaw; Rachel State e um garoto com um corte de cabelo zumbi; Kate e Adam, que parecia estar bêbado, mas eles não eram um casal de verdade, só estavam dançando juntos; e V. e Steve Nervo. V. e *Steve Nervo*.

— Uau — falei.

— Com ciúme? — Douglas me perguntou. Eu podia ouvir seu sorriso zombador, apesar da sombria música clássica russa que ele estava escutando. — Já está entrando na personagem?

— Eu não vou fazer o Iago — respondi.

— Mas é casada com ele. Com Adam — Douglas provocou.

— Esquece. Já superei o Adam.

— Ah, tá.

— Douglas, estou com Gabriel.

— Acha que sou bobo, Flan?

— Estou falando sério.

— Olha, não vamos nem entrar nesse assunto — ele falou. —

Parei de me interessar pela sua vida amorosa quando deixei de ser parte dela.

Outra bolha de lembrança estourou.

— Falando nisso, é impressão minha ou você conversou com o mesmo garoto a noite inteira?

— Ah, não a noite *inteira* — ele respondeu. — Também dançamos um pouco. Tá lembrada? "Hoje à noite, hoje à noite, hoje à noite."

— Você está namorando?

— *Flan* — ele disse. — As coisas não funcionam desse jeito.

— Ah, é. Esqueci que vocês têm um estilo de vida diferente.

— *Flan*...

— Não, não, tudo bem. Desde que vocês não tentem impor esse estilo de vida aos outros...

Douglas riu.

— Ai, cala a boca. Eu só quis dizer que as coisas ainda estão esquisitas com Lily, e esse cara... não sei...

— Como assim, as coisas estão esquisitas com a Lily? Vocês parecem bastante tranquilos.

— Em público, sim. — Ele soou como um assessor de imprensa. — Mas ela continua superchateada. Às vezes ainda faz uma ligação chorosa no meio da noite.

— Pelo menos ela ainda fala com você.

— Penso isso em relação a todo mundo.

— Douglas — falei com um tom sério. — Não aguento bobagem a essa hora da manhã. Ou pelo menos não bobagem dos outros.

Ele deu uma risadinha. Tinha acordado de bom humor. Talvez depois do baile tivesse... ah, não é da sua conta!

— Bom — ele disse —, mudando o assunto de sexo para drogas. Ninguém mais pareceu a fim, mas topo muito um repeteco de absinto hoje à noite, antes do Jardim de Esculturas. Se quiser.

— Acabou.

— Como assim? Sobrou um monte.

— Natasha e eu tomamos um pouco ontem à noite.

— Sem mim?

— Foi um lance do momento.

— Ah, mas deve ter sobrado *um pouco*. Se tivessem tomado tudo, vocês teriam bancado o Jim Carr.

Engoli em seco.

— Verdade. O que foi aquilo?

— Millie achou que fosse um derrame. Mas ele parecia perfeitamente saudável. E aí, o que me diz?

— Oi?

— Do *absinto*, Flan. Seu cérebro já fritou?

— É... — respondi, aproveitando a oportunidade. — Melhor não tomar hoje.

— Então posso dar uma passada pra pegar com você? Acho que consigo convencer Kate e... Bom, Kate. Você vai estar em casa mais tarde?

— Douglas, não sobrou nada.

— O que você fez com ele? Vendeu?

— Hã... Derramei. Derrubei a garrafa perto do lago.

— Sério?

— É.

— Fala a verdade, Flan.

— Derrubei a garrafa perto do lago.

— Você acha que sou bobo?

Aposto que você está começando a ver que não devo ter me saído bem durante o interrogatório.

— Lembra quando você disse que se tivéssemos tomado o resto do absinto teríamos acabado como Jim Carr?

— Sim.

Respirei fundo.

— Lembra como Jim Carr estava me tratando?

Douglas deu um riso nervoso.

— Não me assusta, Flan. Desse jeito parece que você...

— Fui eu.

Ouvi algumas notas de música clássica russa sombria — provavelmente Shostakovitch, conhecendo bem Douglas.

— Flan, vou simplesmente dizer em voz alta o que estou pensando, só porque... não sei. Porque sim.

— Tá bom.

— Você está dizendo que causou uma overdose de absinto possivelmente tóxica no professor de biologia.

— Bom, não fui *eu* — falei. — Então sim e não. Não.

— Mas Jim Carr *sofreu* uma overdose de absinto possivelmente tóxica.

— Sim.

Algumas notas mais. Talvez Tchaikovsky.

— Porque ele era um cuzão?

— *Douglas...*

— Só estou tentando entender.

— Foi muito mais que isso.

— Espero que sim.

Não sei por que acabei dizendo:

— Quem espera sempre alcança.

— *Quê?*

— Nada, Douglas. Quero te contar, mas...

— Olha — ele disse —, por que você não fala pra todo mundo hoje à noite, no Jardim de Esculturas? Acho que vai fazer você se sentir melhor.

— Ai, meu Deus, Douglas. Não é pra ninguém saber, e não que...

— Flan, para. Você precisa da gente. Podemos *ajudar.* Isso é sério, porra.

— Eu sei.

— Então hoje à noite, tá?

Meu estômago afundava cada vez mais.

— Não sei.

— *Flan...*

— Tá bom, tá bom, tá bom. Hoje à noite, hoje à noite, hoje à noite.

— Você está cantando minha música favorita — ele disse.

Escutei meu próprio suspiro profundo.

— *Para* — falei. Senti como se a câmera estivesse levantando voo, mostrando o telhado da casa e se afastando, até eu não passar de uma manchinha na tela.

— Eu te amo — Douglas disse ao telefone.

— Ah — respondi, parecendo um ratinho. Desliguei e coloquei o telefone no gancho. Fiquei ali deitada por um tempo. Tomei banho. Escrevi tudo isso. Vou ficar aqui deitada mais um pouco.

MAIS TARDE

Precisei pegar um ônibus até o Jardim de Esculturas, porque não quis ligar para Gabriel, e Natasha não ia.

— Tenho um encontro — ela explicou.

— Mas temos que falar sobre o Carr.

— Ainda não acredito que você *contou*, Flan. Foi tão *idiota.*

— Eu não contei. Douglas meio que adivinhou.

— Não importa. Não devemos satisfações nem a eles nem a ninguém.

— Natasha, eles podem ajudar.

— Não precisamos de ajuda, Flan. Vou te contar um segredo: nós duas somos melhores que eles. Melhor que todos. Pelo menos — ela falou, e eu a ouvi dar um gole do cantil — *eu* sou. E você *vai* ser, se continuar comigo e parar de correr atrás deles pedindo ajuda sem necessidade. Me liga amanhã. — Ela bateu o telefone. Aquela história toda soava meio esnobe. De qualquer maneira, eu teria que enfrentar aquela conversa sozinha.

Kate me avistou e se aproximou para me dar um abraço apertado. Eu não estava muito a fim de um, por isso só fiquei ali parada.

— Vamos fazer tudo o que for possível — ela me assegurou. — De verdade, Flan. — Seus olhos estavam iluminados. Aquele era o momento pelo qual Kate havia esperado a vida inteira: sua liderança era finalmente necessária.

— Obrigada — falei. — Natasha não pôde vir.

— Eu sei — Kate respondeu. — Ela me disse que tinha um encontro.

— Pois é.

Kate examinou meu rosto como se estivesse procurando por defeitos nele.

— Bom, vem comer alguma coisa. — Kate virou e me levou até os leões. Dei uma analisada nela. Eu era mesmo mais magra. Só precisava olhar o lado bom das coisas mesmo nos piores momentos, aquela velha história.

Todos me deram "Oi". Gabriel, Jennifer Rose Milton, Douglas, e Flora Habstat (credo) vieram me abraçar como se estivéssemos em um velório. Não podia acreditar que Flora Habstat estava ali. Eu teria que conversar com ela sobre tudo aquilo. E Adam. Adam, V. e Lily não levantaram, o que me deixou aliviada e sem graça ao mesmo tempo, porque deixou a situação parecendo menos um velório e mais um interrogatório.

Ficamos todos ali parados por um longo minuto, como se também fôssemos estátuas: os abraçadores de pé, os não abraçadores sentados, a criminosa no meio. Finalmente, Adam, bendito seja, nos trouxe de volta à vida.

— Flan, você precisa de um pouco de vinho. *Todos* precisamos. Vamos sentar, gente. — Rimos de nervoso e sentamos sobre o cobertor de lã. Douglas apertou o PLAY e um quarteto de cordas começou a tocar. Um cálice de plástico com vinho tinto chegou a uma das minhas mãos; na outra, vi um guardanapo de papel, um pedaço de baguete com brie e uma folha de árvore, nessa ordem.

Todos estavam esperando.

— E então? — Lily enfim falou, com um tom bastante sério.

Douglas olhou para ela.

— Vamos comer primeiro. A nós e à nossa amizade — ele disse, erguendo a taça. Todos bebemos obedientes e começamos a passar os pratos.

— Então, V. — eu disse. — Achei que fosse encontrar Brabâncio aqui.

— Quem?

— Steve Nervo.

— Ele não pôde vir — ela respondeu rápido.

— E Frank? — perguntei para Jennifer Rose Milton.

— Achamos que talvez, bom, você sabe, que somente nós deveríamos estar aqui hoje — Jenn falou. *Jennifer Rose Milton falou.*

Olhei para Kate, depois para Flora Habstat e Adam, então de novo para Kate, e disse:

— Ah. — Adotei imediatamente um tom mais amigável. — Sinto muito por ter separado todos os novos casais.

Kate sorriu, pousou sua taça de vinho, inclinou a cabeça para trás e beijou Adam.

— Nem *todos* — ela disse.

Fiquei ali sentada, esperando que outro filme de terror começasse. Talvez nesse as esculturas ganhassem vida e comessem gente.

Peter Pusher: Todos esses filmes de terror na TV... Não é à toa que os adolescentes de hoje sejam tão violentos.

Winnie Moprah: Mas é preciso notar que também há coisas na TV bastante educativas e esclarecedoras.

Peter Pusher: Ah, claro que sim, Winnie. Não estou falando de programas como o seu, mas dos que focam em homicídios e violência. A propósito, muito obrigado por me permitir participar de um programa tão educativo e esclarecedor.

Dra. Eleanor Tert: Também agradeço, Winnie. No entanto, preciso discordar de Peter. Acredito que a mídia não foi responsável pelo comportamento assassino de Flannery Culp. Com efeito, ele foi [Não é maravilhoso? "Com efeito"... Ela pensa que é da realeza britânica?] *determinado por fatores psicossexuais. Cerca de duas semanas antes das mortes ocorrerem, por exemplo, ela repentinamente ficou sabendo que Adam State havia iniciado um relacionamento com sua grande amiga Kate Gordon, reagindo muito mal à novidade.*

Flora Habstat: Na verdade, ela reagiu muito bem.

Dra. Eleanor Tert: Talvez para um olhar leigo.

Ou talvez para alguém que estava realmente ali, dra. Tonta. Engoli em seco.

— Não sabíamos como contar — Adam disse.

— Tentei falar aquele dia antes da aula, quando te encontrei no ponto de ônibus, lembra?

— Lembro — consegui dizer. Olhei ao redor e me dei conta de que, inacreditavelmente, eu não tinha dito o suficiente. Todos estavam esperando mais. Dei um gole de vinho e desejei que Natasha estivesse ali. *Ela*, sim, saberia o que dizer. — Desculpem — falei. — Só estou um pouco surpresa. Mas acho ótimo.

— Tudo bem mesmo? — Kate perguntou.

— É claro — respondi, olhando em volta para todas as pessoas diante das quais eu deveria dizer que tudo bem. Vi Gabriel, de quem havia me esquecido completamente; ele me observava com tamanho desejo que não pude fazer outra coisa senão inclinar a cabeça para trás e beijá-lo. Eu era um peão, sacrificado para bloquear a rainha adversária. Gostaria de entender mais de xadrez para que essa metáfora tivesse algum impacto. — Claro que tudo bem — falei, com os olhos ainda cravados em Gabriel. Ele estava com um sorriso de orelha a orelha. — Até parece que vocês precisam pedir minha autorização pra namorar. Estou muito feliz. — Minha voz saiu tão falsa que até as estátuas lutavam para não revirar os olhos. Senti meus próprios olhos se revirarem, se contorcendo e explodindo. Comecei a chorar copiosamente. Apesar do turbilhão de desespero que me invadia, tive a delicadeza de abraçar Gabriel para que não achasse que eu estava chorando por Adam. Quase podia ver Natasha sacudindo a cabeça para mim. *Que beleza, Flan. "Estou muito feliz", e aí começa a chorar.* — Desculpa — falei. — Os últimos dias têm sido tão difíceis.

Jennifer Rose Milton tocou meu braço.

— Quer falar sobre isso? — ela perguntou, e eu contei. Querer eu não queria, mas falei.

Contei tudo.

— *Minha nossa!* — Lily disse. Ela cobria a boca com as mãos, mas pude ouvi-la assim mesmo.

— Ah, deixa disso — Douglas falou como se não tivesse acreditado naquilo nem por um minuto. — Qualquer um de nós teria feito a mesma coisa.

Agora era para *ele* que Lily olhava horrorizada.

— Está falando sério?

— Isso foi bastante drástico, Flan — disse Jennifer Rose Milton.

— Agora entendi por que você estava tão maluca no baile — V. comentou. Eu continuava encostada em Gabriel, mas ele tinha ficado duro. *Não do jeito que você está pensando.*

— Não acredito que fez isso — Lily falou.

— Bom, na verdade, não fui *eu* — apontei.

— Mas você deixou — Kate retrucou.

— Não exatamente.

— Você poderia ter *parado* Natasha — disse Adam.

Me servi de mais vinho, então reparei que quase todas as taças estavam vazias e comecei a servir todos, como uma ótima anfitriã. Lily olhou com cuidado para sua própria taça e não bebeu.

— Não sei — respondi. — Pode ser. Quer dizer, talvez eu pudesse ter voltado correndo do lago e avisado Carr. Se ele tivesse acreditado em mim, talvez pudessem ter, não sei, feito uma lavagem estomacal nele, e agora eu estaria no reformatório. Vocês vão ficar me dizendo o que eu deveria ter feito?

— Não — Jennifer Rose Milton disse.

— Não, não — Lily fez coro, balançando a cabeça —, mas volte um pouco mais no tempo. Você deveria ter contado para alguém logo depois... bom, logo depois que Carr... você sabe.

— Eu sei. Mas para quem ia contar? Ninguém teria acreditado em mim.

— Eu teria — Douglas disse à meia voz.

— Eu também — Flora Habstat se meteu. Preferia que tivesse ficado calada.

— Flan, qualquer um de nós teria acreditado em você — Lily comentou.

— Sei que *vocês* teriam acreditado em mim. Mas quem somos nós? — Olhei ao redor. — Somos *adolescentes*. Podemos ser inteligentes, mas ainda assim *adolescentes*. Não teriam acreditado mais em nós só porque somos um grupo e acabaríamos voltando ao ponto de partida, desacreditados.

— Por isso você decidiu envenenar o cara — Lily disparou, olhando para mim e entornando o vinho.

— Simplesmente aconteceu — retruquei.

— *Simplesmente aconteceu?!* — Lily repetiu inconformada, virando para Douglas. — E *você fica* do lado dela?

— Eu não sabia mais o que fazer — falei. Para minha humilhação, estava chorando outra vez.

— Você poderia ter contado pra minha mãe — Jennifer Rose Milton opinou.

— Eu não sabia mais o que fazer! — Levantei, mas não sabia para onde ir. Todos esticaram o pescoço para me observar, como se estivessem chegando atrasados ao cinema e fossem obrigados a se sentar na primeira fileira. — Se tivessem *visto*. — Olhei em volta. Estava ficando frio, mas as lembranças e o vinho fervilhavam em minha cabeça. Eu precisava de Natasha.

— Estou com você — Kate disse subitamente. Ela se desenroscou de Adam e levantou. — Não vou dizer que foi a melhor decisão, mas disso você já sabe. E vai saber o que qualquer um de nós teria feito na sua situação?

Jennifer Rose Milton pareceu meditar sobre a questão.

— É verdade — ela falou.

Gabriel ficou de pé e pôs seu braço sobre mim, como se estivesse medindo a distância entre nós. Não era grande.

— Eu também — ele disse. Então Douglas levantou, seguido de Adam, e aí foi como aquela coisa que acontece após alguns concertos: você não está impressionado o bastante para aplaudir de pé, mas todas as outras pessoas estão, então acaba levantando também, nem que seja para enxergar melhor. Olhando de longe, com todos ali de pé em círculo ao redor do cobertor, devia parecer um antigo ritual, como um Stonehenge adolescente.

— Acho que podemos sentar agora — Kate disse. — Parece até que somos uma seita. Vamos tomar mais vinho e tentar pensar no que fazer.

— Não tenho ideia — Douglas falou. — Jenn, imagino que você vá receber notícias sobre o estado de saúde do Carr.

— Provavelmente todos vamos — ela respondeu.

— Ele vai recuperar a consciência? — Adam perguntou.

Engoli em seco.

— Ele está inconsciente?

— Mais ou menos... — Jennifer Rose Milton respondeu, evitando meus olhos.

— Bom — Douglas interveio —, depende da quantidade de absinto que ele ingeriu.

— Para — falei. — Você não faz a menor ideia se ele vai voltar ao normal. Não *de verdade*.

Todo mundo olhou para mim.

— Está bem — Douglas admitiu. — Não sei mesmo. Só estava tentando ser útil.

— Sabe, Flan... — Lily começou a falar, mas foi interrompida.

— Não acho que vai fazer diferença se ele acordar — Adam observou. — Me corrijam se eu estiver errado, mas pelo que contou, Flan, mesmo que ele consiga falar...

— Ele não está falando? — perguntei.

— Na maior parte do tempo, não — Jennifer Rose Milton respondeu.

— Carr não vai saber quem fez isso. Quer dizer, com toda aquela comida *internationale* esquisita, ele nem vai saber que *alguém* agiu com intenção. Vai parecer um acidente.

— Ninguém se intoxica assim por acidente. — Lily resmungou.

— Além disso — V. acrescentou —, ele poderia pensar em uma pessoa específica que *gostaria* de fazer isso.

— Mas o que o cara vai fazer? — Adam indagou. — Procurar Bodin e dizer: "Acho que foi a Flan que fez isso, porque eu... esquece, não importa o que fiz"?

— Tem razão — Kate concordou, colocando o braço em volta dele.

— Carr poderia pensar em algo... — Lily começou a falar, mas outra vez Adam a interrompeu.

— A coisa mais importante a fazer — ele disse —, é não contar a ninguém sobre a festa do absinto. Se por acaso rastrearem que foi o que Carr tomou e estiver correndo o boato de que a gente tomou isso, vai dar uma merda gigantesca.

— *Você* não tomou. *Você* não estava na festa. Por que de repente *você* está no comando, Adam? O que está fazendo aqui, aliás? — Tinha acabado de me dar conta de que era *eu* quem dizia isso quando Lily levantou.

— Acho que, no seu lugar, a única coisa que pode fazer é nos tratar *muito, muito bem* — ela disse.

— E Adam é definitivamente um de nós — completou Kate, me fuzilando com o olhar.

Eu estava encurralada. O ar da noite soprava, e percebi que precisava deles, enquanto eles não precisavam de mim. Estendi a mão para que Natasha a segurasse, mas ela não estava lá. Foi Gabriel quem fez isso.

— Desculpa — falei para Adam. — Os últimos dias têm sido difíceis.

Ele sorriu e encolheu os ombros.

— Posso imaginar — Adam disse. — Mas, francamente, Flan... *Absinto?* Como é que se pode matar alguém com isso? Qualquer um pode dar um tiro em outra pessoa, mas *absinto*? É preciso ter...

— *Panache?* — sugeri.

— O que eu ia dizer é que assassinato por absinto não é algo digno do *Guinness*.

— Na verdade… — Flora começou, mas já não consigo escrever.

Domingo, 17 de outubro

Estava *bem na cara*. O *tempo todo*. Veja isso aqui, de SEGUNDA--FEIRA, 4 DE OUTUBRO, quase duas semanas atrás. Não, não venha me dizer que lembra. Você não está lendo isto aqui com tanta atenção assim. Não vou ser enganada. Dá uma olhada:

A primeira coisa que vi quando entrei na minha amada escola foi Kate, encostada em seu armário conversando com Adam.

E o que foi que eu fiz? Por acaso sugeri que eles deviam provar um delicioso coquetel de fruta? Não, simplesmente fui lá conversar. Jamais suspeitei que pudessem fazer algo tão baixo. E na sexta à noite?

Kate e Adam, que parecia estar bêbado, mas eles não eram um casal de verdade, só estavam dançando juntos.

Quando vi os dois juntos ontem, por acaso suspeitei? NÃO! Só pedi *desculpa* por ter separado todos os novos casais.

— Sinto muito por ter separado todos os novos casais.

Kate sorriu, pousou sua taça de vinho, inclinou a cabeça para trás e beijou Adam.

— Nem todos *— ela disse.*

Odeio essa fala: "Nem *todos*". É arrogante *pra cacete*! Eu devia ter desconfiado. Não por essa coisa toda de dançar juntinhos e ficar de conversa apoiados nos armários. Havia um indício antes. Se agitando bem na minha cara, como uma bandeira. Eis aqui o que aconteceu na quarta-feira. Veja a mudança de mãos, como um segredo transmitido entre espiões:

Kate pegou um lenço azul-marinho do bolso de seu blazer azul-marinho.

E depois:

FOTO SETE: Uma tentativa bem-sucedida de capturar Adam a caminho do coral. Arqueando as sobrancelhas e sorrindo por algo que uma segunda soprano sem noção diz, enquanto ele enxuga a testa com um lenço azul-marinho.

Mas não bastou: isso foi praticamente esfregado na minha cara e não percebi. Quinta-feira:

Ele estava resfriado e assoava o nariz com um lenço azul-marinho quando me aproximei. Antes que pudesse me conter, toquei seu pescoço, e Adam sorriu até afastar o lenço do rosto. Aí fez uma careta confusa, como se eu o tivesse acordado.

Sexta:

Adam estava com a boca cheia, limpando molho do queixo com um lenço azul-marinho.

O lenço, a *merda* do lenço, rindo da minha cara. E vai saber o que Adam deu para ela. Adam, eu te amo tanto; Adam e Kate, odeio vocês demais. Tirei o suéter azul-marinho de Kate da prateleira secreta e estou com os olhos fixos nele agora, berrando a plenos pulmões, sozinha no quarto:

O LENÇO!!!!!!!!!!!!!!!

Vocabulário

DEVERAS PRECARIAMENTE FILANTRÓPICO
CORTESÃ CENTRIFUGADA INFLIGIDO
ANTICLIMÁTICO INSENSÍVEL

Questões para análise

1. Quando você dirige até a casa de alguém tarde da noite, como pode saber se a pessoa está em casa ou não?

2. Liste os prós e contras de haver um Festival Internationale na sua escola. Acha que há supervisão adulta suficiente em eventos desse tipo? Lembre que eles devem ser seguros para alunos e professores, caso contrário não serão tão divertidos.

3. Você acha que o sr. Carr agiu corretamente com Flannery? Acha que Flannery agiu corretamente com o sr. Carr? Acha que Natasha agiu corretamente com o sr. Carr? Acha que Flannery agiu corretamente com Natasha? Acha que Adam agiu corretamente com Flannery? Acha que Adam agiu corretamente com Kate? Acha que o Clube dos Oito agiu corretamente com Flannery? Acha que a sra. State agiu corretamente com Flannery? Você age corretamente de maneira geral? Questões desse tipo serão repetidas diversas vezes ao longo deste diário, mas responda uma de cada vez.

4. Você reparou no lenço antes? Se não, por quê? Se sim, o que fez? Nada, né? Te odeio.

Segunda-feira, 18 de outubro

Eu devia ter lido o roteiro com mais atenção. Não estava pronta. Estaria todo mundo me observando, ou Kate e Adam estavam tão envolvidos um com o outro que nem tinham consciência do que haviam feito comigo? Duvido muito. Ron fez um longo discurso sobre ciúme e amor. Quando escutei Kate rindo por conta de alguma piadinha, quis morrer. "Ela é uma cortesã, ela é uma cortesã", fiquei repetindo para mim mesma, enquanto Ron matraqueava:

— Tenho certeza de que vocês todos têm vidas amorosas complicadas, mas precisam começar a ampliar esse cenário mentalmente até que atinja proporções épicas, trágicas.

— Mas já *está* assim, Ron. Sério — Kate falou, e senti vontade de dar um soco na cara dela. Todo mundo deu uma risadinha e fui forçada a revirar os olhos para Gabriel. Ele sorriu e franziu os lábios para mim, secretamente. Socorro.

Achei que as coisas fossem melhorar assim que começássemos a ler o roteiro, especialmente quando Ron fez os personagens principais se sentarem num pequeno círculo de cadeiras dobráveis, excluindo Kate. Ele me colocou ao lado de Adam e bem longe de Gabriel, como deve ser. E então aconteceu: ato III, cena 3.

> *IAGO: Mas o que fazes aqui, sozinha?*
> *EMÍLIA: Não fique já irritado, tenho algo pra você.*
> *IAGO: Algo para mim? Algo trivial...*
> *EMÍLIA: Como assim?*

IAGO: Ter uma esposa abobada.

EMÍLIA: Ah, é isso? E então o que me daria agora em troca daquele lenço?

IAGO: Lenço? Qual lenço?

Fiquei ali sentada, passando minhas falas da maneira prevista, fazendo tudo o que o roteiro exigia de mim, e o que acontece na minha última cena? Odeio contar o fim da história, mas Adam me apunhala. Quando as cortinas caem, ele é desmascarado como o vilão, embora seja algo que o público sabe desde o início. Kate segue sendo uma cortesã. Mas eu, inocente até o fim, repleta de boas intenções, morro.

Terça-feira, 19 de outubro

A orientação começou com um retorno ao passado pelos alto-falantes:

— Flannery Culp, favor se apresentar na diretoria.

No segundo ano do fundamental, Sara Crain e eu ficamos no banheiro das meninas, dando gritinhos e morrendo de rir, quando descobrimos que as toalhas de papel, molhadas na pia e amassadas em forma de bolas, grudavam no teto como estalactites úmidas. Conferimos se a barra estava limpa e voltamos sorrateiras para o handebol achando que tínhamos nos safado. Não havíamos contado com o eco produzido pelos risinhos de alunas do segundo ano do fundamental dentro de um banheiro. Aparentemente, uma das bolas acabou caindo em cima da impiedosa cabeça da sra. Parrot.

Dessa vez, no entanto, era só o meu nome sendo chamado; Sara morreu num acidente de carro no quarto ano. Quando fiquei sabendo, me recusei a sair do meu quarto por três dias. Eu, ela e alguns bichinhos de pelúcia formávamos um clube. Você sabe como é.

Medusa me fez entrar sem dizer uma palavra. Bodin estava à mesa, segurando o globo inflável, mais ou menos do tamanho de um melão. Ele gosta de jogá-lo numa pequena cesta de basquete fixada na parede, que, imagino, deveria ter um efeito inspirador, mas cuja aparência era deplorável.

— Olá — falei. Ele me encarou sem dizer nada, só girando o globo. Jean Bodin é um homem imenso e asqueroso.

— Mundo pequeno, né? — o diretor falou finalmente, segurando seu melão de continentes. Senti um calafrio, assim como você deve ter sentido quando leu "melão de continentes".

— É mesmo — falei tentando parecer indiferente, olhando para o globo. — É um mundo pequeno.

Ele o pousou sobre a mesa.

— Sente — Bodin disse, e eu sentei. Ele olhou para mim, de novo sem dizer nada.

— Qual é o problema, seu guarda?

— O problema é que temos um professor de biologia em estado grave de saúde — ele disse. — *Seu* professor de biologia.

Lembrei o que Bodin havia me dito da última vez que tivéramos uma conversa sobre meu professor de biologia.

— Isso não é um *problema* — falei. — É um *desafio*.

Ele deu um sorrisinho mirrado.

— De fato. — *Sério?* — Mas o sr. Carr se encontra em estado muito grave. Tem ideia do quanto?

— Bem — falei com cautela. — Eu estava lá...

— No Festival Internationale.

— Isso, no Festival Internationale. Então vi o que aconteceu.

Os olhos dele foram rápidos.

— E *o que* aconteceu?

— Sei lá. O… hã… — O que Jennifer Rose Milton tinha dito mesmo? — O *derrame*.

— Não foi um derrame — Bodin anunciou, pegando outra vez o globo.

— E o que foi?

— Uma overdose.

— Quê?

— Eles ainda não tem certeza de qual droga, mas foi uma overdose com certeza. Só estou contando isso porque haverá um anúncio oficial amanhã durante uma assembleia da escola.

— Ah.

Ele só estava me contando aquilo porque todo mundo ficaria sabendo no dia seguinte?

— Aí está o problema. O *desafio* — ele disse, sorrindo para mim. Bodin se reclinou na cadeira e tentou acertar a cesta. O globo bateu no aro e caiu no chão, ao lado da minha cadeira. — E o que tenho a dizer é: o que sabe a respeito disso?

Baixei os olhos para o mundo. Havia uma tachinha enferrujada ao lado dele, virada para cima de forma ameaçadora.

— Quê? — perguntei.

— Você me ouviu — o diretor Bodin respondeu.

— Do que o senhor está me acusando?

— Ninguém está acusando você de nada — ele disse. — Mas tenho um professor de biologia fora de serviço pelo menos até o fim do semestre… Um professor substituto vai assumir amanhã, e quero que você e seus colegas adotem um comportamento absolutamente exemplar, pode repassar a notícia… Como eu dizia, um dos meus professores de biologia ficará fora de serviço até o fim do semestre, e justamente aquele que você não se dava bem.

— *Com quem* eu não me dava bem.

O diretor olhou para mim por um segundo.

— *Com quem* eu não me dava bem — ele repetiu. — Mas então... Existem algumas pessoas que acham que você foi a responsável pela brincadeira com as drosófilas no mês passado. Está lembrada?

— Sim.

— Sim o quê?

O que ele estava querendo?

— Sim, diretor Bodin.

— Sim, diretor Bodin o quê?

— Sim, diretor Bodin, eu lembro. Algumas pessoas acharam que tinha sido eu, mas foi a assistente dele. — Pensei na moça demitida e com um filho para criar. Ela certamente não precisava de mais confusão na vida. Mas era ela ou eu. Ele continuou me analisando. — Lembra?

— Sim — ele respondeu. — Lembro. Mas não dá pra ter certeza, não é mesmo?

— Escuta — falei, levantando.

— Sente.

— Escuta — falei, sentando. — Sinto muito pelo Carr, mas, se ele usava drogas, não é problema meu.

— Eu não disse que ele usava drogas — Bodin retrucou. — Disse que teve uma overdose. Elas podem ter sido *dadas a ele*. — Ele se reclinou na cadeira e olhou para mim.

Fiquei quieta.

— Tudo o que estou perguntando é se você sabe algo a respeito — o diretor falou. — Sei que vocês dois tinham seus problemas, e que seu grupo de amigos... bom, vocês são meio que *espertos*. — Ele deu uma tossidinha.

— Sim, eu e meus amigos somos intelectuais, mas isso o senhor não é capaz de compreender, não é? Agora me deixa em paz. — Levantei e virei para sair.

— Escuta aqui, mocinha... — Ele levantou também e foi até mim para agarrar meu braço. — Não terminamos ainda.

— *Não encosta em mim! Tira a mão!* — gritei. Ele deu outro passo na minha direção e tropeçou no globo, que rolou sobre a tachinha. O mundo explodiu. Bodin olhou para os próprios pés e me virei para ir embora. Quando estava quase chegando na porta, senti sua mão outra vez em meu braço. — *Não me toca, porra!* — gritei, em plena sala de espera, e ele me soltou como se eu estivesse queimando. Como se o medo de um processo por assédio sexual o tivesse feito se afastar de mim. Até a Medusa estava boquiaberta. Quando virei e dei com outras pessoas ali, reparei que também estavam. Bom, a maioria. Jennifer Rose Milton, Lily, V., Douglas e *Adam* estavam boquiabertos. Gabriel cobria o rosto com a mão e Kate olhava incrédula e ligeiramente triunfante, como se soubesse desde o início tudo o que aconteceria.

Com todos os meus amigos esperando para serem interrogados, eu não tinha ninguém a quem recorrer, então fiquei sozinha no corredor, agitada e ofegante.

— Parece que você se saiu bem — disse de repente uma voz áspera. Girei o corpo e vi Natasha, com seu cabelo arrumado em duas longas tranças, como uma camponesa. Nunca fiquei tão feliz em ver alguém. Dei um abraço forte e demorado nela. Assim que terminei, dei um passo para trás e então a abracei de novo.

— Onde você *estava*? — perguntei.

— Desculpa — ela disse. — Fiquei na minha alguns dias.

— Eu estava *preocupada* — falei. — Você podia ter sido jogada numa vala tendo uma overdose, ou coisa do tipo.

— Não tem tanta droga rolando por aí — Natasha comentou. — Carr tomou todas. Maior drogado.

Olhei à minha volta para ver se havia alguém escutando, mas os alunos de Roewer já estavam tão acostumados com Natasha que passavam por ali como se ela fosse minha amiga invisível.

— Não devíamos ficar falando disso — adverti. — Acho que Bodin está de olho na gente.

— Como foi lá? Só ouvi o final — ela disse.

— Nem sei — falei, e me lembrei de quem tinha me colocado naquela cilada. — Fique agradecida por eu não ter entregado você.

— Como se alguém fosse acreditar — ela rebateu, e apontou os olhos cortantes para mim. — Fiz isso por *você*, Flan. Como poderia sequer pensar em me entregar? Além disso, nunca tive aula com Carr. — Ela revirou os olhos. — Se é que você me entende. Por isso é perfeito. Ninguém vai imaginar que fui eu.

— Bom, Bodin está imaginando *alguma coisa* — falei. — Todo mundo tá lá dentro agora. Aliás, estou surpresa que não tenham chamado você também.

— É que hoje não estou aqui oficialmente — ela avisou.

— Como é que você vai entrar na faculdade assim?

— Tenho coisas mais importantes pra resolver nesta semana — Natasha respondeu. Ela falava como se não tivesse nenhuma preocupação na vida. — Por exemplo: como as pessoas vão reagir ao meu novo penteado?

— Ele é bem... diferente — comentei. — Tem um quê norueguês.

— É exatamente o que eu estava querendo. Meio Heidi versão louca. Ela era norueguesa?

De repente, com os olhos dela sobre mim, fiquei com vontade de chorar.

— Se você quer que seja... — falei à meia-voz. — É você quem manda, Natasha.

Ela me deu um beijo na bochecha.

— De qualquer forma, foi este penteado que convenceu Flora

de que não havia problema em matar aula hoje. Ela está esperando nós duas no lago. Vamos almoçar e pegar um filme.

— Nem ferrando — respondi. — Ela é a última coisa de que preciso hoje.

— A última coisa de que você precisa hoje é Flora conversando com Jean Bodin. Podemos confiar nos outros, mas essa garota pode nos dedurar a qualquer momento. Ela está bem assustada, Flan.

— *Ela* está assustada?

— É — Natasha disse, olhando para mim. — Quando escutei Medusa chamando a gente pra ver Bodin (maior déjà-vu do segundo ano), sabia que precisaríamos aplicar a Regra de Baker de novo. Então encontrei Flora antes que entrasse na orientação e a convenci a cabular com a gente. Se tudo der certo, Bodin nem vai se lembrar de falar com ela.

— Desde quando *ela* é uma de nós? — desabafei. — Flora não é minha *amiga*, pelo amor de Deus... Não sei, ela é...

— Alguém que precisamos garantir que não abra o bico — Natasha completou. Tínhamos chegado à entrada lateral. — Agora toma um gole do cantil e põe um sorriso nessa cara. Almoço e cinema.

Dei um gole; era água.

— Não são nem dez horas ainda — retruquei. — Está meio cedo para almoçar.

— Então vamos comprar sapatos ou qualquer outra coisa — Natasha disparou. — O céu é o limite.

Olhei para o alto e constatei que ela tinha razão. Estávamos cruzando a rua em direção ao lago. Acima de mim, o céu se estendia enorme e claro, como uma pilha de presentes que você ainda não abriu, mas que *sabe* que são fabulosos. De um azul bem claro, riscado por nuvens ainda mais claras. Era verdadeiramente sublime. Passarinhos cantavam, juro. Flora estava ali nos esperando. Quando ela acenou e sorriu, o cenário pareceu tão perfeito que até a achei bonita.

A bolha só estourou quando nós três ficamos ali à margem do lago observando alguns patos brigarem. Seja lá o que era — comida ou talvez outro pato —, afundou rápido como uma pedra, deixando os outros confusos a princípio, depois entediados e tímidos. Eles deram mais algumas bicadas desanimadas uns nos outros e então só ficaram olhando para dentro d'água, como sempre. Quase consegui me sentir afundando. Quase consegui visualizar como seria olhar a superfície da água lá de em cima, com as silhuetas dos patos cortadas pela luz do sol. Então me dei conta de que ninguém me resgataria se eu começasse a afundar. Todo mundo ficaria olhando para dentro d'água, como sempre, esperando pelo que viria a seguir. Fui me sentindo cada vez menor, até que presenciei uma coisa sinistra. Não sei se era o ângulo da água ou os raios do sol criando uma espécie de ponto cego — eu matei aulas de ciências demais para saber —, mas ao olhar para baixo e ver nossos reflexos na água, encontrei apenas duas silhuetas. Rapidamente levantei a cabeça: Natasha e Flora continuavam ali, em terra firme, mas na água havia só duas pessoas. Como a superfície ainda ondulava devido ao objeto recém-afundado, não consegui ver quem estava faltando no reflexo: Flora, Natasha ou eu.

Quarta-feira, 20 de outubro

Na manhã de hoje, Lawrence Dodd estava estranhamente melancólico, considerando que usava uma gravata com estampa de dançarinas havaianas, quando anunciou que deveríamos nos dirigir "direta e silenciosamente" da orientação para uma cerimônia em memória de Jim Carr. Para mim pareceu um pouco prematuro fazer uma cerimônia em memória de alguém que não estava morto, mas, quando cheguei lá, foi ainda pior do que eu esperava.

Jean Bodin levantou e começou a falar no microfone, mas tivemos que esperar uns bons trinta segundos até os ruídos de estática passarem. Ele olhou em volta, fazendo uma careta de incômodo, e continuou. Isso mesmo, *continuou*, apesar de ninguém ter ouvido nada que tinha dito até ali. Natasha, sentada ao meu lado, pegou seu cantil. Kate, do outro, pegou um livro.

— Tenho certeza de que mesmo aqueles de vocês que não viram a cena estão chocados — ele disse. — Mas o vice-diretor pode confirmar. — Mokie ficou de pé na primeira fileira e, inexplicavelmente, acenou para todos. Os dois se olharam por um instante, e ambos deram uma tossidinha em uníssono. — Bom, sem mais delongas... — Bodin falou. Nisso, uma mulher superbem vestida surgiu de trás da cortina do auditório e se aproximou do microfone. O diretor fez uma pequena reverência (sim, uma *reverência*) e ela começou a falar sem parar. Do seguinte modo:

— Olá, crianças. Vou contar uma história a vocês. A minha história.

— Olá, crianças — Natasha falou para mim, acenando e fazendo uma careta ridícula. Abafei uma risada e fui fuzilada com o olhar de um gordo professor de latim.

— É ortograficamente certo dizer: "vou contar a vocês de uma história"? — Kate sussurrou para mim.

— Gramaticalmente correto, você quer dizer — eu a corrigi. Fez-se um silêncio e vi que todos estavam nos olhando. Eu me perguntei o motivo, até que encarei o palco e vi que aquela mulher olhava fixamente para nós. Mais especificamente, para *mim*. Foi assim que me pareceu mais tarde. Eu pensava que estava ali conversando com minhas amigas, mas todo mundo mantinha os olhos cravados em nós, e aquela mulher — você consegue adivinhar quem é? — fazia isso com mais força que qualquer um. Retribuí o olhar dela e sorri; a melhor defesa é o ataque, ou vice-versa. Ela baixou a cabeça, levantou e recomeçou. Tinha o penteado mais horroroso que você pode imaginar. Vamos lá, imagine um... isso mesmo, é exatamente assim que ela estava.

— Quando tinha a idade de vocês, achava que estava no topo do mundo. Tinha participado de alguns concursos de beleza e, embora nunca tenha ganhado, recebi uma oferta de emprego como comissária de bordo após me formar no ensino médio. Eu não precisava ir à faculdade! Era perfeito.

— Estou me identificando com isso — Natasha murmurou.

— Quê? — Kate sussurrou, fingindo estar chocada. — Ela não ganhou? Aqueles juízes eram cegos?

— Em pouco tempo fui promovida para a primeira classe. Era um trabalho difícil, mas recompensador. Durante um voo, no entanto, eu me senti realmente exausta. Mal conseguia cumprir minhas funções.

— Os executivos devem ter ficado sem travesseiro — Natasha comentou e tomou outro gole.

— Um dos meus colegas de voo percebeu meu cansaço e me deu algo que, segundo ele, ia me deixar mais animada. Era cocaína. Eu já tinha ouvido algumas coisas ruins a respeito, claro, mas ele disse que era algo totalmente seguro. A sensação foi incrível. Parecia que eu estava voando.

— Você estava voando — Kate, Natasha e eu dissemos juntas.

— Em pouco tempo, já estava usando cocaína o tempo todo. Achava que era só para me dar energia. Não conseguia aceitar a verdade, só negava... E não estou dizendo que não pagava meus impostos. Desculpa, não tem nada a ver, mas é que, quando falei "só negava", soou como... esqueçam. Às vezes eu chegava elétrica demais para trabalhar e precisava tomar um pouco do champanhe de cortesia para me acalmar. Acabei me tornando alcoólatra também. Um vício alimentava o outro. Eu estava sob muita pressão...

— Claro, com toda a pressurização da cabine — Natasha murmurou. Desculpe, mas não consigo resistir ao prazer de acrescentar essas piadas.

— ... para ter um bom desempenho no meu trabalho, e ironicamente meus problemas com álcool e drogas me impediam de conseguir isso. O método que eu havia escolhido para atenuar minha pressão na verdade só a deixava maior, que é sempre o caso nessas situações de dependência. Hoje sei disso. Sou uma sobrevivente. É por isso que estou aqui para falar com vocês. Um dos professores desta escola foi vítima de uma overdose. Se ele fez isso conscientemente ou foi drogado não importa. O que importa é que as drogas penetraram no universo do Colégio Roewer como uma falsa solução às pressões que *vocês* sofrem. É isso que tenho a lhes dizer! Drogas não são a solução! *Eu* sou a solução! Meu nome é Eleanor Tert, e estou aqui para ajudar todos vocês!

Quinta-feira, 21 de outubro

Dez dias. Parece uma boa ideia passar a incluir uma espécie de contagem regressiva. Normalmente eu não lançaria mão de um recurso tão grosseiro — sou uma escritora, por isso dou valor à estrutura narrativa acima de tudo —, mas acho que o assassinato será uma surpresa.

Estou na orientação agora, enquanto Bodin dá as últimas notícias sobre o estado de saúde de Carr nos alto-falantes. Uma condição invejável em dias tediosos como este. Ele contou que Carr está no sétimo andar do Hospital Memorial Rebecca Boone, caso alguém queira mandar cartões e flores para ele. Cartões e flores para uma pessoa inconsciente?

Quando eu era pequena, assistia a um programa de TV que partia da seguinte premissa: estamos no futuro, vivendo em uma estação espacial na Lua. Um dia, um cometa destrói a ligação — que diziam permanente — entre a Lua e a Terra, e o satélite sai de órbita. Ficamos muito ferrados e precisamos passar várias temporadas tentando voltar para casa. Curiosamente, ao sair da escola no horário de almoço, tive a sensação de estar naquele primeiro episódio. O sol bateu nos meus braços nus no momento em que saí pela porta como um cometa incandescente, a gravidade de Roewer me agarrando como um amigo chato, um pretendente que só apareceu em um episódio e nunca mais se ouviu falar dele porque não alavancou a audiência, como, não sei, vamos dizer... Gabriel.

O motorista do ônibus me olhou com uma cara de por-que-diabos-você-não-está-na-escola e eu retribuí com uma cara de cala-a-boca-você-é-o-motorista-só-dirija. A suspeita de que a ideia que havia tido era ruim começou a esquentar na minha cabeça enquanto eu observava a paisagem: restaurantes chineses, locadoras de filme, lojas de donuts, um hospital... merda. Precisei voltar três quarteirões andando, comprei flores por um preço exorbitante no saguão e quando dei por mim estava perguntando a uma enfermeira antipática do sétimo andar em que quarto Carr estava.

A cena a seguir, receio, será medonhamente exagerada em *Clube dos Oito, Clube do Ódio: A história de Flannery Culp*. Consegue visualizá-la? Carr em uma cama diáfana, com alguns equipamentos hospitalares falsos e completamente romantizados ao seu lado — talvez uma bolsa translúcida de medicação intravenosa ou uma tela com seus batimentos cardíacos registrados como ondas. A câmera se movimenta ao meu redor enquanto falo, focalizando às vezes o olhar perdido de Carr, graças a lentes de contato que permitem ao ator gostosão piscar em seu coma de mentirinha sem que ninguém note.

— Sinto muito — ela chora, com lágrimas perfeitas como cristal, sem que os olhos fiquem vermelhos ou o nariz escorra. — Agora estou fazendo terapia com a dra. Eleanor Tert. Com a ajuda de que preciso e com seu perdão, poderei seguir em frente com minha vida. — Mais a seguir.

O quarto de verdade do hospital não era branco ofuscante, mas de um irritante tom de rosa que deixava a roupa de todo mundo horrível. Aparentemente, alguém havia derrubado uma caixa de tubos de plástico sobre Carr, e eles haviam escorregado para todos os buracos possíveis, tentando se esconder. O rosto dele lembrava alguma coisa que em nenhuma circunstância você devia comer. Hematomas amarelados manchavam sua pele como blushes baratos, e pequenas larvas do que eu sabia ser sangue seco despontavam de seu nariz, embora pareçam mais as cicatrizes nojentas de plásticos que garotos de catorze anos compram para usar no Halloween. Havia alguns buquês de flores murchas e cartões abertos sobre uma mesa que podia ser colocada em cima da cama de Carr, caso ele voltasse a acordar algum dia e quisesse (e pudesse) comer. Talvez trinta ou quarenta pessoas tivessem assinado cada cartão. Aparentemente, turmas inteiras estavam sofrendo pela pessoa que deitava ali, mas não havia ninguém no quarto.

Sair da escola e ir até lá tinha sido algo tão impulsivo que eu esperava alguma supernova de emoções quando finalmente o visse, mas só fiquei parada, com a cabeça vazia, como fantasias de Halloween de garotos de catorze anos. Olhei para Carr esperando alguma emoção, mas ele só parecia um pedaço de nada. Não havia nenhum lugar para botar as flores, então enchi de água o pequeno cesto de lixo rosa do banheiro limpo e vazio — com chuveiro, mas sem box — e meti meus cravos nele. Não havia espaço na mesa, por isso os coloquei no chão, onde realmente pareciam lixo. Os olhos de Carr estavam fechados. Eu podia ouvir o bipe de um médico e rodas guinchantes de alguma coisa passando do lado de fora. Talvez o carrinho do almoço, talvez alguém sofrendo numa maca. Estava tão desconfortável que me senti obrigada a dizer alguma coisa, apesar de nem o triunfo nem o remorso me invadirem. Minha mão coçava.

— Você mereceu — falei, finalmente, embora não fosse o que pensasse.

Sexta-feira, 22 de outubro

Se Adam tivesse só nove dias de vida, o que ele teria feito de diferente? Acredite ou não, Hattie Lewis nos passou exercícios com o dicionário porque alguém não sabia o que "anafado" significava (eu, é claro). É incrível como o erro de uma pessoa pode ferrar todo mundo. Mas o que interessa é que agora tenho bastante tempo para registrar aqui as atividades de Adam. Sei que ainda é a segunda aula, mas ele começou cedo.

— Não entendo por que estamos fazendo isso — Natasha falou com um ar rabugento. Seguíamos Adam de carro aos solavancos. Eu a havia convencido a fazer aquilo em troca de um latte duplo e um muffin de blueberry com cobertura crocante que jamais poderia comer se quisesse continuar cabendo na minha calça jeans. — Nunca dirigi tão devagar na vida. Nem a cobertura crocante vale isso.

Eu mordiscava o polegar — meu café da manhã. À nossa frente, Adam estava aproveitando um farol vermelho para ajeitar o cabelo no retrovisor. Sua outra mão pendia solta pela janela, tão frouxa que poderia ser amputada, sua pele estava linda mesmo atrás da fumaça do escapamento do ônibus à frente. Não era o caminho da escola. Era o caminho da casa de Kate, mas eu não estava realmente pronta para aceitar *aquilo*. Talvez ele estivesse indo a qualquer outro lugar. Perto da casa da Kate.

— Não seja ridícula — Natasha disse, fazendo o motor roncar, parecendo cansado de ser obrigado a andar em velocidade tão baixa. — Ele está indo pegar a namorada. Qual é a surpresa?

Os dedos de Adam tamborilavam no ritmo de algo que eu não conseguia ouvir.

— Eu amo ele. É mais forte do que eu — falei.

— Sabe, "amor" pode significar um monte de coisas — ela disse. — A primeira definição é de "forte afeição por outra pessoa", seguida de "atração baseada no desejo sexual", depois "caso, namoro" e "forte amizade". No fim vem o "fruto da amoreira". Ah, não. Esse já é o verbete seguinte.

Desculpa. De vez em quando abro o dicionário e faço aqueles exercícios idiotas.

A rua de Kate, o quarteirão de Kate, a casa de Kate.

— Encosta atrás daquele carro estacionado — falei.

— Ai, meu Deus — Natasha bufou, mas obedeceu. — Preciso de uma bebida. Abre o porta-luvas.

— Você bebe demais — falei, passando o cantil.

— Você persegue garotos demais — ela rebateu. — Flan, o que quer dele?

— Quero que fique *comigo*! — gritei, e me dei conta imediatamente de que aquilo soava ridículo. Porque (me escutem, Eleanor, Peter, Moprah) era mais do que isso. Todas as palavras de um dicionário não dão conta de descrever o que realmente era.

— Imagino que seja totalmente desnecessário lembrar que você já está com alguém.

A escada de Kate, a porta de Kate, Kate. Natasha e eu nos abaixamos. Ela tomou outro gole do cantil. Fiquei com medo de ser pega, por isso esperamos ali até ouvir o carro dele dar a partida.

— Não posso acreditar — falei olhando para os dois saindo.

— Nem eu — Natasha resmungou, olhando para mim. — Esse garoto jogou algum feitiço em você, Flan. Por que está atrás dele? Você sempre foi uma donzela jamais insolente, de espírito tão sereno e tranquilo que ao menor movimento se enrubescia. E a despeito de sua natureza, de seus anos, de seu país, de seu credo, de tudo, você se apaixonou por um *babaca*! Olha pra ele! Na boa, você perdeu o juízo. Por que você se apaixonou? Quer dizer, Douglas é gay, mas sempre foi *gentil*. — Ela praticamente cuspiu aquilo. — E agora você tem outro garoto gentil, alguém bom, que faria qualquer coisa por você, mas quem é que está seguindo em um carro? Alguém que te sacaneou e que provavelmente vai sacanear Kate. E por acaso está brava com isso? Será que não é capaz de ouvir a porra do seu professor de cálculo uma vez na vida e *fazer alguma coisa*? O que ele *fez* com você, Flan? Te juro, com algumas misturas de sangue poderosas, ou com alguma beberagem conjurada para tal efeito, ele enfeitiçou você.

— Que porra é uma beberagem?

— Compra um dicionário — ela alfinetou, e saiu com o carro.

— Não corre, ou eles vão ver a gente — falei.

— Você está parecendo uma maluca — Natasha disse, girando o volante e entornando o cantil. Observei sua garganta enquanto engolia a bebida; Natasha parecia tão *viva*, como se eu pudesse simplesmente estender minha mão e tocar em seu pescoço, em seu cabelo.

— Não acredito que você está *me* chamando de maluca — falei. — Esqueceu quem é a célebre Envenenadora do Absinto de Roewer?

Ela sorriu, enfim relaxando, e se voltou para mim enquanto passava pelo sinal vermelho.

— Envenen*atriz* — ela brincou.

— Envenenadora, como embaixadora. — Nosso humor espirituoso vai nos proteger. — Escuta, você acabou de passar a entrada do estacionamento dos alunos.

— Droga — ela falou, freando bem a tempo. — Você acha que eu conseguiria me safar se parasse no estacionamento dos professores, como a V. faz?

— Claro — respondi. — Acho que esses seus brincos de caveira te fazem parecer mais...

Ah.

— Que foi? — ela perguntou, seguindo meu olhar. Kate e Adam estavam se beijando serenamente. Acho que foi o "serenamente" que me pegou. Se eles estivessem se agarrando *ardentemente*, arrancando as roupas e as colocando de qualquer jeito depois, inconsequentes e lascivos, tudo bem. Mas eles estavam se beijando em breves disparos, em pequenos carinhos como dois passarinhos. Era muito suave, como se estivessem apaixonados. Comecei a chorar.

— Ah, Flan — Natasha falou baixinho, jogando a cabeça para trás e virando o cantil. Ela lambeu os lábios e depois os limpou com a mão, seu batom escuro manchando o pulso como se tivesse tentado se suicidar. — O que ele fez com você?

— Não sei — choraminguei.

Natasha soltou um suspiro que era metade exasperação, metade amor.

— Não se preocupe — ela disse. — Eu cuido disso.

— Quê?

— Eu disse que vou cuidar disso.

— Natasha, *não* — falei.

— Que foi? Estou dando um mau exemplo para as outras crianças? — ela perguntou, com um sorriso mordaz.

— *Não* — respondi.

— Não estou dando um mau exemplo ou não devo cuidar disso?

— *Não* — respondi. Que fique bem claro: eu disse *não*. Nove dias.

Vocabulário

RESSONÂNCIA INTERROGADOS MELANCÓLICO
DESPROGRAMADO SUCUMBIDO INCANDESCENTE
COMA BEBERAGEM

Questões para análise

1. Sua opinião a respeito de Eleanor Tert mudou ao descobrir que ela foi uma aeromoça viciada em cocaína? (Se já sabia disso devido às suas inúmeras aparições na televisão e no rádio, sem falar de seus livros, finja que acabou de descobrir.)

2. Sua opinião sobre Flannery Culp mudou ao longo deste livro? O que leva você a mudar de opinião sobre as pessoas? O que pode ser feito quanto a isso? Leve em consideração que Eleanor Tert é agora extremamente bem-sucedida e Flan é... bom, você sabe o que aconteceu com ela.

3. O hospital em que Flan visitou Carr recebeu o nome da pioneira Rebecca Boone. Embora sua família seja considerada um pilar da história americana, graças à exploração das fronteiras e ao seu papel durante a Guerra da Independência, ela foi duas vezes forçada

a sair de suas terras devido a brechas jurídicas, contra as quais seu marido Daniel tinha objeção de ordem filosófica e moral. Apesar das tentativas do sistema jurídico de destruir os Boone, o povo americano acabou enfim descobrindo a verdade sobre eles, e sua reputação foi completamente transformada, a ponto de Rebecca dar nome hoje a um hospital. Você consegue pensar em outra pessoa que esteja sendo tratada injustamente pela classe jurídica? Poderia ajudar a divulgar a verdade sobre ela, talvez dando seu nome a uma biblioteca ou livraria?

4. Você acha que os amigos devem fazer coisas uns pelos outros ou que cada um deve agir por conta própria? Leve em consideração as consequência das ações — ou pelo menos de algumas delas — antes de responder.

Segunda-feira, 25 de outubro

Seis.

— A orientação hoje foi estendida para que todos tenham a chance de completar o questionário fornecido pela dra. Eleanor Tert, que falou na quarta-feira passada durante a assembleia escolar. Os eventos recentes ocorridos no Colégio Roewer revelaram problemas com os quais quase todos os adolescentes do país se deparam hoje, e a dra. Tert vai conduzir um estudo nesta escola por meio de entrevistas informais com alunos e professores selecionados, além desses questionários destinados a todos, de participação absolutamente voluntária. Por favor, não esqueça de escrever seu nome no canto superior direito. O anonimato é garantido.

1. CIRCULE O QUE SE APLICA (homem, mulher)

Bom, tanto "homem" quanto "mulher" podem se aplicar. Mas só um a mim. Circulei "mulher".

2. CIRCULE O QUE SE APLICA (1º ano/ 2º ano/ 3º ano)

Circulei "3º ano".

3. CIRCULE A FRASE QUE MELHOR DESCREVA SUA FAMÍLIA:

a. Minha família é perfeita.

b. Minha família tem poucos problemas.

c. Minha família tem problemas, mas na maioria das vezes é tranquilo enfrentá-los.

d. Minha família tem vários problemas.

e. Minha família tem muitos, muitos problemas

f. Sou órfã(o)

Olhei para o lado. Natasha estava debruçada sobre sua carteira.

4. CIRCULE A FRASE QUE MELHOR DESCREVE SUA ATIVIDADE SEXUAL:

a. Nunca tive contato sexual com o sexo oposto (sou virgem).

b. Tive pouco contato sexual com o sexo oposto (dei uns beijos).

c. Tive algum contato sexual com o sexo oposto (fiquei de pegação).

d. Tive relações sexuais com uma única pessoa.

e. Tive relações sexuais com mais de uma pessoa.

f. Sou homossexual.

Douglas deve estar sofrendo. Circulei "d", de Douglas.

5. CIRCULE A FRASE QUE MELHOR DESCREVE SEU USO DE ÁLCOOL:

a. Nunca tomei álcool na vida (sou virgem).

b. Às vezes tomo uma cerveja ou uma taça de vinho.
c. Às vezes tomo vários drinques, mas nunca fico bêbado(a).
d. Bebo com bastante frequência, mas não fico bêbado(a).
e. Eu bebo e fico bêbado(a) praticamente o tempo todo.
f. Estou em um programa de reabilitação (muito bem!).

Eu me inclinei e tentei espiar se Natasha tinha circulado "e", mas não consegui chamar sua atenção. Circulei "d", depois risquei e circulei "c", então risquei "c" e recirculei "d".

6. CIRCULE A FRASE QUE MELHOR DESCREVE O SEU USO DE DROGAS ILÍCITAS:
a. Nunca usei drogas ilícitas.
b. Já experimentei drogas ilícitas.
c. Raramente uso drogas.
d. Uso drogas com bastante frequência e sou viciado em uma.
e. Uso drogas com bastante frequência e sou viciado em todas.
f. Estou em um programa de reabilitação (muito bem!)

C.

7. CIRCULE AS DROGAS QUE VOCÊ JÁ EXPERIMENTOU:
a. Maconha.
b. Cocaína.
c. Heroína.
d. LSD.
e. Cogumelos.
f. Pó de anjo.
g. Estimulantes.
h. Tranquilizantes.
i. Chocolates.

j. Euforia.
k. Raios de lua.
l. Lágrimas de amor.
m. Música
n. Outras (liste quais).

As drogas que você já experimentou. Não preciso nem dizer que não escrevi absinto, na hipótese do pessoal do Rebecca Boone encontrar alguma coisa. Queria saber se Natasha escreveu.

8. CIRCULE A FRASE QUE MELHOR DESCREVE SEU RELACIONAMENTO COM DEUS:

a. Creio firmemente em Deus, de acordo com uma religião bem estabelecida, e sigo essa crença.

b. Creio firmemente em Deus, de acordo com uma religião bem estabelecida, mas nem sempre sigo essa crença.

c. Creio um pouco em Deus, de acordo com uma religião bem estabelecida, e às vezes sigo essa crença.

d. Creio um pouco em Deus, mas é uma crença pessoal que não está de acordo com qualquer religião bem estabelecida.

e. Outro (explique).

f. Sou ateu/ ateia.

9. CIRCULE A FRASE QUE MELHOR DESCREVE SEU RELACIONAMENTO COM SATÃ:

a. Temo Satã, conforme minha religião bem estabelecida.
b. Às vezes sou tentado(a) por Satã.
c. Não acredito em Satã.
d. Às vezes sirvo Satã.
e. Outro (explique).
f. Sou satanista.

Nós não sabíamos. Você está em vantagem. Você *sabe* que restam seis dias. Tudo o que *nós* sabíamos era que estávamos no dia 25 de outubro, no nosso último ano do ensino médio, o momento de enviar as inscrições para as faculdades. O último ano em Roewer havia se estendido à nossa frente como uma baleia morta numa praia suja. Ele fedia. Crianças o cutucavam. Em breve, autoridades e cientistas chegariam ali para cortá-lo em pedaços, mas não sabíamos disso, então todos nós, *todos nós*, marcamos "e". Escrevemos as mais diversas variações da mesma piada abaixo da pergunta: "Satã é a mãe de uma amiga minha"; "Conheço a filha de Satã". E aquela que provocou calafrios em todo mundo. Aquela, destacada por uma tira fina de luz, de modo que os inocentes espectadores soubessem para onde olhar quando a página era mostrada na TV. Ela é frequentemente atribuída a mim — uma possibilidade deliciosa demais para ser ignorada. "Se eu tivesse visto os sinais de alerta, poderia ter impedido. Meu filho estaria aqui comigo no seu programa, Winnie." Como se você fosse estar no programa caso ele não tivesse sido espancado até a morte no adorável jardim de Satã. Como se sua aparição no programa significasse alguma coisa, como se o livro de Eleanor Tert significasse alguma coisa, como se, independente do que escrevemos num questionário para toda a escola, significasse alguma coisa olhar para a questão nove e encontrar escrito ali, em tinta esferográfica, por conta de uma piada interna casual, "Eu sou cria de Satã".

Terça-feira, 26 de outubro

Cinco dias. Se você está contando nos dedos, agora só precisa de uma mão. Vamos ensaiar juntos, começando com o mindinho: cinco, quatro, três, dois, um. E pronto. Ele morreu.

Quando acordei hoje cedo, já estava no ônibus; não sei que

proeza foi essa. Fiquei olhando pela janela por alguns minutos antes de perceber que Lily estava sentada ao meu lado.

— Ah, oi. Desculpa. Estou tão distraída hoje. Nem sei como vim parar aqui.

— Tudo bem. Ei, você está sabendo do grande plano para o fim de semana que vai nos salvar de todo esse horror?

— Não — respondi.

— Acredite se quiser, mas os pais de V. vão ficar *cinco dias* fora. Vamos fazer uma festa no jardim no domingo.

— Domingo?

— É. Podíamos ficar relaxando no Palácio de Satã. É só ligar pra escola segunda e dizer que estamos doentes.

— Você tem certeza de que estou convidada? — perguntei. — Ninguém me falou nada.

— V. só ficou sabendo ontem à noite. Ela disse que seu telefone estava ocupado.

— Eu estava fofocando com Natasha. Num caso urgente como esse, a telefonista deveria ser obrigada a interromper a gente.

Na verdade, eu estava discutindo com Natasha sobre o que ia fazer com Adam, se é que devia fazer alguma coisa, ou se seria idiotice. Nada foi resolvido, caso você queira saber.

— Mas claro que você está convidada. *Todo mundo* está convidado. Mas na segunda seremos só *nós*.

— Vai ser incrível — comentei, sincera. Vamos lá, agora faça a contagem regressiva até domingo. Com uma mão só.

Quarta-feira, 27 de outubro

Quatro dias.

Hoje cedo, a Cria de Satã estava me esperando do lado de fora do estacionamento dos professores, perto da entrada lateral. V. estava sentada num banco, mexendo em suas pérolas com os dedos inquietos e *fumando*. Inacreditável.

— Oi, Flan — ela disse, mordendo o lábio. Então levantou num pulo, como se tivesse ouvido um estrondo. O fio da fumaça se insinuou pela neblina. Por um instante, parecia que todo o céu de San Francisco tinha saído daquele cigarro mentolado.

— Oi — falei num tom inseguro. Então continuei, mais firme: —Você está fumando.

— Estou? — ela perguntou. — Não queria ter saído da cama. — Uma referência a uma piada sem graça que sempre fazemos: Você fuma depois do sexo? Só quando não quero sair da cama. Somos tão espirituosos, né? V. levou o cigarro aos lábios outra vez, mas não conseguiu tragar. Ele — *ela* — estava tremendo.

— O que aconteceu? — perguntei.

Ela pestanejou. O cigarro caiu.

— Quê?

Eu o esmaguei com o pé.

— Qual é o problema?

V. piscou e de repente estava chorando, ao lado do estacionamento dos professores, perto da entrada lateral do Colégio Roewer. Ela tirou um lenço de papel do bolso. Achei que fosse enxugar os olhos, mas só o desamassou e me deu para ler.

V.,

Não está dando certo entre a gente. Por favor, não me ligue. Acabou. Sempre vou lembrar de você.

Steve Nervo

— Ai, meu Deus — falei. — Ah, V. — Eu a abracei. — Que cara idiota.

— A idiota sou *eu* — ela disse, se desvencilhando e batendo no próprio peito como um índio pronto para guerrear. — Não acredito que me apaixonei por ele.

— Todo mundo em Roewer já se apaixonou por ele, lembra? O nome do cara está escrito em todas as paredes do banheiro, pelo amor de Deus.

Ela chorou ainda mais.

— Ah, V. — Eu a abracei outra vez, dando batidinhas nas suas costas rígidas.

— Por que ele fez isso? Não posso nem ligar pra ele e descobrir! Como pode ser tão cruel?

Eu sabia que não conseguiria lidar com aquela situação sozinha. Como um desejo que se materializa, Natasha surgiu da neblina.

— Porque ele é um merda — ela disse, mastigando uma maçã. — De quem estamos falando?

Entreguei para ela o papel amassado. Natasha o leu rápido, bufou e o amassou outra vez, atirando-o no chão perto do cigarro pela metade. Ela terminou sua maçã enquanto V. ainda chorava e jogou o miolo no chão. Olhei para nossos pés: os de V. num salto alto azul-escuro, caro e de bom gosto; os de Natasha em botas de escalada prateadas; os meus em algo intermediário. Natasha começou a bater o pé impaciente no chão; os de V. se agitavam de um lado para outro enquanto ela assoava o nariz e tentava se recompor.

— Vamos comprar sapatos — Natasha falou, decidida.

— Quê? — V. disse — Eu tenho que...

— Sapatos — Natasha falou, alegre e firme. — Para chutar uns garotos com eles.

V. abriu um sorriso devagar, então fomos andando até o shopping. Ficamos ali até o vendedor, magrinho e frenético, finalmente encontrar algo que agradasse Natasha, entre risinhos histéricos e pilhas de sapato nos cercando, como se o necrotério infantil tivesse sofrido um terremoto e nós três, meio bêbadas com o conteúdo do cantil, revirássemos os escombros procurando decidir que cadáver pertencia a quem. V. encontrou um par de sapatos brancos com botõezinhos de pérola, e eu achei um par de tênis preto, cujas solas acabariam contaminadas por coisas bastante incriminadoras. Natasha achou um troço medonho de pele falsa em um tom laranja-claro, e saltos altos e finos como as pernas de uma aranha. V. insistiu em pagar por todos os sapatos, como se fosse um grande sacrifício para nós matar aula para fazer compras.

Durante um lanchinho na praça de alimentação (V. pegou uma quesadilla; eu, um rolinho primavera; Natasha, uma quesadilla e um rolinho primavera), fizemos planos para a festa no jardim. Passaríamos lá no sábado à tarde para preparar a comida. Principalmente saladas, porque andávamos comendo demais, ainda que eu continue mais magra que Kate. V. tinha uma lista provisória de convidados. Com grande cerimônia, riscamos o nome de Steve Nervo. Natasha imaginou que, se convidássemos todos do elenco menos ele, Steve ficaria ainda mais ofendido, então acrescentamos mais um pessoal, da Gótica Estrambótica até Shannon Colete de Lã (que é responsável pelos acessórios), passando pelo próprio Ron Piper. Natasha tinha certeza de que ele não implicaria com a bebida. V. ainda estava meio altinha, então me contou que Douglas tinha lhe pedido para convidar um menino supermagrinho da turma dela de matemática chamado Bob. Após um longo debate, Flora Habstat acabou sendo incluída na lista. Em seguida, vieram os personagens de ficção: as duas Daisy — Buchanan e Miller — eram bem-vindas; o próprio Gatsby, não. Ofélia, mas não Hamlet. Oberon e Titânia, se prometessem se comportar. Phoebe, mas não Holden. Pearl, mas não Hester. Desdêmona, mas Otelo nem pensar. Eu precisava ir ao ensaio.

Ao voltar para Roewer, só tive tempo de guardar meus tênis novos no armário antes de seguir para o auditório. Íamos repassar os dois últimos atos, em que tudo se desenrola. É a parte do enredo em que todos os elementos já foram bem estabelecidos e colocados no devido lugar. Então você só fica sentado e assiste a tudo dar errado sem poder fazer nada além de esperar a morte de todos.

Quinta-feira, 28 de outubro

Três dias, um para cada olho meu. Dois exteriores, um interior. Brincadeira. Por um instante, você achou que eu levava essa baboseira a sério, né? Seja honesto. Essa é uma coisa que aprendi: seja sempre honesto.

— *Honestamente?* — Natasha perguntou, tampando outra vez seu cantil. — De onde saiu isso? Não vou falar honestamente com você. *Jamais*. Pelo amor de Deus, Flan. Nunca falei honestamente com você e não é agora que vou começar. Se quer honestidade, procure *Flora Habstat*, sei lá.

Ela deu um cavalo de pau para fazer uma curva à direita que teria nos matado se fôssemos coadjuvantes nessa história.

— Mas você vai fazer alguma coisa ou não?

— Essa é a pergunta que você devia estar se fazendo? — ela disse, mandando um beijinho para si mesma pelo retrovisor e aumentando o som. Sua nova banda favorita, Tin Can, tocava. Eles eram barulhentos e eletrônicos, como os ruídos que você imagina que se passam dentro de um computador. — Baker nem é meu professor de matemática. Peguei o Deschillo, que nunca tem nada de interessante para dizer. Enquanto isso o que o *seu* faz? Ele te dá a chave pra tudo. E você me pergunta se vou fazer alguma coisa. É a Regra de Baker, Flan: *faça alguma coisa*. Você ainda precisa me perguntar?

— Natasha — falei. — Você está me assustando.

Ela freou o carro de repente, no meio da rua. Por sorte não

havia ninguém atrás. Então olhou bem nos meus olhos e tudo ficou em silêncio, com exceção do trânsito e de Tin Can, que estava gritando "Minha vida" ou "Minha fita".

— Não estou tentando te assustar — Natasha disse, num tom mais baixo. — Estou tentando *ajudar*, caramba. É meu papel. Adam está mexendo com a sua cabeça, e você precisa fazer alguma coisa em *troca*, assim como aconteceu com Carr...

— Carr não bagunçou minha cabeça — retruquei. — Ele...

— *Não importa.*

— E Gabriel?

— Vocês vão poder ficar juntos quando Adam não estiver mais em cima de você.

— Ele não está em cima de mim. Esse é o prob...

— O *problema* é que você não está fazendo nada! — ela gritou. — *Faça alguma coisa! Faça alguma coisa! Faça alguma coisa!*

— Tá bom, tá bom, já ouvi — Jennifer Rose Milton disse, abrindo a porta de trás para entrar no carro. De onde ela veio? — Obrigada pela carona. — Ela sorriu, mas dava para ver que tinha chorado. — Millie tirou um dia de folga, mas eu precisava vir. Tenho prova de biologia. Não é irritante, Flan? Você tem um lencinho aí?

— O que aconteceu?

Jennifer Rose Milton suspirou.

— Ah, sabe como é, só uma choradinha pra começar o dia.

— Do que você está falando?

— Kate não contou?

Sacudimos a cabeça simultaneamente.

Ela engoliu em seco e tentou sorrir de novo.

— Acho que não posso mais confiar em Kate para espalhar logo as notícias. Frank e eu... bom, Frank terminou comigo ontem à noite. — Ela começou a chorar de novo. Alguém buzinou atrás de nós e Natasha voltou a andar. — *Ele* terminou *comigo*! Simplesmente disse: "Não está dando certo entre a gente". Dá para acreditar?

— Não — respondi. — Nunca o ouvi falar uma frase assim tão longa. Que evolução!

— Ai, Flan — ela disse, rindo e chorando ao mesmo tempo. — Ele era um idiota, não era?

— Bom, ele deu um pé em você — Natasha comentou. — Isso é prova suficiente.

Natasha estacionou enquanto Jenn dava uma assoada de nariz tão barulhenta e úmida como o gorgolejo na minha cabeça.

— *Eu* devia ter tirado uma folga, com ou sem prova de biologia.

Natasha forçou um sorriso.

— Jenn, vou ter que te deixar nas mãos da Flan. Preciso ir.

De repente, V. estava batendo no vidro do carro. Abri a porta e vi que ela também estava chorando.

— Ai, Flan — ela gemeu. — Ele é um mentiroso. Um filho da mãe.

— Preciso mesmo ir embora — Natasha avisou, saindo do carro. Ela deu alguns passos, então voltou e pegou o cantil, e acenou para nós, me lançando um olhar cortante. — Vejo vocês depois, meninas.

Fiquei ali sentada por um segundo, mas como nem V. nem Jennifer Rose Milton conseguiam se comunicar comigo de um jeito satisfatório, saí do carro e fiquei encostada nele, enquanto as duas se acabavam de chorar.

— Ele arranjou outra — V. gemeu. — Uma menina do primeiro ano magrinha! Ela entrou na banda dele… e toca *pandeiro*! Não consigo acreditar! "Não está dando certo entre a gente"… Claro que não!

— Sinto muito — falei.

— Eu também — Jennifer reforçou, caindo no choro de novo. V. voltou a chorar, e de repente as duas estavam no meu ombro...

— Não sei o que fazer — uma delas disse. Façam *alguma coisa*, eu queria dizer, mas nem sempre é fácil. Às vezes você simplesmente não sabe o que fazer... E com esse clichê insosso vou fechando o diário e encerrando o registro do antepenúltimo dia de Adam.

Sexta-feira, 29 de outubro

Dois dias. Kate me deixou a par das novidades no almoço.

— Você ficou sabendo da última sobre Frank?

— Fiquei, Jenn me contou ontem — respondi. — Que babaca.

— Não, não — Kate disse. Seus olhos se acenderam; ela ficou nas nuvens por eu ainda não saber. — Ele está com outra.

— Quê? Achei que as coisas entre eles...

— *Não estavam dando certo* — falamos ao mesmo tempo.

— Pois é — ela disse. — Eu sei. Ele é um cretino. É a Nancy Butler, ex-namorada do Mark Wallace.

— Não — respondi. — Nancy Butler não estava com Mark. Acho que namorava o Martin Luther King.

— Bom — ela falou —, era um dos dois. Mas agora a coisa entre ela e o Frank está intensa. Jenn ficou possessa quando contei.

— *Você* contou para ela?

Kate se endireitou na cadeira, na defensiva.

— Bom, *alguém* ia contar. Achei que era minha obrigação, como amiga. Sabe, nos últimos tempos, três casais do Clube dos Oito se desfizeram. Você e Gabriel e eu e Adam somos os únicos que restaram.

— É, bom... — balbuciei, tentando achar algo para dizer.

Kate amassou seu saco de batatinhas.

— Estou bem feliz que não preciso me preocupar com...

— Posso falar com você? — Adam perguntou, olhando para nós duas. Bem nessa hora, um aparelho de som do outro lado do pátio começou a tocar o álbum do Tin Can, como se Adam tivesse trazido sua própria trilha sonora.

— Você está falando comigo? — perguntei.

— Sim — ele respondeu, então fomos até um canto tranquilo. — Não vou fazer rodeios. Cometi um grande erro, Flan. É você, sempre foi você.

— Bom — falei —, não há muito que possamos fazer sobre isso agora, né?

— Não seja ridícula — ele rebateu. — Vai ser difícil, mas vamos conseguir. Precisamos aproveitar cada segundo, Flan. Nosso amor não pode esperar. É seu unicórnio estacionado ali fora?

"Ah, tá... Ah, tá... Ah, tá...", cuspia o coro da música do Tin Can. Adam franziu o nariz, irritado.

— Não — ele disse, com ar cansado. — Estou falando com *Kate*. Podemos conversar?

— Claro — ela respondeu, estendendo a mão para que ele a ajudasse a levantar. Adam vacilou por um momento e então a segurou. Kate olhou para ele e viu que havia algo errado. — O que aconteceu?

— Preciso falar com você — ele repetiu. Eu os observei enquanto caminhavam para um canto tranquilo. A música do Tin Can estava ficando cada vez mais alta, mais alta, mais alta... Não, era Natasha caminhando na minha direção com seu som portátil.

— Oiê! — ela cantarolou, bloqueando minha visão de Kate e Adam.

— Estou tentando ver — falei.

— Ver o quê? — ela indagou.

— Ainda não sei — respondi, irritada. — Senta, Natasha.

Ela obedeceu.

— O que foi?

— Adam queria falar com Kate.

— E o que tem de estranho nisso?

— Parecia sério — falei. — Pode baixar esse Tin Can?

— É Tin *Pan* — ela explicou, abaixando o volume. Parecia que Tin Pan usava panelas no lugar da bateria, e o vocalista continuava dizendo: "Ah, tá... Ah, tá... Ah, tá".

— Arda, arda, arda — Natasha me corrigiu. — É sobre fogo, acho. — Adam estava se afastando do canto tranquilo com uma cara de desconforto, como se precisasse ir ao banheiro. Shannon, sempre com um colete de lã, levantou de um dos bancos e gritou o nome dele, mas Adam continuou andando.

— O que está acontecendo? — Natasha perguntou.

Kate olhou para ele, olhou para mim e então, sozinha ali no canto tranquilo, pegou um lenço azul-marinho.

MAIS TARDE

— A festa no jardim ainda vai rolar? — Gabriel perguntou, enquanto me levava para casa depois de um jantar deprimente com todas as abandonadas: V., Jennifer Rose Milton e Kate Gordon, minha favorita. — Não parece que temos muito a festejar.

— Temos que fazer — respondi. — Uma oportunidade como essa não aparece todo dia. Os pais de V. fora de casa? O Clube dos Oito livre e solto naquele jardim maravilhoso?

— Todo mundo está pra baixo — ele disse, parecendo confuso. — Hoje foi horrível. A festa vai parecer um funeral.

— Temos *dois dias* até domingo — retruquei. — Aposto que até lá Kate vai estar toda: "Adam quem?". Ela já é bem grandinha, vai superar logo.

— Imagino que seja por isso que ela quase não fala mais do Garth — ele disse, sorrindo.

— A festa não pode ser cancelada — falei.

— De qualquer forma, podíamos tirar a segunda de folga — ele sugeriu. — Eu e você. Relaxando na casa o dia todo. — Como Gabriel mantinha os olhos na estrada, ele não podia ler minha expressão, mas não havia nada que eu pudesse fazer para impedir que pegasse a minha mão.

— O que está acontecendo com todo mundo? — ele perguntou, subitamente quieto e tenso. Havíamos parado em frente à minha casa. — O que há com eles, Flan? Um minuto atrás estavam felizes, agora está todo mundo terminando. — Ele saiu do carro e tive um abençoado momento de silêncio enquanto passava pela frente para abrir a minha porta. Se eu estivesse ao volante, podia soltar o freio bem na hora em que estivesse passando, e ele ficaria preso ali. "Por falar em terminar...", eu queria dizer, mas nem ferrando direcionaria aquela frase para o rosto ávido, frágil, esperançoso, jovem e fofo de Gabriel. — Ainda bem que não estamos passando por isso — ele disse. No momento em que eu ia abrir a boca, continuou: — Não estou falando que vamos ficar juntos para sempre nem nada, só quero dizer que gosto muito de você. E não precisa se preocupar, porque não vou aparecer um dia e dizer que não está dando certo entre a gente. Esperei bastante tempo por isso e vou fazer tudo o que for preciso para dar certo.

— Gabriel...

Ele me ajudou a sair do carro; o ar gelado me atacou como uma mordida.

— Eu não quis dizer que temos que fazer alguma coisa agora — ele disse. — Não se preocupe. — Gabriel tocou meu queixo como se fosse meu tio-avô. — Mas pode contar comigo.

— Eu sei, Gabriel — falei, e engoli em seco. O gosto do hambúrguer que comi no jantar sem pensar nas calorias ainda estava na minha língua. Aquele foi o último hambúrguer que comi na vida. Alguma coisa no jeito como Adam morreu me fez mudar. Quando você vê alguém partir daquele jeito, chega um momento em que ele deixa de parecer um ser humano. Afinal de contas, o ato de matar alguém, caso esteja espancando a pessoa com um objeto contundente, implica sangue. Muito mais sangue do que alguém poderia imaginar, como se viu. Bem mais do que seria de imaginar que caberia num aluno do ensino médio de tamanho normal. Na verdade, talvez um pouquinho mais alto que o normal. O sangue encharcou sua roupa e cobriu seu rosto de um modo que, mesmo se a boca não estivesse escancarada e o nariz, esmagado como uma lesma vermelha, ainda não pareceria normal. Adam tentou se proteger, mas era tarde. Ele se retorcia em sangue como um brinquedo irremediavelmente destruído, seu motor chiando um pouco antes de se apagar. O sangue cobre as mãos, até as impressões digitais. (Nota: eu estava enganada sobre esse ponto.) Toda a personalidade está afogada nele, como acontece com o gosto das batatas fritas quando Natasha põe ketchup demais nelas. A cabeça desaba como uma bola murcha, o braço, preso debaixo do pé, para de se mover racionalmente e começa a se debater como se fosse uma criatura autônoma tentando fugir. Não parece mais uma pessoa. É uma coisa. Há um momento em que tudo aquilo não é mais uma pessoa agindo sobre outra, pois a vítima vai ficando cada vez menos humana. Primeiro o taco causa ferimentos, então sangramentos, depois esmaga a carne. Quando você consegue vislumbrar o músculo dilacerado e o osso quebrado, não parece mais uma pessoa. É como a carne animal. Então não há mais o que você possa fazer para parar o que está fazendo, e não lhe resta outra alternativa a não ser terminar com aquilo, como se limpasse um peixe ou tirasse a pele de um frango. Ninguém gosta de fazer essas coisas, mas elas são necessárias.

Se acha o ato horrível, é só não pensar naquilo como uma galinha fofa, um peixinho nadando feliz, um colega de escola ou qualquer outra coisa. É só carne. Não interessa o que os outros dizem — a essa altura você mal vai conseguir entender o que estão dizendo, então de que adianta ouvir? É só carne, nada mais. Um pedaço de carne com dimensões distintas, tamanho e volume definidos, quantidade limitada de sangue. Quando quase tudo tiver saído, você não precisa mais se preocupar. O pulmão talvez se encha de sangue, depois esvazie como um balão, emitindo um gorgolejo que vai grudar na sua cabeça mais que qualquer música que já tenha ouvido, gorgolejando atrás dos seus olhos bem depois de já ter se enchido de Darling Mud, Q.E.D., Tin Can, Tin Pan ou seja lá o quê, gorgolejando sem parar, você pode estar dormindo ou de olhos abertos, e a convulsão talvez dure mais tempo do que você imaginava — quer dizer, leva um tempo para os nervos perceberem que não sobrou muito cérebro para receber uma mensagem —, mas a personalidade já se foi, a parte humana. É só carne. O único problema é que, depois de passar por algo assim, você não vai querer mais carne. Isto é, carne animal, tipo hambúrguer. Portanto, desde a festa no jardim não toco mais em carne vermelha. Ou, mais precisamente, desde esta noite. O gosto do meu último hambúrguer se prolongando na escuridão ao lado de Gabriel é uma sensação para ser lembrada, trancada na memória e anotada no meu diário com a mesma clareza de todas as outras coisas.

— Posso entrar com você? — ele perguntou.

— Ah — falei. — Estou com essa roupa o dia inteiro. Só quero tirar logo.

Ele arqueou uma sobrancelha. Ah, merda.

— Posso entrar com você?

Pela primeira vez desde o início do ano letivo, eu quis que meus pais estivessem em casa, encantadores americanos brancos que em hipótese alguma permitiriam que meu namorado — que é negro, note bem — entrasse em casa a essa hora da noite. Porque agora não tenho desculpa. O que eu posso dizer? "Não está dando certo entre a gente"? Ele tossiu de leve, e por um instante achei que eu fosse mesmo dizer aquilo.

— Falei pros meus pais que ia dormir na casa do Douglas — Gabriel explicou. — Eles não estão me esperando. Posso dormir aqui.

— Ah — falei.

— Se não tiver problema — ele disse, sorrindo, como se fosse óbvio que não tivesse.

— Ah — repeti, fazendo com que minha voz assumisse um tom vagamente sedutor. Eu tinha aberto a porta, mas ainda não havia entrado.

— E então? — ele perguntou, se curvando para me encarar e dando um passo vacilante para a frente. — Tudo bem?

— Ah, bom — balbuciei.

— Não se preocupe — ele disse, beijando meu pescoço como uma borboleta ou uma mariposa agitada, batendo sem parar na mesma lâmpada. — Não se preocupe com nada — ele falou. Gabriel deve ter sentido a tensão do meu corpo e a interpretado completamente errado. Ah, coitado. — Não se preocupe, não vou sair daqui — ele anunciou, decidido. Penetramos juntos a escuridão. Estendi minha mão buscando o interruptor, mas deparei com a dele. Gabriel me ajudou a encontrar o caminho da sua camiseta. — Vou ficar com você a noite toda — ele disse, me envolvendo em seu abraço como uma cobra. A porta fechou com uma batida. Em um filme, a cena cortaria para a manhã seguinte, mas aqueles entre nós que estão vivendo isso precisam passar por tudo, minuto a minuto, como um dia de aula na escola ou mil outras coisas em que não consigo pensar agora.

Sábado, 30 de outubro

Um. Quando acordei, Gabriel ainda estava com seus braços ao meu redor como uma camisa de força, não que eu tenha usado uma para saber. Com dificuldade, me desvencilhei dele e fui tomar banho. Quando voltei, achei que ele já teria ido embora, ou pelo menos estaria de pé, mas ainda dormia. Sentei na cama e fiquei olhando para ele, procurando um rastro de carinho, mas só consegui sentir como quando você assiste a um filme que já viu e do qual nem gostou muito da primeira vez, mas por algum motivo não desligou a TV.

Quando levantei para me trocar, senti a mão de Gabriel na minha perna. Virei e encontrei seus olhos bem abertos. A felicidade o deixava tão atrevido quanto a bebida. Seu sorriso era tão desesperado que o escondi com a mão. Ele beijou meus dedos sem parar. Eu só queria um café, mas acabei voltando para a cama e transamos.

Então ele quis me preparar omeletes, mas eu o fiz ir embora.

— Vai se trocar. Depois vem me pegar e vamos para a casa da V. fazer a comida. Já são onze e meia. E nem tem ovos aqui. Anda logo.

— Tá bom — ele respondeu. — Só não quero ficar longe de você.

— Para com isso — falei rápido. — Vai pra casa.

Ele pestanejou e decidiu que eu estava brincando.

— Tá bom, tá bom.

Depois que Gabriel foi embora, corri para a cozinha para jogar fora todos os ovos, caso ele olhasse a geladeira depois. Já estava pronta para sair, então calculei que tinha tempo para passar na casa de Adam. Havia vários carros estacionados na rua dele na manhã de sábado, então seria fácil passar despercebida.

A luz azul-celeste de uma televisão piscava atrás das belas cortinas brancas dos State. Adam, em seu último dia de vida, estava assistindo a desenhos animados. Quer dizer, não dava para ter certeza, mas não eram seus pais nem a Gótica Estrambótica. Ela provavelmente estava tão empolgada por ter sido convidada para a festa de amanhã, que deve ter tirado todos os seus duzentos vestidos pretos do armário e agora está sentada na cama tentando escolher um.

Achei que encontraríamos V. em uma cova preta ou algo assim, mas quando Gabriel e eu entramos na cozinha, estava rindo de alguma coisa que Kate dizia.

— A porta estava aberta — avisei.

— Oi — V. disse. — Se eu tiver que tirar mais uma tripa de camarão, vou enlouquecer.

— Tarde demais — Kate falou, e as duas caíram na risada. Vi duas taças de champanhe pela metade, o que explicava tudo...

— Isso explica tudo — falei, apontando para as taças. — Tem mais?

Kate e V. riram.

— De sobra — V. respondeu. — Satã comprou caixas e caixas com desconto. Quer puro ou com suco de laranja? As taças estão no armário.

— Eu também estava até outro dia. Posso bater um papo com elas — Douglas disse, entrando com Lily e o que parecia ser um saco com dois mil limões.

Kate e V. riram, e champanhe foi servido para todo mundo. A cozinha lotou. Alguém colocou um álbum antigo do Darling Mud para tocar e todos cantamos em meio ao barulho do liquidificador. Lily estava batendo chantili e Gabriel estava colocando manga em uma frigideira pequena quando Jennifer Rose Milton e Flora Habstat chegaram. Estranhamente, mesmo a conversa sem graça de Flora sobre a tempestade recorde que estava atravessando o país não foi tão irritante como de costume. Talvez fosse o champanhe. Natasha não apareceu.

— Quem diria que o Clube dos Oito um dia teria um encontro *nesta casa*? — Lily comentou.

— Ah — V. disse, acanhada —, é que normalmente meu pais estão...

— Dando uma festinha? — Gabriel falou, franzindo a testa e baixando o fogo.

Caímos na risada. Douglas perguntou se deveria levar flores no domingo ou não, considerando que era uma festa no jardim. Vetamos as flores e jogamos tudo o que havíamos picado em tigelas prateadas e reluzentes para que Gabriel usasse. Ele avisou que precisava de mais uma cebola picada e eu, bancando a namorada, me ofereci para fazer isso, enquanto os outros batiam uma infinidade de ovos para alguma coisa com suspiro que Jennifer Rose Milton jurou que sabia fazer. Quando cheguei na metade da cebola, meus olhos lacrimejavam tanto que não consegui terminar, então perguntei a V. se havia algo fora da cozinha para fazer. Ela me disse que eu poderia ajudar Kate a organizar os móveis do jardim. Lá fora, fiquei surpresa ao ver que o dia estava perto do fim. Kate não organizava nada; eu a encontrei sentada nos degraus com uma taça vazia, se acabando de chorar.

— Ah — falei. Eu me sentia como uma dessas vítimas mudas de filmes de ficção científica, deixando a segurança do seu lar para ajudar os cientistas a matar monstros. Eles a levam ao coração da floresta e lhe mostram as pegadas, marcas de garra, a vidraça estilhaçada de uma cabana destruída. A vítima concorda. Sim, o monstro esteve aqui. Eu poderia reconhecer seus destroços em qualquer lugar. Quando Kate virou, a dor de ter sido abandonada por Adam atravessava seu rosto. Era como se tivesse pedido minhas roupas emprestadas. Sentei nos degraus, um pouco abaixo dela. Dali, podíamos ver o jardim e zombar das nossas vidas caóticas.

— Ei — falei —, fica tranquila. É um jardim lindo mesmo. Muitas pessoas se emocionam com essas coisas.

Ela tentou sorrir, mas acabou chorando ainda mais. Contente de ter cortado cebolas e assim ter motivo para estar com os olhos vermelhos e úmidos, fiz carinho em seu ombro até que estivesse só soluçando.

— Como ele pôde? — ela finalmente disse.

— Não sei — respondi. — Ele é...

— Ai, meu Deus — ela desabafou. — Pelo menos com Garth eu sabia o que estava acontecendo. Podia estar em negação, mas na verdade já esperava. Agora foi do nada. Ele foi até a gente, pediu para falar comigo e disse que não estava dando certo entre mim e ele. — Kate voltou a chorar. Um passarinho branco pousou sobre o equipamento de croqué para nos espiar. Pude ver cada um dos tacos cintilando na minha direção, robustos, capazes de aguentar qualquer coisa. Talvez em outra língua, uma língua dos passarinhos, o choro de Kate tenha outro significado, algo melhor. Essa metáfora (todas as coisas neste diário, aliás) bem que dariam um belo poema.

— Vamos sair daqui — falei, agarrando a mão de Kate. — Podemos comer ou sei lá o quê.

— Vamos — Kate respondeu, olhando para sua taça vazia. Fomos para a casa dela e fizemos um coquetel, despejando cerca de três centímetros de todas as garrafas que havia em um pote grande, algo que não fazíamos havia anos. Então fomos a um mercadinho de esquina e compramos dois potes de sorvete, de cookies e batatinhas, deixamos o carro na minha casa e fomos ao Twin Peaks, aproveitar a vista da cidade em meio aos casais dando amassos dentro dos carros. É legal subir lá nas noites de neblina, porque é a ironia suprema: uma linda visão que não se consegue ver. Kate e eu brindamos àquilo. Era difícil tomar sorvete direto do pote, e acabamos molhando nossas roupas. Estávamos congelando (faz parte da tradição esquecer de levar um cobertor ao Twin Peaks) mas continuamos bebendo aquela mistura superalcoólica mesmo assim. Kate falava sem parar. À medida que escurecia, seu moletom azul-marinho foi ficando preto até eu não conseguir ver nada além de seu rosto e de suas mãos inquietas.

— Você vai ficar melhor sem ele — falei. — Todos vamos. Adam nunca mais vai ser convidado para os jantares.

— E não tem punição pior que essa! — ela gritou. Ela molhou um pouco do cabelo no coquetel sem querer. — Esses jantares nos representam, Flan! Somos um bando de anfitriões!

— E do melhor tipo! — acrescentei. — Me passa a bebida.

— Experimenta os cookies. São meio doces, mas… ele é um cuzão, Flan.

— Você vai ficar melhor sozinha — falei pela milionésima vez. — Sem Adam.

— Sem Adam — Kate disse, ritmado. Ela fungava, mas eu não sabia se estava chorando ou não, nem se eu estava.

— Todos vamos ficar melhor sem Adam. Quem precisa dos homens? Duas Evas no Jardim do Éden já bastariam.

— Verdade — Kate concordou, enxugando a boca na manga da blusa. — Se você e eu estivéssemos lá, Flan, a gente jamais teria tocado naquela porra de maçã.

Rimos; o som de alguma música romântica pegajosa saía de um carro atrás de nós.

— A gente estaria melhor sem Adam — falei. — Sem todos os homens.

Peter Pusher: Isso é absurdo. Se só houvesse Evas no Jardim do Éden, a humanidade toda teria desaparecido.

— Ah, cala a boca! — gritei furiosamente, olhando fixo para a neblina espessa. Com todo aquele álcool, podíamos subir a colina correndo, como cavalos selvagens. Senti meus olhos se encherem de lágrimas.

— Cadê a porra do cinturão de Órion? — Kate murmurou, deitada de costas.

— Em volta dos tornozelos dele — respondi. Nada mal, considerando que estávamos bêbadas. — Sabe, Kate, é verdade mesmo que você está melhor sem Adam. E você sabe o que sinto por ele. O que nós *duas* sentimos por ele...

— Eu sei — ela disse, sentando de repente e parecendo enfurecida. — Sei *tudo* o que você sente por ele. E não é me comprando sorvete e cookies que as coisas vão se resolver, Flan.

— Quê?

— Ah, para com isso — ela vociferou. — Eu sei, você sabe, todo mundo sabe. Você é apaixonada por Adam só Deus sabe desde quando. Só Gabriel não enxerga ou não quer enxergar, vai entender. Mas Adam não gosta de você — ela disse, arremessando o pote longe. Tive uma breve lembrança da garrafa de absinto afundando no lago. — Adam me escolheu. Bom, *tinha* me escolhido. — Ela voltou a chorar. — Não acredito.

— Sinto muito — falei. Minha cabeça latejava por causa do sorvete e da bebida. — Você sabe.

— Bom — ela falou, com um sorriso maldoso —, não se empolgue. Não vai pensando que ele pode ser *seu* agora. Outra pessoa deixou nós duas para trás.

Engoli em seco, sentindo um gosto estranho na boca.

— Quê? — falei. — Quê?

— *Quê? Quê?* — ela me imitou. — Ele me disse que não estava dando certo, Flan, mas você me conhece. Descobri que tinha outra pessoa. A gente devia ter se mexido *mais cedo*. Não sei se você sabe disso, mas alguém andou escrevendo umas cartas pra ele, o verão inteiro. — Kate bocejou e pegou outro cookie. — E é dessa menina que ele gosta. — Ela caiu no choro de novo. — Não de mim.

Vomitei.

Domingo, 31 de outubro

Hoje é o dia! Mal posso esperar. O evento mais importante do ano. Um dia célebre, para ser lembrado... Vamos nos divertir tanto! Vai ser de *matar.*

É claro que *eu* não falei nada disso; da última vez que você soube de mim eu estava vomitando, lembra? Acordei sentindo que havia um barco em cima de mim. Mas era só Natasha.

— Hoje é o dia! — ela falou, montando em mim como uma amazona. Ela havia aberto as persianas, por isso o brilho irritante do amanhecer me cobria como molho numa salada.

— Preciso de água — pedi.

— Mal posso esperar! — Natasha exclamou. — O evento mais importante do ano. Um dia célebre, para...

— Ser lembrado — falei. Natasha estava segurando minhas mãos, o que me impedia de cobrir os olhos. — Se me pegar um copo d'água, te dou cinquenta dólares.

—Vamos nos divertir tanto!

— Cem. *Duzentos.*

Ela riu e saiu de cima de mim, então correu para o banheiro. Voltou com um copo d'água e...

— *Não!*

... jogou na minha cara.

— Eu te odeio — falei, pingando. — Saudade dos bons tempos em que você me preparava um bloody mary?

— Não vai rolar — ela respondeu. — Estou animada demais pra isso. Com que roupa eu vou?

Levantei e esfreguei o rosto. Ela já estava abrindo o armário.

— Duvido que vá encontrar algo aí.

— Queria uma roupa *básica* — ela respondeu. — Pra usar com ironia. Já que é Halloween.

— Ah, valeu — retruquei.

— O *seu* modelito eu já separei — ela disse, erguendo uma sacola de compras. — Vou de Flan e você vai de Natasha. Tipo gêmea boa, gêmea má.

Esfreguei os olhos e fui até o banheiro.

— Tirando o fato de que elas são gêmeas e nós somos totalmente diferentes.

Ela enfiou a cabeça pela porta enquanto eu tentava fechá-la.

— Você está esquecendo a *ironia* — ela disse. — Vai ser incrível. Não é Halloween, mas vamos fantasiadas. Quer saber? Acho que vou mesmo preparar um bloody mary pra gente. Toma banho e me encontra lá embaixo.

Debaixo do chuveiro, meu corpo pareceu mais *fino*, mais *magro*. Olhei para o espelho e pisquei várias vezes ao perceber que não sentia vergonha ao ficar nua por alguns instantes diante do meu reflexo, estava até confiante e orgulhosa. Vesti um moletom e desci. Nem queria ver o que Natasha tinha escolhido para mim antes de melhorar um pouco da ressaca.

Problema: não havia suco de tomate. Solução: usar molho de macarrão. Resultado: bloody marinara. Em vez de um talo de salsão, Natasha colocou fios de espaguete cru como enfeite. Ela é um gênio mal aproveitado.

— Você não espera mesmo que eu vá beber isso, né? — perguntei. Natasha apontou com o espaguete para o copo já na metade. Notei que tinha roído a ponta do fio.

— Ficou bom — ela disse, mentindo.

— Estou satisfeita só de olhar. Vou fazer um café.

— E aí, como foi o Clube dos Corações Partidos ontem à noite? — Natasha perguntou. — Kate disse que vocês exorcizaram alguns demônios.

— Típico dela, espalhar fofocas sobre si mesma — desabafei, procurando pelos malditos filtros. Minha cabeça latejava. Eu a apoiei sobre a bancada enquanto esperava o café ficar pronto. Depois de três xícaras, senti vontade de torrada e comecei a colocar Natasha a par da noite no Twin Peaks.

— Nem lembro de como voltamos para casa — falei. — Quer dizer, sei que eu estava num táxi, mas não tenho ideia se Kate estava comigo. Acho que deixei os cookies no carro e o pote na colina.

— No *pico* — Natasha corrigiu. — Que noite, Flan, ainda mais pra você. Aqui entre nós, estamos deixando uma trilha e tanto de recipientes plásticos ilegais atrás de nós.

— Essa não é a questão. Adam gosta de mim.

— Não — ela respondeu. — Ele quer a doida que escreveu as cartas. Agora vamos lá experimentar as roupas. Algo me diz que vai ser uma noite importante.

Queria muito contar para ela, mas o "doida" me fez hesitar.

— Se Adam gostar mesmo de mim, o que eu faço?

Ela já tinha subido metade da escada.

— Saia com ele por três semanas, faça com que compre coisas para você, termine com ele e diga pra todo mundo que é gay — Natasha disse. — Ah, e depois corte o...

— Estou falando sério.

— Eu também — ela respondeu. — Você não pode estar falando sério, Flan.

— Estou falando sério — eu disse. Tive a impressão de que repetiria aquilo pelo resto da vida.

— Suba e experimente sua roupa — ela falou com uma voz terrível. Nós nos encaramos por um segundo, então Natasha repetiu: — Suba e experimente sua roupa. O cara mais legal do mundo está nas suas mãos. Você tem a porra do coração do Gabriel, e quem você quer? Um *idiota* que só faz merda! Que é todo sedutor em jantares e parte o coração de alguém que até pode ser uma vaca às vezes, mas é *nossa amiga*! Estou cansada de te ouvir reclamar dele o ano inteiro, e só estamos em *outubro*! Porra, é só Adam State, Flan! Durante três anos ele ficou lá zanzando perto da gente, como Frank Whitelaw, Steve Nervo ou a porra da Flora Habstat, lembra? Então, do nada, você começa a suspirar pelo cara. E eu penso: tá, é um bom tema pra começar o último ano. Você corre atrás de um garoto, não importa qual. É só para passar o tempo, faz parte do roteiro. Você fica de papinho, chama o cara pros rolês, fala sobre ele o dia inteiro, aí o que acontece? — Ela aponta o dedo para o meu rosto. — Qual é o final da história, Flan? *Ele não gosta de você. Ele simplesmente não gosta de você. Ele não gosta de você, ele não gosta de você, ele não gosta de você.* Além disso, o cara acaba sendo do mal, o que até é bom. Diz que vai ligar e não liga. Marca um encontro e não vai. Com "m" maiúsculo, Flan. *Do Mal!*

Natasha voltou a subir a escada, mas então virou, agitando o cabelo.

— Mas *não*, aparentemente você ainda quer o cara. Então ele começa a namorar Kate só pra deixar a gente maluca, e você não faz nada. Podia ter berrado com a Kate, dado um soco no Adam, até acorrentado os dois numa cabana abandonada e deixar que morressem... mas o que você faz? *Nada, nada, nada!* Kate, que deveria ser sua amiga, rouba Adam bem debaixo do seu nariz... e o que você faz? Nada! Você tem um interesse mínimo que seja pelo Gabriel? É claro que acha ele bonzinho, mas estou falando de atração. Antes que se dê conta, está namorando quem *não gosta*, enquanto outra menina namora quem você *não devia gostar*. Então ele dá um fora nela, mas nem mesmo isso faz você mudar de ideia! Ele é do mal, Flan! Agora você ainda me pergunta: "E se ele gostar de mim? E se ele quiser ficar comigo hoje à noite?". — A voz dela sai carregada de uma rispidez treinada, com uma ferocidade genuína e trabalhada, como os melhores discursos ao longo da história. — Caros amigos, caros romanos, caros compatriotas, cara Flan, ele é do mal, e pela primeira vez na vida não vou ajudar você. Nada de drinque secreto com absinto hoje à noite! Vou seguir seu caminho... *meu* caminho... sem olhar para trás, mas espero que você escute a porra do seu professor de cálculo uma vez na vida, porque você vai precisar *fazer alguma coisa*!

Os olhos de Natasha brilhavam com teatralidade profunda, fúria sexual ou sei lá o quê. Eu já tinha a visto berrar assim com outras pessoas, mas nunca comigo. Nem mesmo em nossas brigas no carro. Eu estava apavorada.

— Mas o quê?

— Começa subindo e se trocando! — ela disse, frustrada. Então passou a mão pelas mechas rebeldes, graciosas como pescoços de cisne, do cabelo cuidadosamente bagunçado. — E vai logo, porque ainda vamos ter que passar na Padaria Perfeita para comprar pão.

Ela abriu um sorrisinho e subimos para nos trocar. Assim que entramos no quarto, tudo mudou. Não sei o que foi, talvez a bizarra estranheza de quando você está conversando enquanto tira a roupa e de repente a nudez te surpreende. Se fosse um filme, a trilha sonora teria parado ou começado subitamente, e nós duas nos trocaríamos de costas, só trocando olhares de vez em quando. Saindo do cinema, as pessoas diriam: "Lembra aquela parte no quarto? O que foi *aquilo*?".

Isso me ocorreu enquanto tirava o moletom. De repente percebi que estava nua, exceto pelas meias, e virei com um sorriso acanhado para Natasha, levantando um pé para mostrar. Ela olhava para mim com um ar intrigado, cheia de espanto e curiosidade, como se eu tivesse acabado de sair de um casulo. Dei de ombros, mas isso não quebrou o feitiço, então a olhei de corpo inteiro e vi que também estava nua, exceto por uma calcinha branca de algodão que eu jamais esperava ver nela. Uma mão estava no elástico da calcinha, como se tivesse acabado de se dar conta de que não precisava tirá-la para colocar a roupa. Esbocei um sorriso, mas Natasha não estava olhando para mim; estava olhando para *mim*. Atrás estava a sacola com a roupa nova; me aproximei de Natasha como uma predadora. Ela se enrijeceu como se algo perigoso estivesse se preparando para um ataque, então arqueou o pescoço cautelosa, com os olhos ainda em mim. Em todo o meu corpo. Eu podia sentir seu olhar me cobrir. Cheguei tão perto dela que seus seios quase roçaram os meus, então abaixei para pegar a sacola. Ela me observava o tempo todo, tensa e impassível. Recuei um passo e Natasha avançou em minha direção, como em um tango. Fomos nos movendo assim, com os olhos cravados uma na outra, até a cômoda; ali, ela finalmente abriu a gaveta e precisou olhar dentro dela para procurar uma roupa. Soltamos o ar e voltamos a respirar normalmente.

Dentro da sacola havia um vestido preto de um tecido reluzente que imitava seda. Eu nunca tinha visto algo do tipo... Parecia algo produzido por alguém que nunca tinha visto um vestido na vida, só ouvi sobre o conceito de um. Tinha riscas grossas vermelhas. A sensação de usá-lo era incrível, mas eu não sabia como tinha ficado no corpo, porque o espelho estava bloqueado por Natasha. Tudo o que eu conseguia ver era sua pele. A calcinha estava ligeiramente abaixada, e seus pelos púbicos despontavam como uma aranha tentando fugir. O que estava acontecendo? Eu me aproximei, sentindo o vestido se mover ao meu redor, de forma líquida e atrevida. Natasha se endireitou repentinamente, vestiu uma blusinha branca lisa com uma flor minúscula na gola e olhou para mim no momento em que fui invadida pela súbita onda de verdadeiro desejo. Guarde essa frase para um poema. Ela me contemplou e então olhou para a própria mão, puxando a calcinha para cima. Seus seios pareciam tão ou mais visíveis sob a blusa. Natasha manteve a mão no quadril por um segundo, seus dedos se arrastando pelo algodão branco que eu não conseguia acreditar que era dela. Ela sabia que eu a estava observando, então olhei para mim mesma no espelho. Fiquei espantada ao ver o quanto o vestido me deixava parecida com ela. Não, espere: Eu estava espantada em ver quão parecida com ela o vestido me deixava. A gola evidenciava meus traços, e as listras vermelhas pareciam construir uma linha tênue entre a sedução e a violência. A cor envolvia meu corpo como uma serpente, acentuando curvas que não conseguia ver em mim mesma, mas que sempre percebera em Natasha, transformando-as em dedos convidativos, como parênteses separando comentários que só tinham graça para mim e que só eu podia escutar.

Natasha vestiu minha calça jeans, que não caiu bem nela. Nem o cabelo perfeito e o batom sarcástico compensaram a roupa sem graça. Devia estar parecida comigo: levemente curvada, pouco convencional, inadequada. Alguém que passaria despercebida, a menos que estivesse bem na sua frente. Mas eu agora estava muito bem. Era excitante me sentir como ela. Fiquei até um pouco convencida com a ideia de que poderia ofuscá-la. Naquela roupa, Natasha não conseguia executar bem seu papel. Mas eu estava ótima. Aquele dia era um dia célebre, para ser lembrado...

Quando ela estava olhando em outra direção, estendi o braço até a última prateleira e agarrei um talismã que completaria minha imitação de Natasha, ou *transformação*, melhor dizendo. Lá estavam o chapéu de Douglas, o brinco de Jenn, os óculos de Lily... e a lixa de unha? Lá estava, com uma garra em cada ponta. Eu a enfiei no único bolso do vestido e me virei ao mesmo tempo que Natasha, como um reflexo na superfície de um lago. Ela sorriu e me passou o cantil.

Passamos na Padaria Perfeita, onde fornos vistosos brilhavam quentes e vermelhos sobre nós como um poço de fogo. Tivemos que parar a dois quarteirões de distância, de tantos carros estacionados na rua; Frank Whitelaw e a garota da equipe técnica do teatro que falava um monte de palavrões e sempre conseguia consertar a mesa de iluminação estavam se pegando dentro de um deles. Aparentemente Frank Whitelaw estava fazendo dar certo com outra pessoa. Natasha e eu tínhamos entornado o cantil inteiro no caminho, por isso já estávamos barulhentas e desagradáveis, carregando todo o pão. Quando flagramos os dois, ergui a perna e chutei o vidro do carro, deixando uma marca nele. Então corremos, olhando para trás a tempo de ver Frank e a fulaninha espiando para fora do vidro. Nem eram sete e meia e sua camisa já estava desabotoada.

Na casa estava tocando o mesmo álbum do Tin Can que tínhamos ouvido no caminho. Várias pessoas já estavam lá, todas circulando, de modo que ficava difícil saber quantas eram. V. estava de joelhos no hall de entrada, limpando o tapete. Apesar do rosto vermelho e tenso, pareceu contente por termos trazido as baguetes.

— Cozinha — ela disse com um gesto vago. Passamos por um pequeno banheiro decorado com papel de parede de estantes de livros e um grande retrato emoldurado de Jennifer Rose Milton. Por que os pais de V. teriam... espera um segundo. Entreguei a Natasha as baguetes (ela ficou parecendo uma dessas camponesas carregando um feixe enorme de lenha) e voltei para o banheiro. Evidentemente não se tratava de um retrato, mas da própria Jennifer Rose Milton, chorando. E ainda nem eram sete e meia.

— Ai, Flan — ela gemeu, fechando a porta. Os livros pairavam sobre nós, ameaçadores; o gim do cantil fazia meus ouvidos zumbirem como um secador de cabelo. Jennifer Rose Milton usava um vestido preto básico e segurava uma máscara, mas o efeito era arruinado pelo choro rouco e pouco elegante. — Ele tá com outra — ela disse, se apoiando na pia. As torneiras eram cisnes dourados e cuspiram água quando eu os girei. Abracei Jennifer Rose Milton, me abaixando para que suas lágrimas não molhassem meu vestido, porque não sabia do que era feito e tinha medo que manchasse. — Ele tá com outra — ela repetiu, um pouco brava, como se eu não tivesse dito a coisa certa, então percebi que não havia dito nada ainda.

— Calma, calma — foi o que escolhi falar.

— Ele disse que as coisas não estavam dando certo — ela desabafou, babando —, mas Cheryl acabou de me dizer...

— Quem é Cheryl?

— Aquela *gorda* — ela atacou — que ficou bêbada na festa do elenco do ano passado na casa da Lily e vomitou no tapete amarelo.

— O nome dela é Cheryl?

— Éééé — ela gemeu, pegando um lencinho. Os cisnes ainda esguichavam. — Ela me contou que Frank está ficando com *Nancy Butler.* Você acredita? Nancy Butler?

— Achei que Kate já tivesse te contado.

— Não acreditei nela — Jennifer Rose Milton falou, fungando. — Achei que estava mentindo. Agora a descarada está aqui. E nem foi *convidada.*

— É claro que Kate foi convidada.

— Não a Kate, a *Cheryl.* Quer dizer, a *Nancy Butler.* Ela não para de andar por aí, perguntando onde o Frank está.

— No caso, ele está se pegando com alguém no carro dele — falei.

— Sério? — ela perguntou, assoando o nariz e se olhando no espelho. — Você está inventando isso só para eu me sentir melhor — ela decidiu.

— Eu não faria isso — respondi, e provavelmente não faria mesmo. Os livros no papel de parede não se distinguiam uns dos outros, igual às pessoas na sala. — Frank está lá fora no carro dele. Vai lá ver.

— Ele nem tem carro — Jennifer Rose Milton respondeu.

— Bom, então é o carro *dela*.

— De quem?

— Não sei o nome. É aquela da equipe técnica que sempre conserta a mesa de iluminação e fala um monte...

— Essa é a Cheryl.

— Ela não é gorda — falei.

— A garota que sempre conserta a mesa de iluminação é a Cheryl — ela disse de forma enfática.

— Bom, então Cheryl não é gorda.

— Claro que é. Todo mundo chama a garota de Cheryl Balofa.

Explodimos numa gargalhada enorme, que ricocheteou nos cisnes, nos livros, no espelho borrado, no relógio. Nem eram oito horas e eu já estava rindo com alguém no banheiro.

— Você já está bêbada? — perguntei.

— Cheryl Balofa — ela repetiu, e ambas rimos alto outra vez. — Não tanto quanto gostaria. — Ela sentou na tampa da privada e apoiou os pés no toalheiro, sujando o minúsculo jogo de toalhas reservado para as visitas. — Ele é horrível — Jennifer Rose Milton desabafou, pensativa. Ela colocou sua máscara sobre o toalheiro e brincou com ela. Quando Adam abriu a porta, estávamos rindo.

— Alguém viu a Flan? — ele perguntou. Estava de gravata e segurava um drinque. Então fechou a porta.

Pisquei; Jennifer Rose Milton deixou a máscara cair. Olhei para o espelho. Por um instante achei que Natasha estava me encarando, então entendi o que tinha acontecido.

— Espera — falei, levantando. (Quando foi que eu sentei?)

— Espera — repeti. Jennifer Rose Milton fechou os cisnes. Abri a porta e encarei o corredor. De um lado, ninguém. Do outro, um flash.

— *Merda.*

— Foi mal, Kate — Flora Habstat deu uma risadinha e saiu saltitando pelo corredor com a câmera. — Estou tirando fotos!

— Não sou a Kate — falei, e de repente isso pareceu importante. — Jenn, não sou a Kate.

— Eu sei — ela respondeu, desleixada, enquanto puxava o cabelo para trás e olhava para o espelho. Súbita e bizarramente, ela estava parecendo Lily. Esfreguei os olhos e a verdadeira Lily quase pisou no meu pé ao avançar pelo corredor.

— Flannery! — ela exclamou e me abraçou. Seu sorriso estava amplo demais, e a música tocava num volume exagerado. Ela me puxou para fora do banheiro e me arrastou pelo corredor; quando olhei para trás, Jennifer Rose Milton parecia ser outra vez parte da decoração.

— Precisamos de comida — ela disse, apontando para mim. — Ou melhor, *bebida.*

A cozinha estava um caos. A família de V. tinha aquelas panelas de cobre suspensas em um suporte de teto ao redor do fogão que mais parecia um instrumento de tortura, só que alguém o havia arrancado — ou melhor, arrancado parte dele, que agora estava pendurado precariamente, com pedaços de gesso caindo como se fosse neve. As panelas já tinham despencado havia muito tempo, parecendo relíquias amassadas no chão da cozinha. Gabriel estava com um olhar de choque, parado no meio de tudo aquilo, como um astronauta que perdeu o último ônibus espacial para a nave mãe. Ele provavelmente havia esquecido que estava com um chapéu de cozinheiro torto sobre a cabeça, e observava horrorizado a montanha de panelas que fazia a pia sobre a qual estavam desaparecer. Alguma coisa pingava, e um gorgolejo alto ecoava na minha cabeça. A mesa estava tomada por garrafas de bebida, além de uma tigela de ponche onde boiavam bolas de sorvete e copos plásticos. Garrafas vazias de cerveja se alinhavam como meninos em um coral. Havia muitos, muitos copos plásticos, a maior parte amassada, e uma tigela grande de gelo praticamente derretido. Um copo grande babava algo viscoso e vermelho-vivo sobre o tapete branco.

— Uau — me ouvi dizer. Gabriel virou e me abraçou forte, seu corpo escorregando contra meu vestido acetinado.

— Onde você estava? — ele perguntou.

— Desculpa. — Que horas a festa tinha começado? Não eram nem oito. — E aí?

— É a melhor festa de todas! — ele declarou, agitando um braço no ar, enquanto no outro tinha um copo grande de ponche. *Todo mundo* estava bêbado?

— *Todo mundo* está bêbado? — perguntei, mas a cozinha começou a girar bem no momento em que me dei conta do tom moralista da minha voz. — Inclusive eu — completei, envergonhada. Ao fechar os olhos, ouvi Lily e Douglas rindo. Lily e *Gabriel*. Estendi o braço para recuperar o equilíbrio e derrubei uma pilha de lenha, mas quando os abri vi que eram as baguetes. Gabriel me deu um copo de ponche. — Fui eu que comprei o pão — comentei, tomando um gole em seguida.

O ponche estava forte demais. A cozinha toda voltou a girar; senti aquelas três torradas fazerem uma vaga ameaça. Gabriel colocou a língua na minha boca. Um sujeito baixo e magrelo apareceu.

— Ainda tem Douglas? — ele perguntou.

— O quê? — Lily falou.

— Ainda tem ponche? — ele disse.

Gabriel sorriu.

— Flannery, este é Rob — ele anunciou, colocando o braço em volta do sujeito baixo e magrelo.

— Bob — corrigiu Rob. *Bob.*

Gabriel se inclinou e cochichou para mim:

— Rob é o cara que o Douglas... você sabe... — Ele riu e perguntou ao garoto: — Quer mais ponche, Bob?

— *Rob* — Rob disse.

Quê?

— Brincadeira — Bob falou. Todos rimos, menos Lily, que me abraçou e começou a chorar. Tentei mantê-la longe do meu vestido, sem sucesso. Gabriel estava explicando alguma coisa em detalhe para Bob, que sentou numa cadeira e assentiu sereno, com o olhar perdido.

— Qual é o problema? — perguntei enfim para Lily. Quanto tempo fazia que ela estava chorando?

— Vamos lá fora — Lily pediu. Passamos por um corredor barulhento, onde Rachel State estava executando um gesto grandiloquente com o braço para outras três meninas do primeiro ano, que observavam atentamente e tentavam copiá-lo.

— Vocês não estão fazendo direito — falei, e Rachel me lançou um olhar de ódio. Ela estava com um collant preto e parecia uma mímica. Do que eu estava falando? — Inclusive você — eu disse para ela.

Rachel deu de ombros e se abaixou para pegar a garrafa de cerveja sobre o tapete. A música aumentou mais um pouco.

— Então mostra aí — ela disse.

— Vamos, Flan — Lily falou. Eu não acreditava que ela *ainda* estava chorando. Atrás de mim, ouvi Gabriel e Bob cantando alguma coisa, ou talvez fosse o Twin Can. Pisquei; Rachel e companhia continuavam olhando para mim.

— O que vocês querem? — perguntei, tomando outro gole de ponche.

— Esquece — uma delas disse para Rachel. — Ela está bêbada.

— É isso aí, me esqueçam! — gritei para elas. — Eu não existo! Do que eu estava falando?

— *Natasha!* — Lily gemeu. — *Estou transtornada!*

Rachel e as meninas deram uma risadinha e passaram por nós para ir à sala de estar. Eu ainda não estava pronta para entrar ali. Só queria...

— Vamos lá fora, Natasha! — Lily disse, então piscou e me fitou. — Flan — ela disse, e caiu no choro. Isso já não tinha acontecido? Então me levou até uma porta de vidro de correr e a abriu. Observei meu reflexo na porta deslizando. Saímos. O ar estava fresco e cortante. Sentamos na escada onde eu havia consolado Kate alguns dias antes. *Ontem*. O jardim estava escuro, com exceção de uma figura fantasmagórica que esvoaçava para lá e para cá, algumas cadeiras de jardim e os tacos de croqué — o vermelho, em particular, estava bem à vista. Lily chorava. Alguns degraus abaixo, Nancy Butler vomitava, e ainda nem eram oito e meia. Abracei Lily e me dei conta de que estava com uma baguete na mão.

— Calma, calma — falei, começando a rir, porque os ombros de Lily se sacudiam de modo que parecia que eu estava masturbando a baguete.

— Não ria, Flan — ela disse, então começou a rir também. — Olha a V. ali.

A figura fantasmagórica era V., correndo de um lado para outro recolhendo coisas do gramado. Parecia um coelhinho.

— O que você está fazendo aí, coelhinho? — gritei, com as mãos em concha na boca, fazendo parecer que a baguete estava... bom, envolvida em outro ato sexual. Tomei mais um gole do ponche, só que o copo estava vazio. Vi o de outra pessoa ao alcance da minha mão e o peguei. Ninguém jamais perceberia. — V., o que você está fazendo?

— Não é a V. — Lily disse. — É a Kate.

— Não sou a Kate — eu lembrei. — Não sou a Kate.

— Claro que não — ela retrucou. — Você é a Natasha. *Flan*. Kate está ali. — Ela apontou para a figura branca que vinha em nossa direção e que no fim das contas se revelou ser de fato V.

— Não consigo achar o resto do equipamento de croqué — ela disse, mal-humorada. — Preciso das bolas.

— Hum… — Douglas falou maliciosamente atrás de nós, e Lily voltou a chorar. Aquilo já estava começando a cansar.

— O que foi? — perguntei. Douglas sentou ao meu lado e Lily chorou ainda mais.

— Ela está chorando pela gente — Douglas explicou.

— Mas faz um século que a gente terminou — falei.

— Não *a gente* — apontando para nós dois —, *a gente* — completou, apontando para si próprio e Lily.

— Você tem que parar com esse desmunhecamento todo — eu disse brincando e me joguei nele. Douglas fez uma careta, mas depois sorriu e tomou um gole de ponche do copo vazio.

— Onde minha bebida foi parar?

— Esquece isso — V. falou. — Não estou conseguindo achar metade das bolas de croqué, nem o taco vermelho.

— O taco vermelho está bem ali — avisei, apontando para ele. Nancy Butler levantou e subiu cambaleando a escada, limpando a boca. Quando abriu a porta, ouvi Adam gritar:

— Flan?

— Aqui fora — respondi, mas alguém aumentou o som e Nancy Blutler fechou a porta. Levantei e senti o vento nas minhas orelhas.

— Não fique aí de pé, você está me deixando com torcicolo — V. reclamou, sentando. Estávamos os quatro sentados nos degraus: V., Lily, Douglas e eu. Acho. O chão vibrou com o álbum do Thin Sham.

— É uma ótima festa — falei, súbita e polidamente para V.

— Satã vai me matar — ela disse.

— Ela vai ficar com sua alma por toda a eternidade — Douglas acrescentou solene.

Nós rimos enquanto Lily — pasme — caía no choro.

— Douglas, me diz de uma vez por todas: foi minha culpa?

— Claro que não — ele respondeu. — É só que...

— A culpa é da mãe dele. — V. interrompeu. — Ela é muito mandona.

Alguém riu histericamente; parecia Natasha.

— Do que você está rindo? — Douglas perguntou.

Continuei rindo.

— Você precisa admitir, Douglas — falei. — Ela *é* mandona.

Douglas ficou indignado.

— Mas isso não tem nada...

— Acho que a culpa é minha — Lily falou baixinho.

— Ah, para — V. falou. — Douglas, aposto que se você tivesse uma mãe normal... me dá um pedaço de pão, Flan... ainda estaria namorando Lily.

— Namorar Lily é sinal de normalidade? — perguntei.

— Não, não — V. respondeu. — Esse pão é bom.

— Comprei na Padaria Perfeita.

— Ah, obrigada. Mas chegou meio tarde, né? Bom, eu só quis dizer que a mãe mandona do Douglas...

— Ela não é mandona — ele retrucou. — Cadê o Bob?

— Ah, esquece — V. falou, fazendo bico. — Vem me ajudar a recolher o croqué, Flan.

— Eu ajudo — Douglas disse, levantando e levando uma mão à cabeça.

Terminei o ponche, que queimou minha garganta feito lava. Lily se encostou em mim. Senti todo o peso do mundo em sua cabeça soluçante.

— É culpa minha — ela disse.

— Calma, calma — eu disse, me perguntando se Jenn ainda estava no banheiro.

— Me diz uma coisa, Natasha — Lily falou, se afastando de mim para me olhar nos olhos. — Seja honesta comigo.

— Tá. — Esperei pela pergunta. Ao longe, pude ouvir V. e Douglas rindo no gramado escuro, apesar da batida da música e dos gemidos diabólicos do vocalista. A pergunta nunca veio.

— Me diz logo — Lily pediu, levantando a voz. Ela pôs as mãos sobre as orelhas como se não quisesse saber. — Preciso ouvir da sua boca. Sou *gorda*, não sou?

Olhei para a silhueta esbelta dela e para seus olhos arregalados, e senti como se tivesse levado um soco no estômago. A música terminou. Por um segundo, não havia nada além do ar frio e da risada distante de V.

— Não — sussurrei para ela, mas provavelmente Lily não ouviu por causa do som da próxima música, do vento e da própria respiração. — Não — falei. — Lily...

— Ele *disse* isso! — ela gritou. O ventou subiu e jogou seu cabelo para trás, como se ela fosse uma estrela do cinema antigo. — Durante uma briga! Me chamou de *vaca gorda*!

— Douglas? — perguntei, incrédula. Na minha cabeça, eu via apenas o Douglas de ar frágil que batia à minha porta em todas aquelas manhãs do chupão. *Vaca gorda?*

— É — ela confirmou, perdendo o ímpeto e piscando como se eu pudesse lhe dar um soco.

— Ele chamou você de...

— *Vaca gorda* — ela gemeu e sentou outra vez, revelando Douglas, que subia a escada parecendo receoso e culpado. V. vinha logo atrás, segurando triunfante uma bola de croqué; ela ainda não havia achado o taco vermelho.

— Oi — Douglas disse. Lily olhou para o chão.

— Vaca gorda? — perguntei, arqueando as sobrancelhas.

— Estávamos brigando — ele disse. — Mas não acho que tenha dito isso.

— *Vaca? Gorda?*

— Não sei — ele respondeu.

— Flan? — Adam gritou às minhas costas. Com os olhos ainda em Douglas, levantei e subi os degraus até seus braços. Ele me deu um abraço quente e forte, então voltamos para dentro da casa, enquanto Douglas e Lily se olhavam e V. contemplava sua bola de croqué como uma cigana. Adam fechou a porta.

Surpreendentemente, não havia ninguém no corredor. O rosto de Adam parecia lindo, todo corado e sorridente. Sua gravata estava torta; seus dentes, brilhantes. Eu não conseguia respirar direito, porque ainda estava possuída pela raiva, pela ansiedade e pelo gim. Sentia meu coração acelerando cada vez mais, como a música.

— Eu estava procurando você — ele disse, e pegou minha mão com cuidado. A música parecia estar mais alta do que nunca; era como se estivéssemos juntos em uma cabine telefônica mágica, impenetrável e isolada. Como se cabos estivessem nos conectando a uma gigantesca rede universal, como se tocássemos feito um telefone.

— Ei — outro grito se fez ouvir. Gabriel e Kate. Gabriel se inclinou e *lambeu* meu pescoço; estendi a mão e tirei o chapéu de cozinheiro da cabeça dele para que a situação parecesse *um pouco* menos ridícula. — Eu estava procurando você — ele sussurrou no meu ouvido. Kate fulminou Adam com os olhos, então enganchou o braço no meu enquanto Gabriel me beijava de novo.

— Mais ponche? — Gabriel perguntou.

— Por favor — respondi. — Você chegou agora, Kate?

— Cheguei faz tempo — ela disse. — Onde você estava? — ela perguntou, com os olhos fixos em Adam.

— Lá fora — respondi. — Ajudando V. a encontrar o equipamento de croqué enquanto Nancy Butler vomitava.

Não havia nada como a visão de Nancy Butler vomitando para quebrar o gelo. Todo mundo riu.

— Vou dançar — Adam disse, me deixando (escrevi isso, então posso muito bem digitar também) com tesão só de olhar pra mim.

— Preciso de um ar — Kate disse, e abriu a porta. Douglas e Lily gritavam um com o outro. V. entrou, tapando as orelhas com as mãos.

— Não vá lá fora — ela disse para Kate. — Vem me ajudar a limpar a cozinha. — O vestido dela pingava como cera derretida. Gabriel tinha voltado e se esfregava em mim. — Não estou achando o resto do equipamento de croqué, mas foda-se.

Kate riu mais alto do que queria, espiando rapidamente Adam pelo canto do olho para conferir se tinha notado o quanto estava se divertindo.

— Amanhã vai estar claro e você acha fácil — Kate disse, e V. concordou.

— Além do mais — V. acrescentou —, perdi um brinco.

Pisquei; Kate estava tocando o lóbulo. Foi *Kate* que havia dito aquilo.

Adam tocou meu ombro. Quando virei para olhar, ele se afastava, rumo à música.

Gabriel, eu e quem mais estivesse por lá nos olhamos.

— Mais ponche — dissemos em uníssono, e nos espalhamos.

A cozinha estava ainda pior. O suporte tinha caído ainda mais, pendurado de forma precária, e mais panelas tinham caído no chão. Jennifer Rose Milton estava sentada no piso agarrada a uma enorme garrafa de vodca quase vazia, chorando e batendo na garrafa com um minúsculo punho cerrado. Algo fazia aquilo parecer um ritual, como uma cerimônia indígena. Ergui meu copo de ponche vazio para ela, que mostrou a língua e passou a chorar mais forte.

— Caramba, Jenn — Gabriel disse, correndo até ela e tentando levantá-la. Ainda nem eram nove horas.

— Não vou sair daqui sem um pedido de desculpa.

— Desculpa — Gabriel falou.

— Não *seu* — ela retrucou —, de Frank. Não vou levantar até *ele* dizer que sente muito.

— Meus pais vão voltar para casa em dois dias — V. falou, séria, enquanto pegava uma dose de ponche. — Até lá você precisa sair.

Dei risada, e Gabriel me acompanhou. Kate mordeu o lábio e virou para mim.

— O que foi? — ela perguntou.

Eu não sabia ao certo.

— Não sei bem — falei.

Kate piscou, cambaleou e se segurou na mesa. V. lhe deu um copo de ponche e ela deu um gole, então abriu um sorriso para mim, com uma gota de ponche na ponta do nariz, como uma minúscula pérola vermelha. O momento havia passado, independente do que tivesse representado. Depois, surgiu um copo de ponche debaixo do *meu* nariz, então o agarrei e bebi.

Estava ainda mais forte. Foi como ser picada por um escorpião. Energia estática atacou meus olhos e fez minha cara virar do avesso. Forcei a vista. As luzes pareceram mais ofuscantes do que nunca. A música soou estranha por um segundo, como a sirene de um carro de polícia passando: primeiro mais alto, depois normal, então baixando aos poucos. O mundo parecia pink — alonguei meus braços ao máximo e os observei seguirem minhas instruções lentamente, como escoteiros teimosos. No que eu estava pensando? Aonde estava indo? Então a bebida atingiu meu estômago e senti tudo o que o escorpião tinha a oferecer: picada, patinhas finas, veneno, morte. Lá fora, um raio caía. Fechei meus olhos e com perfeita nitidez vi um desfile de objetos cotidianos: uma colher, um hambúrguer, uma mão descarnada, o rosto de Natasha com um sorrisinho malicioso.

— Está tudo bem? — Gabriel me perguntou. Abri os olhos e vi seu rosto gentil, aureolado pelo pó do gesso e pelo suporte quebrado, balançando levemente.

— Oi — falei, e ele sorriu.

— Está tudo bem? — Gabriel repetiu.

— Esse ponche é forte mesmo — eu disse.

— Adam é um imbecil — Kate resmungou. — O que todas essas baguetes estão fazendo aqui?

— Nem são nove horas ainda — comentei. — Sabe quem eu não vi?

— Crianças do Halloween pedindo doces? — V. arriscou. — Também estou surpresa. Sei que a festa deve estar bem barulhenta, mas não a ponto de afugentar todo mundo, né? Até comprei um pote de balinhas pra distribuir.

Kate riu, por algum motivo desconhecido. Infelizmente, tinha acabado de dar um gole no ponche, então tossiu e cuspiu tudo em cima da pilha de tigelas de inox. A baba brilhou por um instante, então escorreu e sumiu.

— Quem você não viu? — Jenn perguntou. Não achei que ela estivesse acompanhando a conversa.

— Natasha — respondi.

— Você *é* a Natasha — ela disse com um ar de desdém, então tomou um gole de vodca e limpou a boca, sujando de batom as costas da mão.

— Ignora — Kate falou. — Ela está bêbada. — Achei que estivesse falando comigo, mas, quando virei, notei que olhava para

Jennifer Rose Milton. V. estava esparramada no chão e eu estava ao seu lado. Estávamos sozinhas, com exceção de Jenn, que continuava atacando a garrafa.

V. agora também bebia direto de uma garrafa de rum, tossindo levemente a cada gole. Eu fazia o mesmo. Se nos sentássemos, conseguiríamos beber sem tossir, mas parecia impossível sentar, então paciência.

— Se esse suporte cair, vou me foder — ela disse, dando uma risadinha.

— Você vai se foder de qualquer jeito — falei, dando um gole grande. — Olha todas essas panelas, V.

Jenn recomeçou a chorar.

— Mas esse suporte vai ser a gota d'água — ela disse. — Acho que vou fazer mais ponche.

— Não vamos conseguir limpar essa bagunça toda amanhã, V.

— Talvez a gente consiga — ela disse, levantando um braço para ver as horas. — Não são nem nove e meia ainda.

De repente, Adam apareceu, alto feito um flamingo gigante.

— O que vocês estão fazendo?

— Estou vendo o interior do seu nariz — V. falou. Jenn deu uma risadinha, ainda chorando.

— Estamos olhando as estrelas — falei, inspirada. — Deita aqui com a gente.

— Isso mesmo. Com o que você acha que aquilo parece? — V. perguntou, apontando para o suporte balançando.

— Chega um pouco pra lá — Adam disse, deitando ao meu lado. Meu corpo inteiro zumbia como um micro-ondas, só que um micro-ondas não zumbe e meu corpo não cozinha uma batata em dez minutos. Do que eu estava falando?

— Parece com um desastre — Adam respondeu.

V. soltou um risinho e sentou.

— Vem, Jenn — ela disse. — Vamos experimentar a maquiagem da minha mãe.

— Não vou sair daqui — Jennifer Rose Milton respondeu, firme.

— Acho que a gente devia deixar Kate e Adam sozinhos — V. retrucou, tentando agarrar os braços de Jenn.

— Não vou sair daqui.

— *Cai fora!* — Adam ordenou de repente. De alguma forma, nos vimos deitados no vão da porta, com as cabeças sobre o tapete manchado e as pernas no chão grudento. De alguma forma, a música ainda estava alta, e a mesma banda, seja lá como chama, tocava; a batida fazia o suporte balançar como um pêndulo. De alguma forma, Adam e eu estávamos conversando sobre teatro, acho. A fronteira que separa o ator do público. Senti algo quente no meu pescoço, me eletrizando. Continuei falando, me perguntando se o Halloween era uma forma de teatro, se festas eram uma forma de teatro, se Adam me beijando significava que eu devia me levantar e sair, mas estava tão bom, os beijos contínuos no mesmo ponto do pescoço. Eles queimavam de um jeito gostoso, como se eu estivesse sendo marcada a ferro quente, mas, enquanto Adam descia a mão pelo meu vestido, eu sabia que era muito mais do que isso. Sentir meu próprio corpo, magro e lindo contra o dele, como o de uma celebridade, me excitava tanto quanto seus beijos. *Magra*, sim. Provavelmente era o vestido de Natasha que me dava aquela sensação, mas tanto faz: um monte de gente estava me confundindo com ela. Senti meu corpo magro contra o dele, enquanto sua mão acariciava minha pele sob o vestido. Não podia mais aguentar, então abri os olhos. O suporte balançava acima de nós de um lado para o outro, e então um dedo quente entrou em mim. Senti meu próprio hálito de rum e ponche ao suspirar alto. Ele pegou minha mão com doçura, como se estivéssemos caminhando na praia em uma propaganda, mas a levou até sua calça. Sua mão ficou sobre minha mão sobre ele, esfregando. Meu vestido levantava. Seu dedo úmido me excitava, indo mais fundo, e eu o senti gemer no meu pescoço. Minha cabeça estava sobre o tapete branco, provavelmente arruinado para sempre. Satã ia matar V. Quando meus quadris se ergueram, senti o toque frio do linóleo caro sob ele. Bem nesse momento Steve Nervo entrou e Adam tirou o dedo de mim tão rápido que senti um arranhão. Soltei o ar. Ele suspirou e tremeu. Puxei o vestido para baixo, e fingimos estar apenas deitados no vão de uma porta, olhando para as constelações ou algo assim.

— Ei. — A voz de Adam saiu fraca e rouca. Levei minha mão àquele mesmo ponto do pescoço para escondê-lo. Onde estava Douglas quando eu precisava dele?

Steve Nervo balançou a cabeça. Os reflexos da luz em sua jaqueta de couro preta oscilavam ao balançar do suporte como o voo em círculo de um abutre. Percebi subitamente que ele estava bêbado, assim como eu.

— Oi, Adam. Oi, Natasha — Steve Nervo disse, e se encostou contra a bancada, desequilibrado. Atrás dele emergiu uma garota minúscula, magrinha como um duende, com maquiagem pesada. Quem era ela? Então pegou na mão dele e... Ah!

—Você deve ser a tocadora de pandeiro de quem todo mundo está falando — comentei, sentando, refletindo a respeito e deitando outra vez. Rocei contra a baguete que eu aparentemente não conseguia largar.

— Quem? — Adam perguntou.

Apontei para a menina, que já havia virado e estava beijando Steve Nervo. Com as bocas coladas, eles se aproximavam perigosamente de uma montanha de panelas oscilando.

— Steve terminou com V. por causa dela, que toca *pandeiro* na banda. — Eu me ouvi gargalhando. — É impressionante — falei. — Peraí. Você nem foi convidado para a festa, Steve.

Ele se deteve por um segundo e enxugou a boca.

— É a festa do elenco — ele respondeu, e a garota fez uma cara desdenhosa para mim. No mesmo instante, revi o rosto frágil de V. na praça de alimentação do shopping. Aquele cara era um babaca. Tínhamos cortado seu nome da lista de convidados com cerimônia. Usei a baguete como bengala para levantar. Steve e Pandeiro estavam se beijando outra vez.

— Ei — falei. Se eu estivesse reescrevendo este diário, e não apenas fazendo uma edição aqui e outra ali, poderia acrescentar: "num rosnado bêbado". — Ei — falei, *num rosnado bêbado*. — Você nem foi convidado.

— Cala a boca — a garota falou, e eu bati com a baguete bem no meio da cara dela. Infelizmente não consegui parar o movimento, e ouvi em seguida uma enorme cacofonia gerada pelas panelas caindo.

— Sua vaca — a garota disse, com a mão sobre a bochecha vermelha. Seus olhos cheios de sombra queimavam de ódio. Eu me sentia poderosa com aquele vestido. Bati nela outra vez com a baguete.

— Sua *vaca gorda* — Steve Nervo gritou, e investiu contra mim. Dei um passo para trás e tropecei nas pernas de Adam, caindo com tudo em cima dele. Só numa vida pavorosamente errada como a minha, Kate e V. apareceriam bem nessa hora.

V. começou a chorar, mas de repente parou. Seu rosto se encheu de raiva nutrida por rum e ponche.

— Sai da minha casa! — ela gritou para Steve, que começou a rir.

— Ai, que medo-o — ele disse numa vozinha bem aguda. Pandeiro riu e beijou o pescoço dele. V. avançou e, num movimento rápido de braço, jogou o resto das panelas com todo o estardalhaço no chão. Minha cabeça martelava. Senti uma fisgada na coxa: era a lixa de Natasha arranhando minha perna com sua garra.

— Sai da minha casa! — V. gritou, ofegando. Steve piscou e a fitou; sua vontade de rir tinha passado com o barulho das panelas. Até Pandeiro parecia receosa. — *Sai da porra da minha casa, seu cretino dos infernos!* — Bob e Douglas, que segurava uma garrafa de rum, estavam parados no vão da porta e começaram a aplaudir. Rachel State e algumas outras pessoas que eu não conhecia chegaram. Sob muitos aplausos, Steve Nervo e Pandeiro deixaram a festa. A multidão de bêbados se dispersou como toda multidão de bêbados, e então éramos apenas V., chorando de novo enquanto recolhia as panelas, Kate, eu e Adam, num clima bem esquisito.

— Agora — Kate disse, apertando os olhos —, posso te fazer uma pergunta?

— Não te devo nenhuma satisfação — Adam respondeu, rápido e áspero. Ele limpou a calça como se tivesse acabado de enterrar a mãe. — Vê se entende, Kate. Acabou. *Caramba.*

— Não acredito nisso. — Ela levou as mãos à cintura e jogou o cabelo para trás. Veio então um ofuscante flash; Flora Habstat havia tirado outra foto e dado um gritinho de felicidade.

— Nem eu — disse V., soltando um gemido alto. Ela estava segurando dois pedaços de panela de vidro.

— Escuta... — Kate falou, segurando Adam pelo ombro. — Escuta... — A voz dela se alternava entre fúria imperturbável e desespero constrangedor. — Escuta...

Adam olhou para o próprio ombro como se houvesse um rato morto ali, que então fugiu, provando que, na verdade, não podia estar morto. Como meu amor por ele.

Kate piscou; senti a vergonha no fundo do estômago.

— Escuta...

— Quer *calar a boca*!? — ele falou. — Sua…

— *Vaca gorda?* — sugeri, brandindo a baguete bem alto…

Desculpa, ainda não.

… mas ele já estava saindo de cena, com um sorrisinho maldoso no rosto. Kate ficou ali abandonada, com as mãos abertas e os ombros encolhidos num gesto de angústia, me encarando com os olhos marejados. Me dei conta de que tinha acabado de chamá-la de vaca gorda. A música martelava.

— Eu não… — comecei, mas ela já estava chorando. Fui abraçá-la, mas, tremendo, Kate me empurrou contra a parede, soltando um grito ensurdecedor. V. largou a panela e levou as mãos aos ouvidos.

— Como pôde fazer isso? — Kate berrou. — Como? Como? Como?

— Não foi…

Com um chiado a música foi interrompida e um barulho alto veio da sala. Kate e eu nos olhamos, e senti, aliviada, que a perspectiva de perder uma boa fofoca abafou sua fúria, ou pelo menos a distraiu. Corremos para lá.

Percebi que ainda não havia ido para a sala e que aquele deveria ser o melhor momento para tal, como um resort fora de temporada. Uma enorme mesa de madeira onde estava a comida estava caída, no que parecia uma tentativa de se construir uma barricada. Pratos, molhos e sabe-se lá o que mais estavam no chão sob o tapete. Gabriel, de joelhos, recolhia os cacos. Havia uma gota de alguma coisa cremosa — mousse de salmão, acho, porque era meio alaranjado — em seu rosto como se ele fosse pintar toda a cara. Douglas, que parecia feliz, e Bob, que parecia enojado, estavam sentados no chão com uma garrafa entre eles. Havia pelo menos dezoito pessoas que eu não conhecia ou só tinha uma vaga ideia de quem era — como a ruiva de cabelo encaracolado do segundo ano, que eu achava que se chamava Debbie. Frank Whitelaw estava de pé no meio da sala, parecendo que poderia cair a qualquer instante, olhando cauteloso para um pequeno redemoinho de roupas coloridas e braços próximos a ele. Nancy Butler, Cheryl e Jeniffer Rose Milton — *Jennifer Rose Milton* — estavam saindo no tapa.

Dei uma olhada no rosto de Kate. *Jenn Milton. Trocando socos.* Na sala. V. estava... *pasma.* Arrebatada quase a ponto de ficar sóbria.

Cheryl parecia estar ganhando — se de fato era Cheryl quem sempre arrumava a mesa de iluminação e falava um monte de...

— *Puta de merda!*

Ela parecia estar ganhando, segurando Jenn no chão pelo cabelo, esmurrando — bom, acho que eu nunca tinha visto um murro ao vivo antes da prisão — Nancy Butler direto na boca. Nancy gritava, mas Jenn só olhava concentrada, como se estivesse fazendo uma prova.

— Alguém joga água nelas! — Douglas gritou, e todo mundo riu. Douglas disse aquilo? Olhei outra vez; foi Bob. Alguma coisa que Nancy estava usando no cabelo de repente pulou como um esquilo voador e acertou o rosto de Lily bem na hora em que entrava na sala.

— *Natasha!* — ela gemeu, e correu até mim soluçando. Peguei seu copo de ponche e o virei, o rugido vermelho de álcool preencheu o vazio deixado pela música. Os soluços dela sacudiam meu estômago como uma refeição ruim. Eu vomitaria logo mais. Pela primeira vez na vida, me senti literalmente caindo de bêbada, cada uma das minhas células zumbia como o calor saindo da ignição de um foguete. Eu nunca havia ficado daquele jeito. Piscando, olhei em volta na sala. De repente o rosto de Adam estava à minha frente, enorme, como se eu tivesse chegado atrasada para um filme e tivesse que sentar na primeira fileira. Ele brilhava tanto que precisei cobrir meus olhos. Adam estendeu o braço e tocou meu pescoço naquele mesmo ponto. Lily escorregou pelo meu corpo até cair no chão como um balão furado de soluços bêbados.

— Vou lá pra cima — Adam sussurrou para mim —, se estiver interessada.

Então sumiu.

— *O que ele falou? O que ele falou?* — Kate gritou para mim, tão alto que várias pessoas desviaram os olhos da briga.

Tentei pegar sua mão, mas ela afastou a minha com um tapa; peguei sua outra mão e ela a sacudiu, mas eu já tinha aprendido a lição e continuei segurando firme.

— Ele disse que sente muito — falei.

— Natasha... — ela balbuciou, então engoliu em seco. — *Flan...*

— Ele disse que sente muito — repeti, forçando um tom de voz de resignação pacífica. Quanto tempo levaria para que Kate se distraísse e eu pudesse subir? Pensei no dedo de Adam em mim. Eu não experimentava a deliciosa respiração ofegante do sexo na cama dos pais de alguém em uma festa desde Jim Hadley, depois daquela peça em que eu era assassinada no segundo ato. — Ele sente muito, assim como eu. — Estava pedindo desculpas antecipadamente. Olhei para Gabriel, que contemplava os cacos em suas mãos com uma concentração zen alcoolizada. Sinto muito, pessoal. Preciso seguir meu coração.

Kate estava olhando para mim, imaginando se deveria acreditar ou não, quando a sala inteira gritou. Tínhamos tirado os olhos da luta, então não sei como aconteceu, mas Jenn agarrou a perna de Cheryl e a derrubou. Jennifer Rose Milton levantou e Nancy também caiu. Com precisão atroz, minha amiga chutou Cheryl e Nancy na cara, uma de cada vez, com pés diferentes. As garotas gritaram e cobriram a boca; em perfeita sincronia, o sangue escorreu como um dilúvio escarlate coreografado. Jenn, a indiscutível vencedora, recuou. Até Bob aplaudiu. Frank olhou para ela numa mistura de choque e raiva.

— O que você fez? — ele perguntou.

Jennifer Rose Milton piscou por um minuto, como se ela também tivesse acabado de se dar conta de que a filha da professora de francês mais legal do mundo, toda perfeitinha, deslumbrante, magra, doce e *magra*, Jenn-Jenn, havia acabado de chutar duas garotas no rosto como se estivesse em um jogo de videogame alucinante. Ela endureceu.

— Pra que isso? — Frank rosnou. — Acabou, Jenn. Isso não entra na sua cabeça?

— Vai se foder — ela disse, calma. — Sai daqui. Você nem foi convidado.

— Sua *vaca gorda*! — ele falou, e todos os presentes soltaram um suspiro, como um coro grego.

— Sai daqui! — ela repetiu. Cheryl, sangrando no tapete, tentava levantar. Percebi que eu ainda estava segurando a baguete, comida até a metade e vergada como uma flor morta. Aparentemente os pães da Padaria Perfeita não foram feitos para resistir a lutas.

— Não — Frank respondeu, então deu um passo na direção de Jenn. Nancy tentou levantar; Cheryl lhe deu uma bofetada. Jenn piscou, parecendo estar com medo; Frank podia ser burro, mas também era alto, e tinha os braços de alguém que trabalhava na equipe técnica. As coisas estavam ficando cada vez mais feias. Atrás de mim, ouvi alguém vomitando.

Douglas levantou.

— Frank…

Bam! Douglas estava no chão. Lily gritou. Violência pastelão: era no que dava assistir a tanta TV. Gabriel observava Frank de perto, mas não ia fazer nada. Sr. Baker, ninguém lhe dá ouvidos. Somos uma nação de jovens que deixam coisas horríveis acontecerem e bombam em cálculo. Frank levantou a mão. Tudo parecia tão literal: *Frank levantou a mão*. Ela gritou. Embora parecesse já haver drama suficiente ali sem um professor de teatro, eis que Ron Piper entra na sala.

Nunca a supervisão de um adulto foi tão apreciada. Ele passou os olhos pela sala, reparou na mesa virada, em toda a bebida e em Rachel State jogada num canto com os olhos fechados e a boca aberta.

— Ah — Ron disse. Ele estava com blusa preta de gola alta e uma máscara roxa ornada com pérolas que imaginei que tivesse sido usada naquela peça francesa que encenamos no segundo ano. — Oi.

— Ron! — V. exclamou do nada. Ela ajeitou o cabelo. — Achei que você não ia chegar nunca.

— Parece que a festa está um pouco... como posso dizer?

— Até parece! — ela disse. — São só umas brincadeirinhas que fugiram de controle. Algumas pessoas estão indo embora mesmo — ela disse, sorrindo para Nancy Butler, que puxava seu casaco, preso debaixo da mesa —, mas a festa continua. Vem, entra. Amei sua máscara. É daquela peça francesa que fizemos?

— O que está acontecendo? — Ron perguntou, sem parecer achar graça. Cheryl estava limpando o sangue da boca com um guardanapo sujo de mostarda. — Está todo mundo bem?

É claro que não haveria um momento mais oportuno para isso, mas foi bem nessa hora que Lily vomitou. Até o sorriso de V. sumiu diante daquilo. Todo mundo esperou, enquanto a sala girava na minha cabeça outra vez. Ron estava num dilema: ele era um professor legal, mas ainda era um professor. Millie já teria queimado a gente vivo. Pensando bem, talvez só ficasse em choque ao ver sua filha chutar duas meninas na cara como um ninja. Com Ron, no entanto, não dava para prever o que aconteceria.

A propósito, Ron, se você estiver lendo isto, sinto muito mesmo que tenham botado fogo na sua casa e tudo mais.

Ele olhou para Lily no chão e então ajoelhou para ajudá-la a levantar. Ron não a conhecia muito bem — ela nunca participava das peças, mas às vezes fazia a maquiagem. Tirou um lenço roxo do bolso e limpou sua boca. Ela se apoiou nele e gemeu, seu rosto vermelho como um bebê com aquela doença que faz chorar o tempo todo. Cólera?

— Coitada — V. arriscou. — Lily estava mesmo com uma cara ruim. Deve ser virose.

— Não nasci ontem, V. — Ron retrucou. — Nenhum de vocês é maior de idade. Achei que fosse ser uma festinha inocente. Todos vocês, Douglas, Bob — como ele conhecia Bob? — V., Kate, Natasha.

— Flannery — eu disse.

— Vocês deviam estar envergonhados de si mesmos.

— E estamos — respondeu Nancy Butler na mesma hora. Ela já estava com a bolsa e Frank, com as chaves do carro; algumas pessoas fogem como um raio quando são pegas no flagra. — Tchau.

Ron colocou uma cadeira de pé e fez Lily sentar nela.

— Agora, acho que...

Então Flora Habstat apareceu. Ela usava uma cortina de banheiro como se fosse uma capa.

— Tchã! — entoou, tirando várias fotos seguidas: do canto da sala onde Rachel estava jogada, de Douglas e Bob ajudando Gabriel a recolher batatinhas do chão, de Ron se inclinando sobre Lily e olhando feio para ela. Flash, flash, flash. No terceiro flash, o rosto de Ron parecia mais cuidadoso, receoso até. Dava para lê-lo como um diário: ele estava aos poucos se dando conta de que não era boa ideia, para um professor, estar presente naquela festa.

— Sabe... — ele começou, mas foi cortado por Flora.

— Tchã! — ela disse, e saiu correndo da sala aos gritinhos.

— Sabe... — Ron repetiu, mas eu já estava quase fora da sala, subindo a escada de dois em dois degraus, com o rosto de Kate em minha mente: olhando para Ron um pouco assustada, então para Lily com a mais pura satisfação de quem gosta de fofocas. Ela havia esquecido de mim por um instante. Era a deixa para que eu escapasse. A cada passo, meu corpo ficava mais vermelho e quente, de modo que ao chegar ao topo da opulenta escadaria estava literalmente tremendo de desejo. É a única maneira de explicar isso. Faça uma retrospectiva, leitor. Marque esta página com um dedo e feche o livro; então abra-o no início e deixe seus dedos pousarem sobre o primeiro dia. Fiquei *trabalhando* nisso o tempo todo; chegou a hora de colher os frutos aqui e agora, no Halloween. Não era a coisa certa a fazer, mas, caramba, era o último ano do ensino médio. Logo eu estaria indo para a faculdade e ingressando na vida adulta. Nunca mais teria aquele tipo de liberdade. "Vou lá pra cima", ele havia dito, "se estiver interessada", e eu estava. *Vou fazer alguma coisa*, fiquei pensando comigo mesma enquanto abria as portas erradas: armários com roupas de cama, um banheiro cheio de espelhos. *Vou fazer alguma coisa*. Cinco membros da equipe técnica sentadas numa roda fumando maconha. *Vou fazer alguma coisa, vou fazer alguma coisa, vou fazer alguma coisa*. Agora deve ser a porta certa. Quando a puxei, ela bateu no meu quadril e a lixa no bolso cutucou novamente minha perna. O quarto estava escuro, mas a porta entreaberta permitiu que a luz penetrasse. Por alguns instantes vi uma cena inimaginável, absurda: um lençol se agitando na brisa. Nunca em um milhão de anos pensei que Satã penduraria a roupa lavada em um quarto de hóspedes. Até que percebi que eram as costas de uma menina montada em Adam.

O último gole de ponche jorrou da minha boca, caindo sobre o tapete e brilhando ali. A garota virou, mas estava muito escuro para ver. Havia outra escadaria, uma passagem secreta? Ela tinha levado a melhor de novo?

— *Kate?* — perguntei, então ouvi Adam rindo, bêbado e ruidoso. Senti um frio vindo do chão, atravessando as fundações da casa, subindo pelo porão úmido onde Satã guardava o vinho até o batente da porta onde eu estava encostada, e daí para as pontas dos dedos e então irradiando para meu corpo todo, agora congelado. Eu era como um cadáver azulado que teve sua ressurreição negada no último momento. O que o mundo queria de mim?

— Kate! — gritei de novo, então senti sua mão no meu ombro. Ela estava atrás de mim. Nossos olhos se cruzaram e percebi a irmandade do ensino médio, forte como um carvalho, dando sustentação ao meu corpo frio e trêmulo. Kate estendeu o braço atrás de mim e empurrou a porta, abrindo-a mais. Na faixa de luz se revelavam todas as provas que deveriam ter sido consideradas no horrendo caso, naquelas lamentáveis circunstâncias, no crime de nossa época: a calça jeans de Adam estendida no chão como o vestígio de um animal que mudou de pele. Um sapato de menina, um sutiã. A camisa desabotoada de Adam, a gravata solta, mas ainda envolvendo o colarinho. O pacote de camisinha rasgado, pálido como um torrão de açúcar pisado. E, largado ali apressadamente, com listras horizontais medonhas, *um colete de lã*. Devo ter feito algum barulho com a garganta, porque Shannon, ainda cavalgando minha vítima, virou como se um predador se aproximasse. Senti minhas unhas afundando na baguete, as migalhas se incrustando sob elas.

Um longo grito lancinante emergiu. Soava como o pranto dos animais em luto nos documentários. Quando a sra. State chorou na televisão, amparada pelo silencioso braço do estoico marido, o som foi teatral, afetado. Agora eu sentia uma dor *real*, legítima. Quando virei, o rosto de Kate estava vermelho como um carro de bombeiro e ela mesma se encontrava além do choro. Suas mãos estavam coladas às orelhas de maneira quase terna, protegendo-as, como se fossem órfãs, daquele terrível som. Shannon tirou uma mão dos seios e cobriu horrorizada a boca, deixando seu peito nu e vulnerável. A faixa de luz geométrica da porta aberta me fez sentir que tinha visão de raio X; posso jurar que conseguia ver as veias dela, seu sangue, vermelho e vivo, seu seio, aberto como um melão, sob meu preciso olhar médico. Eu podia ver onde ela sentia mais dor, a pequena Shannon cobrindo a boca horrorizada.

Adam mudou de posição debaixo dela; Shannon caiu impiedosamente sobre ele — *paf.* Ela tirou a mão da boca. Foi aí que percebi que estava sufocando uma risada. Não era horror coisa nenhuma. O que mais eu havia deduzido errado?

Adam levantou e se enrolou num edredom com uma estampa refinada. Aquilo o envolvia como uma saia grossa e feia, murmurando contra o tapete conforme era arrastado. Seu rosto estava vermelho, e pela luz cortante do corredor eu podia ver gotas de suor no seu peito nu, magnético mesmo naquele momento. Adam estava sorrindo, mas seus olhos pareciam claros e furiosos como garrafas vazias. Eu podia ler, escrita em todo o seu rosto, a exasperação angustiada do coito interrompido. Era um olhar dissimulado, que não envolve respeito, diversão, problemas emocionais ou qualquer outro assunto. Por trás dessa fachada, a pessoa está apenas tentando descobrir se a barra está limpa para encerrar a conversa e simplesmente *trepar.*

Eu não teria escolhido o caminho da indignação moralista. Por outro lado, não estava escondendo uma ereção atrás de um amontado de roupa de cama.

— Fechem a porta! — ele disse, tentando soar constrangido, mas olhando para nós como se fosse nos matar. — Podem fechar a porta, por favor? — Era uma pergunta retórica, porque ele mesmo já a estava fechando. Sua cabeça desgrenhada ficou à minha frente por um instante. Brandi a baguete e…

Certamente você não vai acreditar *nisto*, né. Mas adivinha o que eu disse?

— Aparentemente os pães da Padaria Perfeita não foram feitos para resistir a lutas.

Só vimos de relance a (como foi que eu escrevi?) cabeça desgrenhada dele antes que a porta batesse na nossa cara.

Olhei para Kate outra vez: os olhos dela estavam arregalados; uma baba leitosa escorria pelo seu queixo.

— ADAM! — ela gritou, e se atirou sobre mim para tentar segurar a porta. Espantosamente, consegui contê-la, e a afastei dali como se estivéssemos numa desajeitada dança folclórica. — Adam! — ela repetiu, e eu olhei para a porta cerrada. Será que ele tinha retomado o que fazia, ignorando toda aquela barulheira do lado de fora do quarto?

Kate soluçou contra meu ombro descendo a escada; ao chegar lá embaixo, vi Ron Piper com uma mão sobre a porta de entrada, me observando com atenção. Tentei dar um sorrisinho para mostrar que as coisas estavam sob controle — só um chilique da Kate, sabe como é —, mas quando meus lábios franziram, senti neles um gosto salgado, e soube que deveria estar parecendo tão acabada quanto ela. Ron meio que encolheu os ombros para mim e abriu a porta; o ar fresco penetrou.

— Ron… — falei.

— Eu nem deveria estar aqui — ele disse, parecendo arrependido. — *Vocês* podem fazer o que quiserem, acho. Nunca estive numa das festas de elenco antes, mas jamais imaginei que… bom, eu nem deveria estar aqui. Não se preocupem, não vou contar nada a ninguém, mas não vou ficar — ele anunciou. Estava nervoso; *com medo*. — Não se preocupem — ele repetiu, forçando um sorriso.

Ron poderia ter colocado *todo mundo* para fora. Ele era professor. Eu me curvei e Kate caiu no chão.

A porta da frente se fechou com um estrondo, em perfeita sincronia com a música que voltava a tocar a todo volume. Era Darling Mud, "sem parar, sem parar, sem parar". Talvez Kate ainda estivesse gemendo; era difícil dizer com aquele solo de guitarra. Os pés dela chutavam o chão de forma errática e sem força num débil espasmo. Fechei os olhos e me apoiei no batente da porta do banheiro, mas pareceu que estava ouvindo tudo debaixo d'água; não conseguia ver nada e achei que ia me afogar no estrondo embaçado, grosso e da cor do suéter roubado de Kate. Ouvi algo atrás de mim. Virei e olhei dentro do banheiro; o pequeno e magrelo Bob vomitava na pia, e de sua garganta saíam sons horríveis; ele estendeu uma mão para se apoiar e sujou o papel de parede de vômito. Segui com os olhos os cosméticos voando e encontrei Lily encostada na banheira com uma gaveta nas mãos, tirada do gabinete sob a pia. Ela xingava Bob e tentava atirar o conteúdo da gaveta nele, sem sucesso. Um frasco de xampu estourou ao atingir a privada, e meu estômago se revirou com a visão do líquido dourado escorrendo lentamente pela porcelana até o joelho sangrando de Lily.

Cambaleei de volta à cozinha, onde o suporte de teto ainda balançava como um macaco alcoolizado. Rachel State estava desmaiada no canto. Suas duas comparsas bêbadas tentavam levantá-la, cada uma agarrando um braço. Sem nenhum motivo, golpeei uma delas por trás com a baguete; seu joelho dobrou e o braço de Rachel pendeu. Eu queria que toda aquela família de merda sofresse, não estava nem aí. A mesa de bebidas estava aos poucos se transformando numa lagoa fétida: tudo, *tudo* mesmo, havia sido derramado. O barulho de água competia com a música; olhei para a pia completamente cheia e notei que a torneira estava aberta e a água se acumulava nas panelas caídas. Logo aquilo transbordaria.

Outro banheiro, mais alguém vomitando; passei por ele ouvindo um estômago se contorcendo, uma garganta desesperada, uma boca frouxa. Na sala, a mesa agora estava de pé, mas ainda havia sinais de comida em todas as cadeiras, nos sofás e nas paredes. Tinha umas trinta pessoas ali, e nem sei lá que horas ainda não eram. Numa poltrona manchada e molhada, Jennifer Rose Milton, com o rosto sombrio de escárnio, gritava com Gabriel, que parecia pequeno e assustado.

Jenn soltou um pequeno grunhido de frustração. Ela contava alguma coisa, mas ele não acreditava. Gabriel me avistou e seu rosto se iluminou como uma árvore de Natal, lembrando que sou judia e não comemoro o Natal. Para mim é como um aniversário qualquer.

Murmurei alguma coisa. Ele estendeu o braço para me tranquilizar. Jenn deu um tapa no braço dele, então Gabriel a fuzilou com o olhar e voltou a me encarar.

— Eu te amo — Gabriel disse. Quando abri meus olhos, seus dedos vinham na minha direção, como se ele fosse uma lula gigante. Cobri a boca com horror, mas descobri que estava rindo. — Flan... — ele disse, mas não pude ouvir mais nada, porque alguém havia aumentado o volume da música, *sem parar, sem parar, sem parar.* Do outro lado da sala, duas pessoas que eu não conhecia estavam começando uma nova briga. Tive a impressão de que toda a casa estava se rebelando, como uma bolha inchando até estourar, para fugir do canudo que você formou. *Com o qual* você *a* formou, eu me corrigi, enquanto uma das pessoas dava um tapa na outra. Flora Habstat estava no chão, tirando fotos da briga e soltando uma gargalhada aguda que arrebentava meus ouvidos. A sala estava quente e caótica. Jenn gritava com Gabriel.

— Douglas — alguém disse, mas era o próprio Douglas, olhando para mim. — Kate está te procurando. *Natasha.*

— Quê? — falei, avançando na direção dele. Seus olhos se esbugalharam; sua cabeça balançou. — Quê? Kate está me procurando? Natasha está me procurando? Kate está procurando... *eu* estou procurando Natasha? Quê?

— Gabriel está bravo com você — ele disse, e então caiu imediatamente de joelhos, como se fosse me pedir em casamento. Havia um rastro de alguma coisa em sua testa. — Ron foi embora? — ele perguntou, e eu olhei para o enorme ponto de interrogação em seu rosto. Ele estava tentando pensar na coisa certa a dizer, se esticando todo para pegá-la como se estivesse no alto de um armário, fora de alcance. Colocada ali para seu próprio bem, como veneno escondido de uma criança que quer pegá-lo mesmo assim. Ele estava chorando. — Flan... — disse, e a música aumentou ainda mais, ficando tão alta que todo mundo poderia gritar sem ser ouvido.

Lá fora estava tão escuro que avancei no breu com toda a confiança e tropecei em V., que estava sentada na escada. Senti o ar frio como... gelo (é, minhas metáforas estão acabando). Sentei ao seu lado, com o vento agitando meu vestido. Ela chorava.

— Natasha — V. disse — ele nem foi *convidado*. Nem foi *convidado*. — Ela ergueu a cabeça e então levou a mão à boca, num gesto que teria sido melhor se fosse de horror. — Desculpa — V. falou. — Não vi que era você, *Flannery*.

Era um insulto; era *verdade*, mas soava como um insulto, como se V. jamais fosse contar aquelas coisas a mim, mas somente à pessoa que usava aquele vestido.

— Quê? — eu disse, acusadora.

— Ai, Flan. — Ela olhou para mim e enxugou os olhos com tanta força, que achei que fossem cair, ou pelo menos mudar de cor. — O que aconteceu? — Estava muito escuro para saber. — O que está acontecendo com a gente? — Ela engoliu em seco e conseguiu achar uma fina camada de controle. — *Uau* — V. disse.

— Acho que estou bêbada. — Ela tentou sorrir, a reação clássica de quem sofre de excesso de confiança. Aquilo quebrou o gelo, mas ela desmoronou. Fiz carinho em suas costas enquanto V. chorava, mas meu corpo havia perdido o vigor depois que sentara. Eu precisava me apoiar em alguma coisa, então deslizei até a outra ponta da escada, longe de V., e fui me encostar num corrimão, com os ramos espinhosos de um arbusto me espetando como a lixa que ainda me cutucava de dentro do bolso. À sombra do arbusto, eu estava invisível e congelada, mas tinha uma vista perfeita da porta de vidro que agora corria. Pude ouvir Jenn gritando, Flora rindo e Kate voltando a gemer brutalmente, mas foi Adam quem emergiu daquele hospício. Sua camisa estava meio pra dentro, meio pra fora. Alguém atrás dele estendia seu braço pálido e nu como se tentasse segurá-lo.

— Adam! — o braço gritou, e vi que era Shannon, ainda sem o colete, que provavelmente continuava amarrotado na cena do crime. Havia uma pequena ferida aberta em seu rosto, que pude vislumbrar graças a um raio de luz que vazava da sala, de onde escorria um filete de sangue, possivelmente causada por uma unha.

Adam não me viu. Ele saltou trôpego pela escada até V. e colocou a mão em seu ombro, tanto para despertá-la quanto para se equilibrar. V. acordou.

— Estou indo — ele disse, simpático. — Só queria avisar e... agradecer pela festa.

Por incrível que pareça, V. reencontrou a boa anfitriã em algum lugar do seu espírito devastado.

— Obrigada por ter vindo — ela disse, enxugando as mãos nas pernas. — Fico feliz que tenha gostado. Acompanho você até a porta.

— Adam! — Shannon insistiu, e então fechou a porta com seu braço fino. Com um clique, a festa emudeceu.

— Não precisa, está tudo bem — Adam disse, apontando descontraído para o jardim. — Posso chegar em casa sem nem pisar na calçada, só atravessando os jardins dos outros. São só seis quarteirões. Vou por aqui. É o jeito perfeito de encerrar essa festa.

V. se derretia diante do seu charme.

— Ah — ela disse —, beleza, então. Tem certeza?

Ele deu um beijo no topo da cabeça dela, solene, como qualquer outro convidado.

— Tenho, sim.

— Cuidado com o cachorro dois quintais à frente.

Ele deu uma risadinha e desceu um degrau.

— Temos um acordo. Somos farinha do mesmo saco.

V. bufou de maneira pouco graciosa e jogou a cabeça para trás; seu colar arrebentou e de repente todas as pérolas rolaram pela escada. V. piscou. Nem imagino como aquele espetáculo devia parecer: todas as pérolas saltitando pelos degraus à luz da casa, relíquias de família perdidas para sempre na escuridão do Halloween. Seus olhos se arregalaram cada vez mais, e eu abandonei a pobrezinha hesitando entre as lágrimas e o sono antes que ela se jogasse para trás.

Balancei a cabeça para esvaziá-la — "Ah!", minha cabeça fez — e avistei a camisa de Adam desaparecendo, se agitando para cima e para baixo enquanto atravessava o jardim. Aquela visão zombava de mim, igual àqueles filmes em que o piromaníaco arrogante passa no meio de toda a fumaça sem ser notado, ou em que um ladrão entra tranquilamente num carro para fugir enquanto a polícia vasculha a rua toda atrás do culpado. Adam estava fugindo de uma casa atormentada por tudo o que ele causara, desaparecendo em passos rápidos na noite, tão indiferente aos prejuízos quanto uma nuvem de gafanhotos. Alguém devia *fazer alguma coisa*; por que ninguém estava fazendo nada? Onde estava Natasha quando *todos* precisavam dela? Meu olhar recaiu sobre uma pérola, girando numa louca dança catártica totalmente indecifrável a qualquer pessoa que não soubesse a fórmula.

Cálculo. Regra de Baker. Se Natasha não estava aqui, se V. ficaria roncando nos degraus feito um cão de guarda drogado, se ninguém jamais puniria o culpado, *eu* precisava fazer alguma coisa. Podia agir sozinha, me forçando até os limites acadêmicos, atléticos e sociais.

Levantei e fui andando na direção dele. Tentei usar a baguete como uma espécie de bengala, depois de tropeçar em alguns morrinhos do gramado molhado, mas não demorou para o pão, torto e encharcado se partir em dois. Então passei a procurar um substituto e logo o encontrei: o taco vermelho de croqué, jogado ali no chão como um artefato corriqueiro, um componente do enredo escondido para o grande momento. E foi isso.

Embora eu tivesse certeza de que não podíamos ser vistos da casa, a luz da festa chegava mais longe do que eu imaginava. Depois de um minuto para me habituar ao escuro, já podia vê-lo com nitidez. Ele parecia tão despreocupado, até cantarolava... Eu não podia acreditar. Eu também devia estar fazendo algum tipo de barulho, porque ele virou e esticou o pescoço para tentar descobrir quem era.

— Quem está aí? — Adam disse como um segurança. — Kate? — Então, mais desconfiado. — Natasha?

Andei até ele. Não importava quem eu era.

— Ah — ele disse, perdendo interesse. — É você, Flannery. O que quer?

— De *você*, nada — respondi.

— Então tá — ele retrucou alto e sarcástico, daquele jeito ridículo que ninguém mais usava desde o sexto ano. O ponche de rum estava assumindo uma forma geometricamente afiada dentro da minha cabeça, espetando meu crânio em diversos pontos, como gelo.

— Adam... — falei.

— Acertou — ele disse. — Esse é meu nome. Tchau, Flan. Volta pra festa. — Ele já estava virando para ir embora, mas agarrei seu braço. Adam o sacudiu para soltá-lo, me olhando com desprezo. — Não encosta em mim — ele disse. — Tchau.

— Como você pôde fazer aquilo? — perguntei. — Como pôde? Tem ideia do que fez?

— Olha — ele disse, impaciente —, *sinto muito*. — Então encolheu os ombros e deu um sorrisinho, tão afiado como minha dor de cabeça. — Pode ser que não acredite em mim, mas achei que fosse *você* lá em cima, no começo. — Ele começou a rir, depois tossiu. — Bom, todo mundo erra. Agora, se me der licença...

— Não estou falando do que você fez *comigo*! — falei. Não sei por que menti. — Estou falando do que fez com *Kate*.

— Com *Kate*? — ele disse, rindo outra vez, agora mais alto. *Gritando de alegria*. — Essa é boa, Flan. O que eu fiz com Kate? Olha, pelo que lembro, você estava bem disposta a fazer junto comigo.

— Não é verdade — falei. Minha cabeça rugia. Eu era uma leoa furiosa. — *Não é verdade*.

— Ah, não? — Adam perguntou com os olhos arregalados. — Então por que subiu? Foi tomar um arzinho fresco?

— Cala a boca.

— Escuta, você sabe que é verdade. Nem eu nem você tivemos o mínimo de consideração pela Kate. Sem falar no *Gabriel* — ele comentou. — Pelo menos, eu tinha terminado. Já você...

— Cala a boca!

Adam riu, se inclinando para trás com as mãos nos quadris e parecendo distante na escuridão. Ele estava bêbado e eu ia matá-lo. Tínhamos chegado às árvores. Adam se balançava irregularmente. Seu rosto se alternava entre a sombra e a luz distante da festa: escuro, claro, escuro, claro, um estroboscópio em baixa velocidade.

— Admita, Flan. Você é tão ruim quanto eu. "Como você pôde?" — ele disse, me imitando com uma voz bem aguda com a qual às vezes me pego falando e sempre torço para que ninguém repare. — "Como você pôde?" Como *você* pode dizer uma coisa dessas, Flan, considerando o que faz com Gabriel?

— Não abra a boca pra falar dele — rebati. — Gabriel é *duas* vezes melhor que você ou Shannon! *Três* vezes melhor do que poderiam sonhar em ser!

— E por que isso? — ele perguntou. Eu o vi revirar os olhos para mim no que ia se revelar ser a última vez. — Porque *Gabriel* é parte do seu precioso Clube dos Oito?

— Cala a boca!

Mas ele não ia parar.

— Quem vai ser convidado para o próximo jantar? — ele disse, imitando minha voz. — Bom, o Clube dos Oito, é claro...

— *Cala a boca!*

— Mas vamos convidar *Adam*? Será que Adam é *um de nós*? Ai, não sei.

— Exatamente — vociferei. — Você *não sabe*. *Nunca* vai saber. Não vai ser mais convidado nem pra ir ao mercadinho da esquina com a gente...

— Ah, que horror! — Ele riu. — Como vou sobreviver? E o que você vai fazer comigo depois? Me bater com aquela baguete que ficou arrastando a noite toda como se fosse o substituto de um *pinto*?

Escuro, claro, escuro, claro. O rosto dele parecia tão desdenhoso, tão grosseiro até que, final e gloriosamente, tão *feio*. Nem um pouco bonitinho ou atraente, só o rosto de um menino insolente. Eu não sentia tanto nojo de alguém desde pequena, quando os meninos nos provocavam no parquinho, dando chutes, jogando pedrinhas e falando com a voz aguda para nos provocar. "Se eles fazem isso é porque gostam de você", os adultos diziam, sorrindo como abóboras de Halloween. Naquela época, acreditávamos e nos sentíamos atraídas por todas aquelas maldades, porque elas significavam que éramos especiais: deixem que eles nos chutem, quer dizer que gostam da gente, então devemos gostar deles também. Mas agora eu me dava conta de que nossos primeiros instintos estavam certos. Os garotos não eram maus porque gostavam de alguém. Eles só eram daquele jeito e pronto. Neste Halloween, tínhamos aprendido a lição. Nada mais me atraía em Adam, a não ser uma incrível enxaqueca cheia de raiva, a confortável fluidez do vestido de Natasha contra minha pele e a madeira pesada do taco de croqué nas minhas mãos, obediente e a postos. Escuro, claro, escuro, claro, escuro... Tentei acertar e errei.

— ADAM! — gritei, e ouvi todos os outros gritos me encorajando: Kate, Shannon, meus amigos, Natasha. *Faça alguma coisa!*

Ele continuava rindo.

— Assim você nem parece aquela menina que me mandou um lindo postal da Itália!

Parei, titubeante, atordoada com sua completa desonestidade.

— Você recebeu o postal? — perguntei. — Mas você disse...

— Eu *menti* — ele falou, como se fosse a coisa mais simples do mundo. Adam soava como um professor exasperado, um professor de biologia ou um vice-diretor. Talvez um apresentador de talk show ou terapeuta.

— Você recebeu *meu postal*? — gritei.

— O que dizia mesmo? — ele falou, rindo, sua voz de volta ao tom zombador da hora do recreio na escolinha. — Me deixa pensar. — Rindo, rindo, escuro, claro, escuro, claro. — Ah, é. "Olha, o que minhas cartas estão tentando dizer é que eu te amo." — Adam recuou para a sombra da árvore e permaneceu ali, de tal modo que o resto do postal saiu da escuridão como se fosse a voz de Deus, ou do diabo. — "E estou falando de amor de verdade, do tipo que pode superar a chatice do ensino médio."

— Cala a boca!

Ele veio à luz e riu na minha cara com a boca bem aberta, atrevido como só o protagonista de uma peça do ensino médio consegue ser.

— "Não estou falando isso só por causa do vinho!" — Adam guinchou, pondo fim a tudo com aquela frase.

Eu golpeei de *baixo para cima*, verticalmente, de um jeito que não se costuma fazer. O golpe foi certeiro, como a resposta de uma prova. Seus olhos se esbugalharam e sua mandíbula crepitou; observei sua boca enquanto ele cuspia sangue, sentindo o próprio gosto. Adam recuou outra vez para a sombra, então avançou. Escuro, claro, escuro, claro. Meu taco o seguia de perto, esperando para dar outro golpe certeiro, mas eu não estava preocupada. Tinha todo o tempo do mundo. A sensação do ar gelado da noite me envolvia como algo que eu conduzisse, algo que estivesse sob meu controle. Pela primeira vez naquela noite eu estava me *divertindo*. Aquele era o evento mais importante do ano. Um dia célebre, para ser lembrado...

— Sua vaca! — Adam gaguejou, ainda tossindo. Ele cuspiu algo no chão; dentes, talvez. Continuou se movendo, cambaleando sem direção: escuro, claro, escuro, claro. — Sua *vaca*! Sua *vaca gorda*!

Respirei fundo, e avancei para a claridade, bloqueando-a de maneira que minha sombra recaísse sobre ele. Escuro, *escuro*; Adam não tinha para onde ir. Ele recuou e olhou para mim. Foi a última vez que o vi com vida.

Vocabulário

FALA SÉRIO.

Segunda-feira, 1º de novembro

Um novo mês. Só consigo lembrar de algumas passagens. Desde aquele momento, senhoras e senhores, até a bofetada de terça-feira, tudo são momentos separados, claros o bastante na projeção de slides da minha cabeça, mas desconectados de todo o resto, como as pérolas de um colar que arrebentou, rolando escada abaixo, ou como dentes caindo de uma boca: individuais, pessoais, mas *separados*. Anotei tudo em meu diário, como uma joalheira zelosa, mas não posso confirmar a exata sequência. Juro por tudo o que é mais sagrado que essa colcha de retalhos maluca foi o melhor que pude fazer.

O taco de croqué ficou preso em algo úmido e irregular, como um melão. Não consegui tirá-lo de lá, nem mesmo usando as duas mãos. Minha respiração estava úmida e irregular. Puxei, puxei e finalmente desisti. Recuei, sentindo sob os pés, como um irrigador de jardim ou um osso.

Uma marca de mão sangrenta numa porta de vidro de correr, ou talvez só enlameada. Pedacinhos de grama ao redor dela, como lagartas rastejando. O rosto de Kate por trás, como se a marca fosse uma máscara.

— Muito bem! — V. gritou, batendo palmas. Que horas eram? — Todo mundo pra casa! Vamos embora gente, a festa acabou!

Minhas mãos sujas sobre o corrimão. Eu não era capaz de me mexer.

— Não posso sair — choraminguei.

— Não *você* — Kate disse numa voz apressada e tensa, como se estivesse enjoada. Ela segurava uma toalha azul-clara, enrolada como um recém-nascido de olhos ainda fechados e com o corpo todo mole, completamente dependente dos adultos. Segurei a mão minúscula de Kate.

Achei que a música que haviam colocado era a mais chata que eu já tinha ouvido: uma batida simples e extremamente repetitiva, com sons toscos de sintetizador. Querendo descobrir que álbum era aquele, voltei para a sala e percebi que estava cambaleando. O aparelho de som estava desligado. Nada daquelas barras luminosas mostrando os baixos e os agudos, e sei lá o que mais pulando e oscilando como de costume. Não havia música. O rosto de Kate surgiu à minha frente. Ela chorava.

— Pelo amor de Deus, *sobe*! — Kate disse — *Sobe*! Ai, meu Deus!

Soltei um suspiro.

— Calma aí — falei.

Adam recuou outra vez para a sombra, então de novo para a frente. Ele cuspiu algo no chão; pérolas, talvez. O ar gelado da noite me envolvia como algo que eu conduzisse, algo que estivesse sob meu controle. Pela primeira vez naquela noite eu estava me *divertindo* após toda aquela gritaria bêbada. E ainda nem eram... não tinha ideia da hora. Sentia meu próprio sorriso luminoso como os faróis de um carro brilhando intensos por onde passavam, enquanto na minha cabeça tinha uma certeza esperando pacientemente o momento de se revelar, como um cupim na madeira. Satã vai me matar. Vai matar todos nós.

Natasha puxou minha cabeça e tudo se encaixou de volta no lugar.

— Sabe... — ela disse, em tom bastante coloquial no qual eu teria acreditado caso seus olhos não parecessem dois carvões incandescentes. — Ouvi dizer que os perus são tão burros que é preciso tirar a cabeça deles do bebedouro, senão se afogam. — Ela me puxou pelo cabelo, como um homem das cavernas faria. — Mas nunca imaginei que você fosse igual.

Olhei para ela, que me observava como se o quarto estivesse uma zona. Por onde começar? Pisquei e olhei em volta. Não era o banheiro com papel de parede de livros. Era outro, que eu não sabia onde ficava. Havia toalhas de hóspedes sujas, sabonetinhos em formato de animais em extinção ainda embrulhados, um pote de vidro cheio de pot-pourri. Obviamente eu ainda estava na casa de V., mas onde?

— Fala — Natasha sugeriu.

— Que horas são? — tentei.

Ela sacudiu a cabeça.

— Esse é o menor dos seus problemas, Flan. Levanta.

Segurei num toalheiro, por algum motivo escorregadio. Pisquei outra vez. Onde eu estava? Ou, mais precisamente, o que estava acontecendo?

— Hum... — fiz.

— Levanta! — ela vociferou. — Rápido, Flan! — O banheiro se revirou. Outra porta se abriu e de repente eu estava no quarto do irmão de V., aparentemente intocado enquanto ele cursava o terceiro ano em Yale. Aquilo não estava ajudando. Natasha abriu a porta de correr do armário. Havia ternos impecáveis enfileirados. — Nossa! — ela murmurou, olhando para eles um por um. Natasha virou para mim, perplexa. — Não é pra sentar! — ela gritou, correndo para me puxar da cama. — Porra, Flan — ela disse. — Tira isso e não *toca em nada*!

— Do que você... do que você está falando? — perguntei, então olhei para baixo e percebi que tinha estragado o vestido. Havia marcas por toda parte; o tecido parecia encharcado. Ela tinha por que estar brava, mas senti certo alívio ao concluir que eram manchas de ponche. Porque se não fossem...

— Tira isso, tira isso, tira isso! — ela gritou. — Meu Deus! — Natasha me agarrou outra vez e o quarto se revirou, então outra porta abriu e eu estava de volta ao banheiro. — Levanta! — ela disse, e eu obedeci. Em algum lugar lá embaixo alguém estava gritando, portanto eu devia estar no andar de cima.

Natasha tirou o vestido por cima da minha cabeça como se eu fosse um bebê; ele deslizou pelo meu corpo, e ela me deixou tremendo sozinha no banheiro, com as mãos erguidas. Achei que fosse voltar, mas, como nada aconteceu, baixei os braços. Atravessando o som dos estalos e gorgolejos na minha cabeça, veio um barulho de água. Atrás da cortina, o chuveiro estava aberto, sem ninguém embaixo. Seguindo minha intuição, entrei e senti a água me limpando. Eu não conseguia ficar de pé direito, então estendi as mãos para me equilibrar: apoiei uma sobre o azulejo limpo e brilhante, outra sobre a cortina; aos poucos, fui escorregando até sentar debaixo da ducha, com água descendo por todo o corpo, sem pensar em nada. Achei que talvez pudesse simplesmente ficar ali, mas Natasha puxou a cortina e me forçou a sair. Comecei a tagarelar e de repente me vi ofegando nos braços dela. Uma de nós estava chorando, mas eu não sabia qual.

Natasha desligou o chuveiro. Estava com um terno masculino grande demais para ela. Trazia nas mãos as roupas que havia pegado emprestadas para a festa: a blusa branca lisa com a florzinha e a calça jeans.

— Estão suadas, mas ignora — Natasha disse antes de me jogar uma toalha.

Enxuguei meu rosto e, por um momento, o mundo se transformou em tecido felpudo.

— Desculpa pelo vestido — falei com tristeza, ainda envolvida pela toalha. — Vai ficar tudo bem?

— Não — Natasha rosnou. Continuei esfregando o rosto e evitando encará-la. Então a ouvi suspirar. — Vai ficar tudo bem — Natasha disse, quase para si mesma, então repetiu para mim. — Está tudo bem — ela falou. — Mas me escuta, Flan. Me escuta. Olha pra mim.

Obedeci. O terno parecia deixá-la cada vez menos ridícula e mais normal, glamorosa até. Natasha segurava uma sacola de mercado; dentro, avistei o vestido estragado, enrolado como uma cobra capturada.

— Você nunca viu esse vestido — ela falou. Eu estava com os olhos cravados nele. — Você não se fantasiou. Nunca viu esse vestido na sua vida.

Comecei a rir, mas Natasha agarrou meu rosto e o virou para me encarar. Com uma mão apertando minhas bochechas e a outra apontando para mim, ela repetiu:

— Você nunca viu esse vestido.

— Como assim?

— *Você. Nunca. Viu. Esse. Vestido.* — Ela me soltou e minha cabeça voou para trás, como se eu estivesse assustada. Porque eu *estava.*

— Quê? — falei.

— *Quê?* — ela gritou em resposta.

— Tá bom.

— Tá bom *o quê*?

— Nunca vi esse vestido — respondi, apontando para ele. O chuveiro deixava o espelho embaçado, ou talvez não; talvez ele refletisse exatamente o que estava acontecendo. — Nunca vi esse vestido.

Natasha enrolou a sacola e a colocou debaixo do braço.

— Põe a roupa — ela mandou.

De repente, algo agarrou meu tornozelo. Tropecei e coloquei as mãos na grama molhada para conter a queda. Peguei uma baguete, fina e incrivelmente dura, e bati com ela até a mão me largar, até parar de se mexer, até não parecer mais com uma mão.

Ela havia aberto as persianas, por isso o brilho irritante do amanhecer me cobria como molho numa salada.

— Hoje é o dia! — ela disse, montando em mim como uma amazona. — Mal posso esperar! O evento mais importante do ano.

Ela ajoelhou ao lado da cama, observando atentamente meus olhos entreabertos.

— Você está bem? — ela perguntou de um modo carinhoso.

Eu tinha puxado a coberta até o queixo como um bebê, mas tudo continuava gelado: a névoa cinza lá fora, os vidros, o chão e as paredes do quarto, meu corpo inteiro, duro de frio como se estivesse no necrotério. Me sentia um lixo. Fitei Natasha, que usava um terno masculino e batom bem marcado. Ela me olhou de um jeito cortante, teatral; de repente o ar não parecia mais uma completa geleira apocalíptica. Parecia só uma manhã melancólica.

— Estou com sede — falei, e virei debaixo da coberta, procurando me esquentar. — O que eu fiz? — perguntei. Natasha pôs um copo enorme e gelado na minha mão. Ela não respondeu. Não era a pergunta certa. Molhei os lábios na expectativa de finalmente beber água, mas havia uma camada fina de algo boiando no copo. Levei-o até os olhos; o rosto de Natasha tremia e ondulava atrás dele. Poeira dançava no horizonte da água, como plâncton. Meu estômago embrulhou; eu não queria beber aquilo. — Essa água está nojenta — falei para Natasha. Ela estava olhando para o relógio na mesa de cabeceira.

— Imaginei — ela comentou, virando-o na minha direção. Os números luminosos dançaram em frente aos meus olhos como centelhas quentes e vermelhas: MATA, MORTE, MORTO, 1NORTO, 17RTO, 17:30. Eram cinco e meia da tarde e eu estava no quarto do irmão de V. — Ela passou o dia todo aí. Igual a você.

Quando acordei, eu estava no quarto do irmão de V., com uma sede terrível e as mesmas roupas que tinha usado na noite anterior: a blusinha branca com uma flor e a calça jeans. Através de um copo d'água empoeirado, centelhas vermelhas do relógio digital piscavam para mim, mas não conseguia lê-las. Eu estava vivendo o que Natasha chamava de "déjà-tufão" — um furacão de familiaridade, uma torrente de não-sei-onde-foi-que-vi-isso. Havia algo bem na minha frente, algo cuja forma eu conhecia, mas que não conseguia definir, como se tivesse acabado de ter um bebê mas ainda não o tivesse visto; e lá estava ele, mamando sem parar.

Alguém me apalpava. Eu podia sentir a mão em minha coluna, me acariciando até o algodão branco e liso parecer seda ao toque da minha pele. Abri os olhos; bandeirinhas de Yale giravam. Atrás da janela, a lua iluminava a neblina, um denso arbusto de meia-luz cinzenta. Alguém respirava pesado; seus dedos tremiam sobre minha pele. Quando me beijou, eu o suguei como uma baleia, levando-o comigo. Usamos muita força, e seus dedos ainda tremiam quando escorregaram sob o elástico e por meu quadril, duros e gelados como mármore. Segui sua mão, agarrei seus dedos e os deslizei para dentro de mim. Ele gemeu; era Gabriel. Eu me agarrei àquilo: era meu *namorado*. Minhas pernas estavam tão abertas que ficava impossível tirar minha calcinha; ele a tinha conseguido levar até a metade do caminho quando emperrou, esticada ao máximo. Gabriel precisava cortar as unhas. Eu pensava em coisas assim o tempo todo: pequenas sentenças. *Sentença reduzida.* Minha calcinha rasgou e eu não tinha outra. Eu não conseguia lembrar o nome do irmão de V. Doía. A luz parecia esquisita. Mais forte. Eu sentia o gosto do ombro de Gabriel enquanto o mordia. Não estávamos usando camisinha. Mais forte. Dói. Será que tem alguém vendo a gente? Será que vou conseguir entrar em Yale? Gabriel respirava no meu ouvido. Meus quadris se moviam de um jeito que eu não havia previsto, talvez instintivamente. Eu sentia o gosto de sangue. Os barulhos de Gabriel, e os meus. O olhar fixo de Natasha no escuro, como olhos de gato. A ponta incandescente do cigarro dela, fascinada e entediada. O som da cama. O som de nós dois na cama.

Eu estava sentada no sofá manchado com uma xícara de café intocada na mão quando a campainha tocou. Ela era extremamente educada, como um ligeiro tinido, um pigarreio, um discreto "ahã"; no entanto, partiu minha cabeça como um melão. Fechei os olhos e vivi o que às vezes chamo de "déjà-tufão" — um furacão de familiaridade, uma torrente de não-sei-onde-foi-que-vi-isso. O que foi isso, uma cabeça partida como um melão? Uma baguete enfiada nele? Uma salada de frutas bizarra. Levantei e atendi a porta.

Era Rachel State, de banho tomado e com cara preocupada.

— Oi, Flan — ela disse, me analisando. — Tá tudo bem?

Achei que era sarcasmo, mas, quando olhei para mim mesma, vi que sua preocupação era legítima; eu estava usando uma blusinha branca com uma flor, toda amarrotada e com um buraco no ombro.

De repente, tive a impressão de que meu cabelo era um agrupamento de perucas. Em contraste com o visual escuro e elegante de Rachel, eu me sentia um farrapo.

— Estou bem — respondi. — Acabei de acordar, sabe como é. Que festa, hein?

— Isso não é da minha conta — Rachel respondeu, olhando para o chão.

Quê?

—Você não estava aqui? — perguntei.

— Isso não é da minha conta — ela repetiu, e percebi então que ela estava *começando* uma frase, não respondendo minha pergunta —, mas Adam dormiu aqui? — Ela levantou a cabeça e olhou para mim. Em uma fração de segundos, Rachel foi de Gótica Estrambótica a menina de catorze anos batendo à porta da anfitriã da festa procurando por seu irmão mais velho como uma personagem enviada para o bosque escuro num conto de fadas. Neste contexto eu era a bruxa, acho.

— Não sei — falei. — Entra. Estou com frio.

Ela parecia receosa e constrangida.

Recuei e deparei com Kate e Lily. Elas pareciam ofegantes e usavam aventais molhados.

— Ei — falei. — Rachel está aqui. Ela está...

— Adam não voltou para casa ontem à noite — Rachel explicou. — Minha mãe está surtando. Desculpa por ter vindo aqui. — Eu continuava com frio por causa da porta aberta, mas como não tinha a audácia de passar por Rachel e fechá-la, só fiquei lá tremendo.

— Não tem ninguém aqui — Lily respondeu prontamente.

Rachel piscou.

—Vocês não viram...?

— Ela está procurando pelo Adam — expliquei. — Parece que

ele não voltou para casa. — Eu ainda tremia. Tentei pensar em quando o tinha visto pela última vez. Rindo na cozinha...

— Bom — Kate falou —, aqui ele não está. Só o Clube dos Oito passou a noite. Todo o resto *deveria* ter ido embora. — Ela estava olhando para Rachel.

— Eu não estava... — A garota gesticulou em vão. — Só queria...

— Acho que Adam nem veio à festa — Lily comentou.

— Claro que veio — rebati. — Estou tentando lembrar a última vez que o vi. — Olhei com curiosidade para Lily. Ela devia lembrar de tê-lo visto. Estava com os olhos arregalados e tinha olheiras; era óbvio que não havia dormido. E *eu*, dormi? — Entra, Rachel — convidei. — Tem café.

— Obrigada — ela respondeu com um sorrisinho.

A garota entrou e eu aproveitei para fechar a porta. Não me lembrava da última vez que havia feito tanto frio, mas tampouco me lembrava de qualquer outra coisa.

— Está na cozinha — falei.

— Obrigada — Rachel repetiu, mas não pôde entrar na cozinha, pois Kate e Lily bloqueavam o caminho. Elas se olharam e então se afastaram um pouco, de modo que Rachel pudesse passar espremida entre as duas. O que estava acontecendo? Gabriel saiu da cozinha e se pôs na frente de Rachel, com o rosto impassível e nervoso. Flora Habstat, justo ela, estava atrás dele; parecia que havia chorado. Enfim agarrei a maçaneta para fechar a porta da frente e deparei com V. e Douglas parados ali, ofegantes. Pareciam bem assustados.

— Oi — falei. — Onde vocês estavam?

— Sei que é difícil de acreditar, Flan — Douglas disse rispidamente —, mas agora não estou no clima para brincadeira.

— Ele me acompanhou — V. explicou.

— E onde *você* estava? — perguntei.

— *Flan* — ela disse. Suas mãos tremiam.

— V., olha quem está aqui — Kate anunciou, de modo expressivo. — Rachel State. A irmã do Adam, sabe?

— Ah. — V. piscou, pôs sua mão sobre a minha e bateu a porta. — O que *você* está fazendo aqui?

Rachel olhou para mim, sua única aliada.

— Eu... — ela gaguejou. — Por acaso meu irmão dormiu aqui? Adam não... Estamos atrás dele. — Ela olhou em volta como um desses gatinhos enjaulados que se encontra nas feiras de adoção de animais: olha só que bonitinho, totalmente desamparado. Leve-o para casa. Os outros estavam bem perto dela: Kate e Lily, Gabriel e Flora, cercando-a como paredes. Como uma jaula.

— Não sabemos aonde ele foi — disse Kate.

— Minha mãe vai matar Adam — Rachel disse baixinho, e Gabriel soltou um som horrível. Todo mundo virou para ele, que cobriu a boca, o que tampouco ajudou. Agora Gabriel estava dobrando o corpo. Flora e Kate foram ao seu encontro.

— Desculpa — Gabriel disse, atrapalhado. Quando olhou para cima, vi num instante seu rosto avermelhado e soube que estava *rindo*. — Desculpa — ele repetiu, quando conseguiu recuperar o fôlego.

V. estendeu a mão e virou Rachel para que voltasse sua atenção para ela.

— Gabriel está de ressaca — ela explicou. — Acho que não é a melhor hora pra uma visita, Rachel.

— Eu só estava procurando Adam — ela respondeu, hesitante.

Kate estalou os dedos.

— Sabe de uma coisa, acho que ele pode ter ido embora com Shannon — ela disse. — Do coral, sabe?

— É verdade — Lily falou, cobrindo a boca. Eu mal podia ouvi-la com o barulho dos meus dentes batendo; devia haver outra porta aberta em algum lugar. Talvez a dos fundos, que dava para o jardim. — Eles passaram a noite toda juntos. Mal o vi.

Rachel suspirou, provavelmente achando que estávamos agindo de maneira *estranha*.

— Tá, acho que vou ligar pra ela. Posso usar seu telefone?

— Está quebrado — V. respondeu no mesmo instante, e então sacudiu a cabeça de leve. — Quer dizer, o telefone aqui de baixo está quebrado, e estou esperando uma ligação dos meus pais.

— Ah — disse Rachel.

— Eles estão fora do país — V. completou.

Estalei os dedos.

— Agora me lembrei dele indo embora pelos fundos — comentei.

V. me tirou da frente da porta e a abriu. Kate e Lily avançaram, forçando Rachel a sair. Então Jennifer Rose Milton desceu a escada.

— O que está acontecendo? — ela perguntou, então compreendeu a situação sozinha. — Flan, vem aqui pra cima comigo?

— Por quê?

— Preciso de ajuda.

Rachel olhou para Jennifer Rose Milton como se ela tivesse roubado algo que lhe pertencia.

Tentei falar outra vez.

— Adam não está... — Algo marrom me queimou. Kate havia batido no meu cotovelo e o café espirrou na minha camiseta branca, quase até a minúscula flor. Dei um passo para trás. O resto havia caído no chão. Kate e Lily me acudiram. Gabriel me segurou firme pelos ombros e me puxou para trás.

— Posso sair pelo jardim? — Rachel perguntou. — Assim posso cortar caminho pelos...

— Exatamente — falei. — Era isso que eu...

— Ai, desculpa — V. respondeu, tentando parecer gentil.

— Desculpa — Flora repetiu, concordando. Ela entrou na minha frente. Eu mal conseguia *ver* Rachel agora.

— O jardim está fechado — V. prosseguiu num tom professoral.

Mas a garota não tinha nascido ontem.

— Quê? — ela disse. — Você não pode nem me deixar...

— Não — V. respondeu. — Você não devia estar aqui. Não sabemos de Adam. Agora, por favor, vai embora. — Gabriel entrou na minha frente. Todo mundo estava na minha frente.

— Flan? — Jennifer Rose Milton chamou. Olhei para ela, mas não entendi o que queria. — Você vem?

— Temos *aula* hoje — Rachel disse. — Minha mãe quer saber onde Adam está. E vocês estão agindo como...

— Não estamos agindo como nada — V. rebateu. Eles haviam empurrado Rachel até a porta. Ela parecia assustada. Tentei avançar na direção dela, mas Gabriel me puxou para trás com delicadeza. Subi o primeiro degrau da escada. Jennifer Rose Milton também me contornou para se colocar à minha frente. Subi outro degrau.

— Ele tá aqui, né? — Rachel perguntou — *Adam? Adam!*

Lily tropeçou no próprio pé e estendeu o braço para recuperar o equilíbrio.

— Claro que não — ela disse, então riu.

— Onde ele está? — Rachel perguntou. Ela estava do lado de fora da porta que V. começava a fechar.

— Não sabemos — Kate respondeu. — Por que não vai procurar?

Subi outro degrau e de repente enxerguei, com a visão aérea, o que estava acontecendo bem no momento em que a porta se fechou. Não percebi do hall de entrada, mas de cima pude ver que todos estavam se agrupando para formar uma muralha compacta entre mim e Rachel, como animais se movendo em manada para proteger uns aos outros. O Clube dos Oito completo — Kate, V., Douglas, Gabriel, Flora, Jenn — me afastando do perigo.

— *Onde ele está?* — Rachel perguntou de novo. Então a porta fechou, e eu estava a salvo.

Terça-feira, 2 de novembro

Eu estava cochilando apoiada no vidro do ônibus, gelado e liso como água, quando escutei alguém segurando a fila dos que embarcavam. A pessoa perguntava o preço da passagem para o Colégio Roewer. O motorista, achando que estava sendo sacaneado (quem pensaria em sacanear um homem tão pesado como aquele?), falou, grosseiro:

— Você está segurando a fila. É um dólar.

Estiquei o pescoço para ver quem era aquela pessoa, criada por lobos em algum lugar selvagem de San Francisco, que finalmente tinha conseguido escapar e teria uma experiência no transporte público. Um penteado alto bloqueava minha visão. Escutei o clique de uma bolsa e moedas caírem na máquina, então seus passos desajeitados vindo pelo corredor e se jogando enfim ao meu lado.

— Não sei como você faz isso todo dia — ela disse. Abri os olhos e V. estava ao meu lado. *No ônibus*. — Se algum dia eu recuperar meu carro, Flan, vou te dar carona todo dia. Que horror.

— O que está fazendo aqui? — perguntei. — Eu estava justamente torcendo para que você e seu carro maravilhoso pudessem me salvar de andar até a escola.

— Meu carro maravilhoso *sumiu* — ela resmungou, se encolhendo em seu assento como uma espiã. — Não podemos falar aqui, Flan.

— Como assim? — perguntei. Seus olhos se arregalaram. Ela piscou e sorriu para mim, então olhou em volta do ônibus.

— É isso mesmo — V. falou em alto e bom som. — Meu carro foi roubado. Sumiu. É por isso que estou pegando o ônibus. — Ela afastou o cabelo do rosto teatralmente. — Fui roubada.

— Que *horrível* — comentei. Era mesmo horrível, mas por que ela estava contando para todo mundo do ônibus? — Hum, quando foi que aconteceu?

— A última vez que o vi foi na festa — V. anunciou. — Quer dizer, um pouco antes. Quando fui até ele para ir para a escola, não estava mais lá.

— Você avisou a polícia?

— Meu pai está cuidando disso — V. disse. Raios de luz entravam pela janela em ângulos estranhos, marcando com pequenos triângulos e quadrados seu rosto cansado. — Meus pais voltaram ontem à noite. Entrei numa fria, menina!

— "Entrei numa fria, menina"? Por que você está falando comigo como se estivesse numa propaganda?

V. me fuzilou, então afundou em seu assento de cara amarrada, como se eu tivesse estragado a brincadeira.

— Me conta o que está acontecendo — falei. V. sacudiu negativamente a cabeça. Eu me aproximei dela. Seu rosto estava sombrio e furioso. Falei baixinho, esperando que assim me respondesse. — Desculpa. Eu só... bom, eu estava aqui sentada e de repente você aparece *pegando o ônibus*, e agora me diz que seu carro foi roubado. É verdade? Quer dizer, sinto muito, mas...

— Ei — Lily falou, e nós duas demos um pulo de susto. Ela estava em pé ao lado do nosso banco, com o estojo do violoncelo como se fosse seu guarda-costas e os cadernos contra o peito. Estava acabada, e não apenas porque era cedo. Parecia saída de uma guerra.

— Posso sentar? — ela perguntou, e se inclinou sobre nós. Os raios de luz tocaram seu rosto e notei que estava totalmente verde. *Realmente* verde, como se tivesse algas grudadas nas bochechas. Eu me ouvi abafando um grito. Nunca tinha visto alguém *tão* verde. — Não quero parecer uma — ela engoliu em seco — velhinha, mas realmente preciso.

Esperei que V. levantasse, mas ela não se mexeu, ainda de cara amarrada, com seu olhar distante. A sempre educada V. não ia oferecer seu lugar a Lily Chandly, que estava parecendo uma lagoa em que é melhor não nadar. Da qual é melhor manter distância.

— Claro — falei, levantando e passando por cima de V., cujas pernas estavam largadas no corredor como se alguém as tivesse esquecido ali. V. piscou, fitou Lily e deslizou até a janela. Lily deu um sorrisinho e se jogou no banco. Pus minha mão sobre o estojo dela para que não caísse.

— Eu cuido disso — falei, mas Lily nem olhou para mim.

— Não sei se vou conseguir sobreviver a hoje — ela desabafou. — Não paro de vomitar.

— Como todos nós — V. respondeu, sem rodeios. — Agora cala a boca.

O rosto de Lily se franziu todo, como o de uma criança birrenta.

— Não posso... — ela choramingou, mas V. a cortou na hora. Levantou a mão e por um segundo pareceu que ia bater em Lily. Mas a severidade do gesto deu resultado, e a outra ficou de bico calado.

— Quê? — falei. Não podia acreditar que havia visto aquilo. E acho que usei os tempos verbais certos nessa frase. — *Quê?* — Olhei para Lily, que parecia doente demais para se importar. — V. acabou de me contar do carro dela. Você ficou sabendo? Foi roubado durante a festa. Aquele carro maravilhoso. Não é horrível? — Espreitei V. para ver se eu estava contando a história direito, mas seus olhos estavam fechados e ela se apoiava contra a janela. Virei para Lily, que piscava para mim como se *eu* fosse bater nela. — Você ficou sabendo disso? — Lily espiou V., que abriu os olhos e balançou a cabeça devagar, negativamente. — Lily?

— Não consigo... — ela disse, e engoliu em seco. O ônibus parou no ponto da escola. Lily levantou com esforço e V. a acompanhou. Lily caminhou cambaleante até a porta traseira do ônibus. V. passou por ela; fiquei observando enquanto ela descia a escada com um ar superior, sem virar para nós. Saí do ônibus com Lily atrás de mim, pisando em cada degrau como se estivesse no escuro. Finalmente ela estava sob a luz da manhã. V. não tinha nos esperado e seguia a passos largos para a escola. Lily piscou para o mundo; sua pele com o mesmo aspecto verde sinistro. Ela deu um passo e se dobrou; impedi que seu estojo se espatifasse no chão. Com um ruído rouco e medonho, ela vomitou um punhado de algo espesso e cinzento, que pousou no meio-fio como neve suja. Coloquei a mão sobre o ombro de Lily, e V. sequer olhou para trás. O som rouco e a respiração úmida me impressionaram, e eu fiquei ali parada, vasculhando o cérebro em busca de alguma conexão. De alguma lembrança. Ele vibrava como um diapasão, procurando em seus arquivos a imagem certa, mas nada me vinha à mente, apenas a penumbra de um sonho com aquário: gorgolejo, gorgolejo, gorgolejo. Lily sentiu náusea outra vez, mas já não tinha mais o que colocar para fora, então levantou. Tirou um lencinho de papel do bolso e limpou o rosto, fazendo cara feia para mim. Depois pegou o violoncelo e olhou para minha mão até que eu a tirasse de cima dela.

— Lily — falei —, você precisa ir pra casa. Não pode...

— Vamos — ela respondeu. Seus olhos estavam mortos e brancos, mas sua boca sorria como um palhaço maligno. — Estamos atrasadas.

— Não pode ir para a escola *desse jeito* — disparei. — Você está *doente.*

— Temos uma reunião — ela disse. — Na sétima aula, à beira do lago. Não esquece.

— Como assim? É a aula da Millie. Não podemos cabular para...

— Flan — ela me interrompeu, e começou a chorar. — Temos que ir.

— Tá bom — respondi, e estendi o braço em direção a ela. Lily se encolheu abruptamente e avançou contra minhas mãos, como se quisesse estapeá-las. Ela olhou para mim e deu um passo para trás. — Tá bom — repeti, com mais cuidado, então dei um passo para trás também. — Mas fique calma.

— Precisamos ir — ela murmurou.

— Tá bom — repeti. E fomos.

O dia em si foi monótono, flutuando sem direção como blocos de gelo num rio. Aconteceu alguma coisa em cálculo. Pedi desculpas a Hattie Lewis por ter faltado ontem. Tenho certeza de que ela suspeitou de algo ao ver que todos os meus amigos também estavam doentes, embora Lily vomitando no corredor assim que a aula terminou talvez tenha ajudado a convencê-la de que havia mesmo um surto de virose acontecendo. Adam não apareceu no coral. Água de lagoa sob o microscópio. Curvas capitalistas que pareciam peitos. E então, por alguma razão, passei abaixada pela porta de Millie e me arrastei até o lago para a tal reunião.

Só para variar, V. foi a primeira a aparecer, e sentamos à beira do lago sem trocar uma palavra. Finalmente, endireitei a postura e olhei para seu rosto tenso. Fiquei perplexa ao ver que ela fumava; a fumaça opaca se erguia diante das silhuetas das árvores.

— Desculpa — falei. Ela piscou e deu uma baforada. — Eu não

sabia o que estava dizendo no ônibus. Não queria te deixar chateada. *Por favor*, me desculpa.

Ela virou para mim de repente e me lançou um olhar flamejante como a ponta do cigarro.

— *Você...* — V. começou a falar com uma voz tão dura que fez meu corpo inteiro tremer, até o pedaço frio de terra onde eu estava sentada. Então ela soltou um suspiro e encolheu os ombros, dando outra tragada como uma verdadeira profissional. Onde V. tinha aprendido a fumar? — Está tudo bem. — Ela olhou para mim e sorriu de leve. — Acho que... estamos num momento difícil.

— Seus pais estão pegando no seu pé? — perguntei.

Ela piscou.

— Quê?

— Seus pais — repeti, mordendo o lábio. Aparentemente eu tinha dito a coisa errada outra vez. — Por causa da festa.

Os olhos dela se arregalaram. A cinza do cigarro ficou ali parada, à espera de ser batida.

— *Quê?* — ela repetiu.

— Ei — Lily falou, e nós duas pulamos assustadas. Ela estava em pé ao nosso lado, com o estojo de violoncelo junto ao corpo como um guarda-costas e os cadernos contra o peito.

Douglas a seguia, forçando um sorriso e com um cigarro aceso — será que todo mundo tinha sofrido lavagem cerebral?

— Oi — V. respondeu, e caiu no choro, sacudindo os ombros. O cigarro caiu no tronco onde ela estava sentada e atingiu a casca úmida da árvore. Douglas o esmagou com o sapato e sentou ao seu lado, segurando seus braços rígidos. Lily sentou do outro lado dela e ficou olhando para o vazio, com seu estojo de violoncelo apoiado no corpo. Todo mundo estava no tronco, menos eu, que continuava no chão. Não me sentia apenas perplexa, mas obsoleta. V. não parava de chorar, soltando soluços abruptos e potentes.

— Chega dessa palhaçada! — Natasha resmungou, saindo de algum lugar acompanhada de Kate e Gabriel. Ela também estava fumando, manchando o cigarro com seu batom escuro. Kate fuzilava V. com o olhar.

— *Natasha*... — Douglas disse, virando para ela.

— Ela está certa — Kate decretou, sentando no chão. Então recostou no tronco e abriu a mochila para tirar um caderno e uma caneta. — Não temos tempo para... não podemos nos dar ao luxo de... V., para com isso.

— Ela não consegue simplesmente *parar* — Douglas explicou. — Ela...

— *NÃO!* — Gabriel gritou, apontando para eles. — Não! Para agora!

Preferi não abrir a boca. Meu corpo estava gelado. V. mordeu o lábio e sufocou um soluço, tentando se controlar.

— Obrigada — Kate disse, forçando um sorriso. Seu ar era extremamente sério, mas ao mesmo tempo ávido.

Gabriel sentou ao meu lado e pôs a mão no meu ombro.

— Como *você* está? — perguntou, olhando para mim.

— Bem — respondi, mas ele já estava olhando para outro lugar. Natasha passou o cantil para V., que o pegou contente e o virou. O prateado refletiu o sol de passagem. — E você? — perguntei para Gabriel.

— A gente conversa na volta — ele respondeu.

— Por favor — Douglas disse. — Se alguém tiver alguma coisa para dizer, deve dizer a todos. Não importa o quê.

— Vou vomitar — Lily anunciou de repente. Ela espiava por cima dos cadernos ainda grudados ao corpo, com o rosto esverdeado e os olhos tensos.

— Faz isso em outro lugar — Natasha mandou. Ela estava encostada numa árvore com um pulôver vinho que eu nunca a tinha visto usar.

— Sim, *por favor* — Kate reforçou, dobrando uma página em branco do caderno. Eu não tinha ideia do que discutiríamos. Lily levantou e deu cerca de dez passos até uma moita.

— Isso não pode esperar? — perguntei. Gabriel fez um sinal negativo com a cabeça e Kate me mediu com os olhos, como se fosse uma inspetora de alunos.

— Como assim? — ela disse.

— Lily está doente — expliquei. — E V. está irritada.

— Todos estamos — Douglas interveio. — O que você...

— É isso o que estou dizendo — completei. — Não é uma boa hora para fazer uma *reunião*. Vamos adiar até que...

Kate dispensou meu comentário com um gesto de mão.

— Não seja ridícula, Flan. Cadê a Jenn?

— E a Flora. Precisamos de todo mundo junto — Lily gritou dos arbustos.

— Bom, cadê as duas? — Kate prosseguiu. — Não tenho muito tempo.

— Você tem o tempo que for preciso — Natasha retrucou com um tom firme coberto por uma falsa doçura. — Faríamos o mesmo por *você*, querida.

— Cala a boca — Kate disse.

— Quê? — Natasha atirou seu cigarro na relva.

— Por favor — Gabriel pediu, enquanto Douglas levantava e pisava no cigarro. — Como eu disse a Flan, estamos *todos* irritados, por isso vamos só...

— *Estamos todos irritados?!* — V. vociferou. — *Estamos? Todos? Irritados?*

— *Por favor* — Gabriel repetiu. — Vamos simplesmente falar do que precisamos fazer.

— Não antes de Jenn e Flora chegarem.

— Chegamos — Jenn anunciou com uma voz gélida de cadáver. Jennifer Rose Milton e Flora Habstat ficaram ali de pé, totalmente eretas, como se em posição de sentido, com os casacos arrastando no chão como a cauda de um vestido. Flora não disse nada e, pelo olhar dela, tive a impressão de que passaria o resto da vida assim. Mas eu estava errada, claro.

Kate destampou a caneta e escreveu no alto da folha algo que não consegui ler. Depois de sublinhar o título solenemente, ela fez um sinal um tanto formal para que Jennifer Rose Milton e a muda Flora Habstat sentassem. Para mim, a presença de Flora indicava que estava permitida a presença de — como posso dizer? — *membros adjuntos* do Clube dos Oito, e me perguntei onde estaria Adam. Fazia dois dias que eu não o via: ele não tinha aparecido no coral e não tinha dormido na casa depois da festa. Tudo estava muito confuso, como um borrão indo e vindo, escuro e claro.

— Muito bem — Kate começou. — Se alguém perguntar, estamos planejando uma festa no Jardim de Esculturas na sexta à noite. É por isso que estamos nos reunindo, combinado?

Uma festa no Jardim de Esculturas? Eu não podia acreditar.

— *Isso* não pode esperar? — perguntei. — Lily está *doente*, Kate.

— CALA A BOCA! — V. gritou.

— Combinado? — Kate continuou sem sobressaltos, como se V. fosse uma manifestante sendo retirada de uma palestra. — Sexta, oito da noite. Bom, agora acho que podemos ouvir um ao outro, assim todo mundo fica a par do que está acontecendo. V., e seu carro?

— Foi roubado — ela respondeu. — Avisei meu pai hoje cedo. Tem mesmo uma onda de roubos rolando no bairro, então ele está pirando por não ter colocado um alarme antes.

— Acho que você não pode dizer "roubo" se não tem ninguém

no carro — Lily falou, limpando a boca com a manga. — Nesse caso seria um furto.

— Tanto faz! — V. disparou. Seus lábios tremiam.

— Isso não importa — Kate fez coro, dando fim à discussão. Com os olhos baixos, ela riscou um T. O que eu não daria para ver o que estava escrevendo... Hoje isso está guardado nos arquivos federais. — Não importa — repetiu. — Combinado? Isso não importa. A questão é que o carro sumiu, com tudo o que estava dentro.

— Está num bairro barra-pesada — V. falou.

— Um bairro barra-pesada? — Natasha bufou. — Até parece que ninguém vai notar. Aquele carro incrível num...

— Esse é o ponto — Douglas comentou. — A ideia é fazer com que a polícia pense que ele foi roubado por, bom, *ladrões*. Como se os caras tivessem entrado em pânico...

— Mas quem entrou em pânico fomos nós — V. falou. — Não sei onde a gente estava com a cabeça...

— Nem me fala — Lily murmurou.

— Isso não importa — Kate falou. — Combinado? Isso não importa. Vamos trabalhar com o que temos. Tínhamos que fazer alguma coisa, então fizemos.

— Você parece o sr. Baker falando — Gabriel comentou. Natasha olhou para mim e deu uma piscadinha.

— Bom, o carro está num bairro barra-pesada — Kate disse. — Vai dar certo.

— Eles vão encontrar — Douglas falou, sombrio. — Não é como se o tivéssemos jogado num penhasco.

— De que diabos vocês estão falando? — perguntei.

Por um segundo pareceu que Douglas fosse me dar um soco. Sim, *Douglas*, e bem no meio da minha cara. Mas então ele olhou para baixo e seu rosto se abrandou.

— Nossa, Flan — ele murmurou, como se estivesse numa igreja. — Do que *acha* que estamos falando?

— Não sei.

— Flannery — V. disse —, isso tá cansando. Todos *sabemos*...

— Estou falando sério — desabafei. — Digam o que está acontecendo. Ando acabada desde a festa. Bebi muito daquele ponche-escorpião, começou uma briga e...

— Ponche-escorpião? — Gabriel perguntou.

— Ele descia mordendo — expliquei.

— Acho que o certo seria *picando* — Kate disse. — Mas é um bom nome. Precisamos nos lembrar disso da próxima vez.

— Próxima vez? — V. perguntou. — *Próxima vez?*

— Quietos — falou Jennifer Rose Milton. — Fica calm...

— Não vai ter uma *próxima vez* — V. berrou. — Pra *nenhum* de nós. Não depois de tudo que a Flan...

— Depois de tudo que eu *o quê*? — perguntei. Minha memória parecia estar me pregando peças... Eu sabia que havia estado numa festa, mas o resto da noite era nebuloso. Parecia que faziam uma mímica para mim com gestos vagos e impenetráveis. — Olha, gente — avisei. — Não estou fazendo graça. Não consigo lembrar quase nada. Tinha gente brava comigo. Eu estava brava com algumas pessoas. Acho até que *bati* no fulaninho perto do final, quando ele ia embora. Sei que brigamos. Mas depois disso... é puro ponche. — Agora todos olhavam para mim como se *eu* fosse a mímica. — Por favor. Estou pronta para pedir desculpas, me explicar ou o que quer que seja, mas alguém precisa me contar o que está acontecendo. Por que estamos matando a aula da Millie para falar de uma festa no Jardim de Esculturas e discutir o roubo do carro de V.? Vocês também têm carros. Podemos simplesmente pegar... O que foi?

Lily tinha vomitado outra vez, agora na grama. Verde sobre verde.

— Esquece — disse Gabriel. — Vamos só tentar nos acalmar.

— Não dá! — Douglas gritou. Tanto ele quanto Jennifer Rose Milton estavam cobrindo as orelhas e olhando para mim como se eu fosse a vilã de um filme de terror que eles fossem muito novos para assistir. *Ao qual* eles fossem muito novos para assistir.

— Você precisa aguentar — Kate disse. — *Todos* precisamos. Calma, Douglas. Você não está me vendo pular e gritar.

— Você não teve que enfiar o corpo do seu amigo no porta-malas, teve? — Douglas falou baixinho e sentou. Prendi a respiração. Sei que fiz isso. Me lembro de olhar para o porta-malas de V. no dia em que ela estava procurando a echarpe. De repente, eu estava encaixando um cadáver ali dentro... Pude enxergar, vagamente, um rosto todo manchado de vermelho esmagado como uma lata de alumínio, registro de algum filme ou de um programa de TV.

— Não acredito que estamos fazendo isso! — Lily gemeu. Ainda havia vômito em seu queixo e seu nariz escorria loucamente, como se fios de muçarela saíssem dele. — *Não acredito...*

— Não tivemos escolha — Kate afirmou, levantando os olhos do caderno. — Combinado? Não há nada que possamos fazer. Já decidimos. A questão é: será que conseguimos nos controlar e terminar isso? Acho que sim. Conseguimos sobreviver às drosófilas, a Jim Carr e...

— Agora é diferente — Douglas rebateu. — Isso é...

— Vai em frente — Natasha disse. — Por que não chama a polícia, sua mãe ou o merda do Mokie, o vice-diretor amigão? Conta para eles que o carro da V. não foi roubado, que está num "bairro barra-pesada", e que todos nós ajudamos a colocar o corpo de um garoto da escola no porta-malas? Por que não faz isso? Acho que dá pra incluir na porra dos formulários de inscrição para a faculdade. *Como você pode contribuir para o ambiente universitário? Socando cadáveres em porta-malas.*

— Chega! — gritou Lily.

— *Imbecil* — Natasha rosnou. Douglas engoliu em seco. Seus olhos se arregalaram. Ele levou a mão ao pescoço, bem no ponto que o tinha ajudado a cobrir com maquiagem todas aquelas manhãs.

— Vamos conseguir — Kate falou vacilante. Seus olhos estavam acesos, como naquela noite no Jardim de Esculturas, quando ela era puro triunfo e organização. Parecia que esperava por esse momento desde que nos conhecera. — Vai ser um teste duro para todos nós — ela disse. — Se conseguirmos passar por isso, sairemos...

— Mais fortes? — V. perguntou, arqueando as sobrancelhas. — Pelo amor de Deus...

— *Chega* — Kate falou. — Natasha, o vestido...

— Que vestido? — Natasha perguntou, olhando para Kate.

Ela assentiu com a cabeça.

— Certo. Então, deduzo que o vestido...

— Que vestido? — Natasha repetiu. — Não faço ideia do que está falando. Ninguém aqui faz.

— Acho que isso é um bom sinal — Gabriel opinou.

— Mas onde *está* o vestido? — Jenn perguntou.

— Não importa — V. respondeu. — Não entendeu? Não sabemos. É melhor assim. Só se por acaso...

— Isso não vai acontecer — Natasha falou.

— Não posso fazer isso — Lily desabafou, sacudindo a cabeça.

— Faríamos por você — Natasha advertiu.

— Não mais — Douglas rebateu.

Flora não disse nada. Como ninguém parecia bravo com ela, concluí que era o melhor a fazer.

— Tenho uma boa notícia, acho — V. anunciou. — Meus pais quiseram me punir pela festa.

— O suporte caiu? — Percebi que fui eu quem perguntei isso.

— Que suporte?

— Da cozinha... — falei, sentindo que aquilo não explicava muito. — Com todas as panelas. Parecia prestes a ceder.

— Qual é o problema dela? — Kate perguntou a Natasha.

— Não, Flan —V. respondeu, de olhos fechados. — O suporte não caiu.

— Qual é a boa notícia? — Gabriel perguntou.

— Meus pais me fizeram cortar a grama como punição —V. contou, com um sorriso amargo. — Foi a primeira coisa que fiz hoje.

Todo mundo soltou um suspiro de alívio. Kate chegou a abrir um sorriso de orelha a orelha.

— E para onde foram os restos?

— Direto para o lixo —V. falou. — Então nesse sentido tudo certo.

— Estava muito feio? — perguntou Douglas.

— Não precisamos falar sobre isso — Jenn pediu.

V. suspirou.

— Estava normal, acho... Quer dizer, *considerando* as circunstâncias. Foi muita sorte nossa. Não sei o nível de atenção do jardineiro quando ele corta a grama, mas se você encontra um *dente*...

Lily vomitou.

— Argh! — fez Douglas, ficando de pé, porque havia espirrado um pouco nele. — Podemos ir agora, Kate? Isso é tudo o que temos pra conversar? Ron quer ver toda a equipe depois da aula, e acho que já está quase na hora.

— O quê? Por que não disse antes? — perguntou Kate, levantando.

— Porque não parecia tão importante quanto o resto — Douglas respondeu, seco.

— É muito mais importante que uma festa no Jardim de Esculturas... — eu disse.

— Qual é o problema dela? — V. gemeu. — O que está acontecendo?

— Ela só está vomitando — respondi, vendo que Lily tinha se dobrado novamente. Foi um alarme falso: não restara mais nada dentro dela, nem dentro de mim.

Chegamos atrasados para a reunião. A equipe técnica estava sentada em cadeiras dobráveis, enquanto o elenco se concentrava no chão frio do palco, afinal, se os atores iam atrasar, eles que pegassem suas próprias cadeiras, já que os técnicos não eram seus escravos, só que ninguém tinha permissão de entrar no depósito, com exceção de profissionais treinados como Frank Whitelaw e sua nova namorada Cheryl, porque é perigoso. Para a decepção dos técnicos, a maioria dos atores parecia muito distraída para comprar essa briga e se contentou em fazer uma careta ao sentar. Lily Chandly, embora tecnicamente fosse membro da equipe de maquiagem, sentou no palco em solidariedade ao elenco; Steve Nervo pegou a cadeira dela. Ron levantou e bateu palmas para chamar a atenção.

— Como vocês ficarão sabendo oficialmente amanhã — Ron anunciou —, Adam State está desaparecido desde a festa de vocês — aqui ele nos fuzilou com o olhar —, já faz quase dois dias. É claro que a peça está suspensa pelo menos até descobrirmos o que aconteceu. Tenho certeza de que Adam está bem, mas até que volte à escola não teremos mais ensaios, por isso continuem trabalhando suas falas sozinhos. Mas não foi por isso que convoquei essa reunião. — Ele fez uma pausa. — Chamei vocês porque acho que há uma ou mais pessoas aqui que sabem do paradeiro de Adam... Se já estiverem recuperados da festa, vão lembrar de que passei no seu, hum, *evento*. Os nervos pareciam estar bastante exaltados, e sei que houve muito álcool envolvido. É por isso que não queria contatar a polícia antes de falar com vocês, porque sei que não querem que descubram tudo o que aconteceu nessa festa. Mas os pais de Adam estão preocupados. *Transtornados*, na verdade. Se não puderem ou não quiserem me dar nenhuma informação, serei obrigado a envolver vocês nessa história. Entendido?

Silêncio total. Ron nos examinou como se estivesse acompanhando uma corrida de cavalos. Olhei para cima e vi as cordas usadas para içar e baixar os cenários, linhas finas e desfiadas subindo cada vez mais na escuridão. Fiquei me perguntando a que altura chegavam a subir e se eu tinha coragem de escalá-las. Então a porta dos fundos do auditório bateu com tudo. Todos nos sobressaltamos e olhamos para o breu onde costumava ficar o público. Prendi a respiração, esperando no fundo que Adam descesse o corredor central e reivindicasse seu ingresso. "Cimbelino!" Lembra disso? Já faz um tempo.

— Sei que estão preocupados — ele disse. — *Todos* estamos. Mas não quero que ninguém se meta em encrenca. Vou dar um jeito. Agora, alguém pode me dizer o que aconteceu com Adam durante a festa? A última vez que o vi foi quando eu estava voltando para casa no domingo à noite. Ele estava parado no ponto de ônibus na esquina da Califórnia com a Styx. Parecia chateado. E aí?

Nada emergiu das sombras. A porta batendo devia ter sido fruto de um poltergeist ou de um funcionário da limpeza.

Ron soltou um suspiro.

— Espero que percebam a gravidade da situação. Se algum de vocês está escondendo Adam ou sabe onde ele está, não tem noção da encrenca em que está se metendo. Vou esperar mais vinte e quatro horas para procurar os pais dele com as informações que tenho. Não quero que a polícia interrogue vocês, mas, se tiver que acontecer, paciência. Quem quiser falar comigo a sós pode me encontrar amanhã na minha sala ou ligar para a minha casa hoje à noite. Meu número é...

Por que todos os números de telefone nos filmes começam com cinco-cinco-cinco? Ron já não mora mais lá, tacaram fogo em sua casa e ouvi rumores vagos durante o julgamento de que ele está morando em Amsterdam com um amigo. Você nunca vai encontrar Ron com o número que vou passar. Por isso, desafiando a tradição do triplo cinco, vou completar a frase com seu telefone real.

—... 666-7314. — Ron levou a mão à cabeça num gesto teatral de reflexão. — Queria aproveitar para dizer que descobrir a sua própria homossexualidade é uma das coisas mais assustadoras que podem acontecer a alguém. Você tem a impressão de que está sozinho, sem ninguém para ajudar. Como a maioria de vocês já imagina — ele sorriu com doçura —, sou gay. Você não está só. É o que se deve dizer a alguém que está questionando a própria sexualidade. Fiquem à vontade para falar comigo. — O rosto de Ron parecia iluminado, cheio de bondade, inocência e espontaneidade. Aquilo partiu meu coração. Tudo aquilo. — Pode dizer a essa pessoa que ela não está só.

Lily, de alguma forma reabastecida, vomitou.

Ron avançou em direção a ela, então nos olhou e recuou um pouco. Ele estava com o mesmo olhar da festa: uma compreensão súbita das más notícias. Foi a última vez que o vi.

— Não temos que limpar isso, né? — gritou um menino gordo e de cabelo comprido da equipe técnica.

— Claro que têm — Natasha retrucou.

Na realidade, a área do palco é responsabilidade de todos em Roewer, como acontece nas melhores companhias teatrais do mundo.

Gabriel me levou para casa. Durante todo o caminho, ficou suspirando como se não soubesse como começar a falar, e acho que jamais chegou a descobrir, pois quando paramos ele desligou o motor e ficou apenas me olhando. Ele permaneceu assim, com os olhos cravados em mim, até que coloquei a bolsa no ombro e fiz menção de sair. Onde estavam os outros? O que eles estavam pensando?

— Desculpa — falei, pois aquilo me pareceu certo. Pedir perdão por tudo, ou apenas por aquilo que tinha deixado meus amigos furiosos. No canto dos olhos e no alto da minha cabeça, eu sentia o peso de todos os meus amigos, enraivecidos e esgotados por algo que eu tinha feito e que não fazia nem ideia do que poderia ser. — Desculpa.

Gabriel deu um sorriso desanimado e se inclinou sobre o câmbio para me beijar. Senti seu calor fluir para dentro do meu corpo como algo sendo injetado direto na minha veia. Era como uma droga; me inclinei para beijá-lo também, com mais força; então resolvi partir para a ação, sugando-o como um picolé. Ele reagiu, com a respiração entrecortada e amarga pelas preocupações do dia, enfiando a mão entre minhas pernas, sem se deter acima da cintura como em geral se faz. Desabotoou minha calça e me fez gozar assim que seus dedos entraram em mim, sem nem tirar a calcinha, só afastando-a de maneira bruta. Eu nunca havia gozado tão rápido, nem mesmo sozinha. Abri sua braguilha e agarrei seu pau violentamente, ainda ofegando. Fiz minha mão deslizar para cima e para baixo. Nunca havia feito aquilo de maneira tão ríspida, mas o resultado foi instantâneo, sujando sua calça e o banco. Uma gota chegou a atingir o volante, parecendo orvalho. Ele soltou um grito lancinante, como se tivesse sentado em estilhaços de alguma coisa, depois uma série de grunhidos roucos, antes de tirar seus dedos de dentro de mim com tanta força que até gritei. Tremi. Abotoei minha calça enquanto ele me olhava e fechava o zíper. Virei o rosto para ele com um sorriso acanhado — sexo rápido e gostoso, pensei —, mas Gabriel me olhava fixamente como se estivesse com medo, com um olhar de puro terror, como se não lembrasse mais quem eu era, ou lembrasse e não conseguisse acreditar.

MAIS TARDE

Eu estava sentada num canto da cama, encolhida como um animal aflito pela primeira vez em cativeiro, quando o telefone tocou.

— Alô? — disse o animal.

— Hum, a ligação cortou — Douglas disse. — Sou eu.

— Quê?

— Douglas — ele falou. — A ligação cortou. O carro?

— Quê?

— Alô?

— Douglas?

— Natasha?

— Não — falei. — Flannery. A ligação não cortou. Do que está falando? Que carro?

Ele suspirou.

— Sobre trazer o carro para Roewer. Vamos lá, Flan. Acorda.

— Douglas, para quem você está tentando ligar? Aqui é a Flan.

— Eu sei — ele respondeu, então ficou quieto.

— Douglas?

— Estou falando do carro! — ele vociferou. — Da merda do carro!

Olhei para o telefone, tentando entender o que estava acontecendo.

— O carro da V.? — perguntei, vacilante.

— Ah, pelo amor... — Douglas desligou. Na minha cara. Olhei para o relógio e vi que eram quatro da manhã. Quê? Observei fixamente o telefone por alguns minutos, pensando que em breve tudo ia se encaixar. Fiquei ali esperando, então tive que descer a escada correndo, porque alguém estava batendo à porta, tarde da noite. Parecia uma passagem de um poema ou um episódio secreto dos primórdios da história americana: "Aqueles malditos ingleses! Espere um minuto enquanto pego meus sapatos para ir atirar chá no porto".

— Preciso falar com você — Natasha anunciou, soltando vapor no ar das quatro da manhã.

— Você sabe que horas são?

— Não — ela respondeu com olhar vazio, sacudindo a cabeça. — Vem pro carro.

— Espera, vou pegar meus sapatos — falei, mas quando olhei para baixo já estava calçada. — O que foi?

— Considere isso outra reunião — ela disse enquanto eu afivelava o cinto de segurança.

— Não aguento mais reuniões — resmunguei.

— Você precisa encarar isso. — Natasha deu meia-volta e o céu girou. — Está perdendo o controle e... quer um cigarro?

— Não. Alguma vez na vida pedi um? Por que, do nada, todo mundo começou a fumar?

— Acho que estão todos um pouco tensos — Natasha respondeu, abrindo um sorriso malicioso. O zoológico, fechado, passou correndo pela janela. Percebi que estávamos indo em direção à praia. O céu cinzento fazia meus olhos pulsarem. A porta de Natasha abriu antes mesmo que ela reduzisse a velocidade e fechou com o carro ainda em movimento. Ela já estava na praia enquanto eu ainda tentava soltar o cinto.

Eu arfava na areia.

— Que ótimo passar um tempo com você — eu disse quando a alcancei. Estávamos na beira do mar. Seus olhos estavam tão longe que ela provavelmente estava esquadrinhando o Japão. — Natasha? — Ela não disse nada, apenas bateu a cinza sobre a espuma. Estaria brava? E eu? — Tentei te ligar ontem — falei. — Ninguém atendeu.

— Arranquei o telefone da parede e atirei pela janela. — ela disse com um sorriso doce, como se estivesse contando de um chilique de infância.

— Você não fez isso.

Ela me encarou.

— Quando cheguei em casa, arranquei o telefone da parede e o atirei pela janela. Ao sair hoje cedo, pisei nos pedacinhos dele.

— Fiz exatamente a mesma coisa quando fiquei supercansada de um CD e atirei o rádio pela janela — comentei, com minha voz sumindo ao ver Natasha caminhando zangada pela praia. Em direção ao Canadá. Uma vez, acho que ano passado, numa festa na casa de V., me lembro de ter seguido alguém até o jardim no escuro, vendo o rosto da pessoa tremeluzir à luz que vinha de dentro. Não lembro quem era. Agora sigo Natasha.

— Por que você atirou o telefone pela janela? — falei, ao alcançá-la outra vez. — Além do óbvio?

— Não queria falar com você — ela respondeu baixinho. As ondas rastejavam em nossa direção. Os tentáculos pálidos da manhã tingiam tudo de um cinza sobrenatural. Sob meus pés, se esgueirando pelos meus sapatos, havia aquilo que restava das rochas, mesmo as mais grandiosas, quando elas tentavam enfrentar o mar. Em algum lugar da minha cabeça havia algo que eu não lembrava, e que fazia Natasha olhar brava para o mar, como se não conseguisse enxergar o navio que estava esperando. Era como se dentro da minha cabeça houvesse uma ostra com uma pérola, preciosa e desejada. No entanto, para consegui-la, era preciso matar a ostra.

— Natasha — falei —, *por favor.*

Ela piscou e suspirou, incrédula. Então virou o rosto para o meu.

— Por favor o quê? — perguntou.

— Por favor, me diz o que está acontecendo — pedi. — Todo mundo está tão *esquisito*. Aconteceu algo na festa, é isso? Alguém roubou o carro da V., ou... Não lembro.

— Você está mentindo... — ela disse.

— Não lembro — falei. A verdade se escondia em mim como um peixe cauteloso, suspeitando que qualquer sombra é uma rede que vai capturá-lo e trazê-lo à luz. Estou escrevendo uns poemas bem bons aqui.

— Bom — ela disse. — Lembra aquele garoto de quem você era a fim? O que conduzia o coral?

Pisquei. O mundo escuro se abria e fechava como uma câmera.

— Adam — falei. — Claro que lembro. Não bati a cabeça, Natasha. Só não lembro da festa. Tem a ver com ele? — Lembrei que Adam não tinha aparecido na escola. Sua ausência no coral era gritante como um dente perdido. — Tem alguma coisa a ver com o sumiço dele? Sabemos onde está?

Ela bufou.

— Podemos dizer que sim.

— Natasha, *onde*...

— Adam está morto — ela disse, então chutou uma alga como se fosse tão simples quanto aquilo.

— Oi?

Natasha olhou para mim.

— Que foi? Não me ouviu?

— É que...

— Ou a frase foi complexa demais para você? — ela perguntou.

— Quem...? Como...?

— Ele está morto. Morto, morto, morto, morto, morto.

— *Para* — falei, cobrindo os olhos.

— Não chora — ela disse. — Eu sabia que você lembrava. Adam está morto e isso não vai mudar nunca, desde agora até o momento em que *nós* morrermos, e mesmo depois disso. Então nem começa a chorar feito a V., ou juro por Deus que vou te jogar para as águas-vivas.

— Não acredito nisso.

— No quê? Que todos nós sabemos?

— Quando isso...? Como...?

— Lembra aquela parte da festa que você *não consegue lembrar*? — ela perguntou, com o sarcasmo cruel de uma vilã de novela. — Foi aí que aconteceu. Foi aí que você...

Soltei um grito escancarado e curto, como um animal subitamente abatido e morto. Eu não o ouvi, por isso não sei precisar o volume do som, mas minha garganta queimou feito o primeiro gole de um destilado direto da garrafa do seu pai quando você ainda nem tem nove anos. Cala a boca, Tert. Senti o gosto de sangue e percebi que havia mordido meu próprio dedo, rasgando a pele enquanto tentava reprimir o resto do grito.

Natasha me olhou como se eu fosse um animal à beira da estrada arfando e coberto de sangue. Algo que você não sabe se deve ajudar, matar ou deixar lá.

— Foi aí que você me viu fazer aquilo — ela disse, terminando a frase com hesitação. — Fui *eu* quem fiz. A coisa que você não lembra. *Eu* fiz aquilo, Flan. Por isso que tive que esconder o vestido. Estava coberto de... bom, agora você lembra, né? Flan?

Olhei para ela. A veracidade da sua história parecia um sapato emprestado. Talvez grande demais e com um formato ligeiramente diferente do meu pé, mas usável, conveniente.

— Não — respondi. — Não lembro.

— Mas é a verdade — ela disse, expirando com solenidade. Meu dedo ardia e tremia. Ela apontou para meu sangue na areia. — Eu matei Adam, Flan. E agora precisamos agir rápido, porque, bom...

— Você não quer ser apanhada — falei. Três gotas de sangue formavam uma fila desleixada sobre a areia molhada em frente a mim, como três pequenos pires escarlates.

— Exatamente — ela disse, com os olhos brilhando aliviados. Natasha falava mais rápido agora, como se tivesse tomado uma decisão. — O carro da V. não foi *roubado*, não de verdade. Só estamos *dizendo* que foi.

— Adam está no porta-malas? — perguntei. — Foi isso que Douglas quis dizer com...

— Não é o que você está pensando.

Pisquei.

— Como não?

Ela piscou.

— Tá. *É* o que você está pensando. — Nós duas demos uma risadinha nervosa. — É *exatamente* isso. Nós... bom, eu não. Estava me livrando do vestido. Mas colocaram Adam no porta-malas, então Douglas e V. levaram o carro dela para...

— Por que você precisou se livrar do seu vestido? — perguntei.

— Tinha... — Ela fez como se estivesse limpando as mãos num avental. — Nele *todo*. Em *mim*. Quer dizer, era...

— Uma *prova* — falei.

— *Nojento* — ela concluiu. — Bom, eles dirigiram até um bairro barra-pesada e...

— Mas vão achar o carro. Não entendo — falei. Minha incapacidade de lembrar servia como uma proteção acolchoada, por isso eu conseguia falar das coisas como se elas ainda não tivessem acontecido, como se aquilo fosse um filme. O que agora é. — Por que colocaram o corp... Adam, sei lá, no porta-malas? Vão achar o carro da V. e vão...

— É por isso que estou falando com você — ela explicou. — Precisamos pensar em alguma coisa, Flan. Quando vimos que você estava surtando...

— Eu não estava *surtando* — falei.

— Precisamos de *todo mundo* nisso — Natasha afirmou. — Kate está organizando tudo, claro, e é... bom, eu não devia reclamar. Os outros querem que você fique fora disso, mas...

— *Eu?*

Natasha mordeu o lábio.

— Você não percebe, Flan? A gente não devia ter feito isso do carro. Quando o encontrarem vão...

— Por que vocês colocaram o corpo no carro, em primeiro lugar?

— Foi preciso — ela disse, na defensiva. — A festa ainda estava rolando quando você apareceu correndo, gritando e ensanguentada...

— Eu?

— É — Natasha respondeu. — Você me viu, e imagino que um pouco do... bom, de qualquer jeito, terminamos com a festa e tivemos que nos livrar do... Você sabe, por precaução.

— E agora ele está no porta-malas do carro da V. num bairro barra-pesada.

— Não mais — ela respondeu. — Douglas e eu levamos o carro para o estacionamento dos alunos.

— Vocês ficaram loucos? — perguntei, incrédula.

Natasha fez um gesto de "mais ou menos".

— Na verdade, há um raciocínio por trás disso. — Ela olhou para meu dedo e então para a areia. — Está doendo?

— Sabe, por mais estranho que pareça, não consigo me concentrar no machucado do meu dedo desde que subitamente constatei o fato de que todos nós vamos para a *cadeia*! — falei. O pânico corria por cada mecha do meu cabelo; ele devia estar todo arrepiado. Estendi os braços. — O que vamos fazer?

— Alguma coisa — Natasha respondeu instintivamente, e então olhou para mim. — Escuta, se eles encontrassem o carro da V. em algum bairro, teriam suspeitado na hora de nós. Se a... morte de Adam...

— Assassinato — corrigi. — Você *matou* Adam, Natasha.

Sua linda mão repetiu o gesto de mais ou menos.

— Isso não importa. A questão é que agora o carro vai ser encontrado em Roewer, por isso *todo mundo* é suspeito. Não apenas você.

— Eu? — Pisquei e senti a bala entrando no tambor, a arma sendo recarregada, ou o que quer que seja. Enfim, as coisas começaram a se encaixar. Eu me enxerguei com clareza, uma mulher desprezada, bêbada e furiosa numa festa. Um escritor inglês famoso disse uma vez: "O Inferno não conhece fúria como a de uma mulher rejeitada", ou algo do tipo.

— Quis dizer, não apenas eu — Natasha emendou rapidamente. — Não se preocupe. Como Kate diria: vamos conseguir.

— Eles vão suspeitar de *mim*!

Ela enrolou uma mecha de cabelo no dedo.

— Não com o carro em Roewer — Natasha garantiu baixinho. — Agora *qualquer um* poderia ter feito. Se todos trabalharmos em equipe...

— Natasha, por que você... *Como pôde?* Desculpa, mas não acho que um *bando de alunos do ensino médio* possa...

— Mas é preciso... — ela disse, então parou de andar e me encarou, apertando os olhos. — Eu faria o mesmo por você.

— Como sabe?

— Porque já fiz no caso das drosófilas.

— Ah, sim — falei. — É a mesma coisa.

— Eu faria isso por você — ela repetiu.

— Como sabe? Como pode dizer isso?

— Acredita em mim — ela disse. — Por favor.

À medida que o sol se erguia, a praia ficava cada vez mais feia. O que, no escuro enevoado, pareciam ser pedras eram caixas de isopor. Cocô de cachorro e algas preguiçosas salpicavam a paisagem como camisinhas usadas. O barulho do trânsito atingia seu auge, rivalizando sem esforço com o mar. Por toda a parte havia cacos de vidro.

— Natasha, por que você fez isso?

— Ele é um babaca — ela respondeu. — *Era*. Não sei. Regra de Baker e tal.

— Você sabe que o sr. Baker estava falando de *matemática*, né?

— Sei lá — Natasha disse. Eu quase conseguia vê-la em todos os detalhes. Tão clara como o sol. Quanto tempo fazia que estávamos ali? Depois da praia havia o mar, que ondulava indiferente, e então nada. Com as nuvens tão baixas, não se via coisa nenhuma. A neblina escondia qualquer barco ou ilha, de modo que nem o horizonte era visível, apenas o mar vazando num infinito vaporoso.

— Nossas vidas acabaram — falei. Alguma coisa na minha cabeça emergiu, ameaçando explodir como um vulcão ativo. Todos os meus amigos, minha melhor amiga e eu estávamos incrivelmente ferrados. — Nossas vidas...

— Eu ouvi — ela falou baixinho. — Você vai me ajudar?

Natasha havia se aproximado tanto de mim que, quando olhei para ela, vi a textura do seu batom, um pouco rachado depois de tanto falar. Ela parecia vulnerável.

— *Ah, não* — respondi ironicamente, reduzindo a questão à piada que sempre nos fazia rir. A água suja se espichava, quase alcançando meu pé. As gotas de sangue foram levadas pelo mar como em um momento simbólico em que só escritores são sensíveis. *A que* só escritores são sensíveis.

Quarta-feira, 3 de novembro

Eu estava enrolada numa toalha, pingando ao abrir uma gaveta, quando aquilo me atingiu — um acúmulo preto de memória, uma pequena bolha aveludada e carbonácea, estendida sobre os limites do meu crânio, amassada e emburrada. Tudo o que tinha esquecido permanecia enovelado atrás dos meus olhos, impermeável e sensível ao toque, como uma bolinha de gude feita de verdade fria. Já tomei quatro aspirinas.

Na gaveta, encontrei a blusinha branca com a flor. Na festa, Natasha estava vestida como eu, lembra? "Queria uma roupa *básica*", ela dissera. "Pra usar com ironia. Já que é Halloween." Ali estava a blusinha, perfeitamente limpa, de um branco ofuscante. Se Natasha estava vestindo minha camiseta, por que tinha queimado o vestido? Eu não tinha dúvida de que pagaríamos por aquilo mais tarde.

Eu já estava atrasada, mas decidi procurar a lixa de unha para devolver a Natasha. Pensei comigo mesma que deveria reconstituir o quebra-cabeça da melhor maneira possível e devolver tudo ao seu devido lugar. Um tumor pulsou na minha cabeça enquanto eu revirava as almofadas do sofá e espiava debaixo das mesas. Nada da lixa. Não estava ali. Você lembra dela, né? Aquela com uma garra em cada ponta, uma tocando um sininho na minha cabeça e a outra estendida no invisível, no inalterável. *Merda, o ônibus!*

Millie e Jennifer Rose Milton também estavam atrasadas. Millie se maquiava pelo retrovisor num farol vermelho onde eu me encontrava parada, tremendo.

— Entra, entra — ela gritou, mas Jenn me fuzilou com os olhos.

— Não quero interromper nada — falei cautelosa. Jenn continuou me olhando, com os lábios contraídos e crispados. Isso mesmo: contraídos *e* crispados.

— Fique tranquila, estamos meio atordoadas — Millie respondeu. — Me esqueci de colocar o despertador. Não sei o que me deu. Nem na Jenn-Jenn, aliás. Eu a encontrei dormindo no *chão* do quarto, com as roupas de ontem.

— Com as *roupas de ontem*? — perguntei, falsamente chocada. — E eu que achava que você fazia atualizações diárias no que diz respeito a moda, Jenn.

Millie morreu de rir. Até a pequena Jenn-Jenn soltou um grunhido e revirou os olhos para mim.

— Ai, Flan — Millie disse, tampando seu batom com um ligeiro clique. — Não é à toa que você é uma escritora. Tem sempre uma tirada na ponta da língua.

— Bom... — Eu não sabia o que dizer.

— Ah, tentei falar a respeito com Jenn-Jenn, mas ela anda tão *sensível* — Millie falou descontraída, mas vi seus olhos encontrarem os da filha no espelhinho. — Precisamos escolher uma ópera nova. Você tem alguma preferência entre *Tosca* e *Fausto*? É difícil escolher entre um assassinato e o próprio Diabo, né?

Minha nossa. Não é possível que isto seja real.

— Flan?

— Hum...?

— Merda! — Millie exclamou, enfiando o pé no freio. Nós três fomos jogadas para a frente. O trânsito estava parado em frente à escola. Por algum motivo, o estacionamento dos alunos havia sido bloqueado. Seguranças acenavam inutilmente para as pessoas se afastarem.

— O que é isso? — Millie perguntou. — Está lotado outra

vez? Não podemos parar no estacionamento dos alunos... O que esperam que a gente faça? Isso vai dar confusão.

Estávamos avançando aos poucos rumo à entrada do estacionamento dos alunos. Havia uma pequena multidão reunida ali, a maior parte de estudantes, com alguns professores impacientes tentando liberar o caminho. O que estava acontecendo? Os seguranças ainda agitavam os braços enquanto os carros tentavam mudar de pista ou fazer o retorno. De repente, uma luz vermelha piscante brilhou na minha cara, indicando PERIGO e explicando o engarrafamento. Chegamos mais perto. Policiais nos deixaram passar, com os olhos semicerrados pelo sol e o maxilar fixo expressando autoridade. De vez em quando eles gritavam algo inaudível, mas dava para saber o que era — porque é sempre a mesma coisa: "Circulando, circulando"; "Houve um problema"; "Os policiais já chegaram"; "Os culpados serão enforcados".

Jennifer Rose Milton e eu trocamos um olhar. Meu estômago afundou como se estivesse sob uma bigorna de desenho animado.

— Talvez devêssemos sair do carro — ela sugeriu, hesitante.

— É — Millie respondeu, olhando pelo retrovisor distraída. Fitas de isolamento estavam sendo desenroladas e esticadas em volta de postes e árvores como se uma pipa gigantesca tivesse se enroscado na escola.

Jennifer Rose Milton abriu a porta e acertou com tudo o peito de V.

— Ui! — ela gritou, segurando a barriga. — Presta atenção!

— Desculpa.

— Tá, mas presta atenção.

— Ela já pediu desculpa — comentei, ainda abismada que alguém tivesse realmente gritado "Ui", como se estivesse numa história em quadrinhos.

— Vai se foder — V. falou, olhando para os policiais. Pelo jeito não se tratava de uma história em quadrinhos, mas da realidade. Se fosse o primeiro caso, V. teria soltado uma fileira de asteriscos e pontos de exclamação.

— V. — Millie gritou, horrorizada.

— É brincadeira — V. emendou, pouco convincente. — Desculpa, Millie. Encontraram meu carro, que tinha sido roubado.

— Roubado? — Millie se admirou. — Aquele carro maravilhoso? Que horror. Você não me contou nada disso, Jenn-Jenn.

— O carro da V. foi roubado — Jennifer Rose Milton repetiu roboticamente.

— Mas *agora* está no estacionamento dos alunos — V. prosseguiu, com os olhos escuros cravados em mim.

— Como assim? — Um carro atrás de nós buzinou. — Corram pra orientação, falamos disso mais tarde. Preciso achar um lugar para estacionar, de preferência em um raio de dez quilômetros. Ah, V., você tem alguma preferência para nossa próxima ópera? Pensamos em *Tosca* e *Fausto*. Fica difícil escolher entre um assassinato e o próprio Diabo, né?

— Não sei — V. respondeu. — Tanto faz.

Foooom. Circulando, Millie.

— Tá — ela respondeu, olhando V. de um jeito estranho. — Mas que bom que acharam seu carro.

FOOOM. Caminhamos até a calçada enquanto Millie partia.

— Flan? — V. perguntou com estudada casualidade. — Se importa em explicar o que meu carro está fazendo no estacionamento dos alunos?

Eu estava tentando me lembrar do que Douglas dissera.

— Douglas e Natasha o trouxeram.

— Por quê? — Jennifer Rose Milton questionou.

— Pergunta pra eles — rebati. Por que a culpa era sempre minha? Dentro da escola estava um verdadeiro pandemônio. Adolescentes gritavam descontrolados, enquanto professores agitavam as mãos e alto-falantes chiavam. Um armário abriu violentamente, deixando o que guardava cair: livros, trabalhos, fotografias, tudo foi pisoteado pelos tênis dos alunos. Alguns choravam, outros berravam; de repente, uma pessoa desesperada com as mãos no rosto surgiu na multidão, se tornando o centro das atenções. Mokie, com os óculos tortos no rosto, empurrava violentamente as pessoas para abrir caminho, afastando-as como se fossem roupas de tamanho errado bagunçando a arara. Ele chegou até aquela pessoa e a agarrou. As mãos dela o estapearam, duas garrinhas perversas feito as da lixa de Natasha. Mokie a segurou pelos ombros e começou a empurrá-la como um carrinho de supermercado; quando ela virou, vi que era Rachel State. Seus olhos pintados estavam arregalados de modo que parecia um guaxinim; seu rosto estava manchado por toda a maquiagem gótica que se desfazia com a notícia da morte do irmão; sua boca parecia escancarada num uivo abafado. O vice-diretor a arrastou até seu escritório e fechou a porta atrás deles.

— Devem ter aberto o porta-malas — falei, e Jennifer Rose Milton me fuzilou com os olhos, colocando o indicador sobre os lábios. Subimos custosamente a escada, onde a algazarra era mais silenciosa e organizada. Aglomerados de alunos sentavam no chão em círculo, encostados nos armários. Algumas das meninas mais novas choravam, mas a maioria das pessoas conversava, passando as migalhas de fofoca para a frente em vozinhas irritantes. Era como eu imaginava que seria o cérebro de Kate.

Bem naquela hora, ela subiu correndo até nós, com Douglas galopando lívido atrás dela.

— Aí está *você* — ela me disse. — Douglas acabou de me contar que foi tudo ideia *sua*.

— Quê?

— Trazer o carro — ela disse. — Por que não o deixaram no bairro barra-pesada?

— Natasha...

— Não importa — Kate falou. — Isso vai acelerar as coisas.

— Do que está falando? — Douglas perguntou. — Você está ficando maluca, Kate. Igualzinho a Flan. Estamos completamente fodidos.

Eu me perguntei o que havia acontecido a todas aquelas palavras sofisticadas que costumávamos usar. Tínhamos nos transformado em selvagens.

— Não — Kate replicou. — Você esqueceu Ron Piper. Ele viu Adam no ponto de ônibus. No cruzamento da Califórnia com a Styx. Não interessa se parecemos suspeitos, ele pode confirmar nossa inocência.

— A Califórnia e a Styx são ruas paralelas — Douglas comentou.

— Não são, não — Jennifer Rose Milton rebateu.

— Claro que são — Douglas disse. — Pensa um pouco.

— Pensa você.

— Não interessa — Kate interveio. — A questão é que estamos seguros.

— Não tenho certeza se o depoimento de Ron vai bastar. — Jennifer Rose Milton engoliu em seco, franzindo o rosto pálido. — *Maman* disse ter ouvido que ele foi a última pessoa a ver o Adam, os professores também estão fofocando por aí, mas isso não o coloca acima de qualquer suspeita. Ao contrário: torna o cara o *principal* suspeito. *Maman* me perguntou se eu achava que ele tinha alguma coisa a ver com isso. Respondi que não, óbvio, mas ela só falou que era estranho Ron estar numa festa cheia de meninos adolescentes...

— Isso é absurdo — Kate retrucou. — Não era uma "festa cheia de meninos adolescentes".

— Ela me disse que, de qualquer forma, achava que o Ron tinha ficado próximo demais da gente com o passar dos anos — Jennifer Rose Milton insistiu —, e que agora parecia que estava *envolvido*. Acha que o conselho se arriscou ao contratar um professor gay... Ele não vai ser tão inatacável. É essa a palavra? Ou inalcançável... Bom, Ron não vai ser tão *útil* como testemunha como gostaríamos. Ainda mais agora que o carro da V....

— POR QUE VOCÊ TROUXE MEU CARRO? — V. gritou. — É isso que eu quero saber, Flan. *Por que você...*

— Não fui eu — respondi. — Foi...

— Ah, *por favor* — V. respondeu, indignada. Kate sacudia a cabeça negativamente para V. e me observava com atenção.

— Como você pegou a chave? — Jennifer Rose Milton perguntou.

— *Por favor* — V. repetiu. — Do mesmo jeito que pegou os óculos de Lily, o chapéu de Douglas e minha echarpe!

— Shhh — fez Kate. — Isso não ajuda em nada, V.

— Ou o canivete de Gabriel — V. gritou. — E seu suéter, Kate!

— V.!

— Como isso foi acontecer? — V. perguntou, baixando a voz subitamente. Ela mordia o lábio inferior; eu estava tão perto que podia ver todas as marcas que deixava, como pequenas pegadas de astronautas, minúsculos entalhes estrangeiros reivindicando a Lua para sempre. Nunca mais seríamos como antes.

— Chega — Kate disse. — Depois falamos disso.

— Não — Douglas falou. — V. tem razão. Flan, quero que *você* diga a Kate, neste instante, o motivo que me deu para trazer o carro.

Fiquei ali, imóvel. Uma vez mais, precisava explicar alguma coisa. Uma vez mais, a máquina que eu estava conduzindo, com os belos vagões do que tinha acontecido, havia submergido em silêncio na água escura que gorgolejava na minha cabeça, e o câncer zumbia no meu crânio como um eletrodoméstico. Os objetos de cena não paravam de se mover, se revirando como pessoas dormindo: a blusinha branca limpa na minha gaveta hoje cedo, a lixa perdida, todos os itens da última prateleira repentinamente à vista de todos. Nos meus sonhos, um jogo incompleto de croqué se estendia no gramado à minha frente, próximo a uma pequena fileira de dentes cobertos de sangue e oito pérolas reluzentes. Eu tinha as pistas, mas não conseguia resolver o mistério.

— Eu não sei — falei, enfim.

— Chega — Kate repetiu, como se não esperasse nada mesmo. — Vai ter uma assembleia com toda a escola, e acho que devemos estar lá pra ouvir o que descobriram.

— *Sabemos* o que descobriram — reagiu Douglas, mas Kate sacudiu a cabeça mais uma vez.

— Vamos conseguir — ela disse.

O auditório estava muito além de superlotado, e os professores, sobrecarregados, tentavam controlar todo mundo. Trombei com Natasha, de forma bastante violenta.

— Presta atenção! — ela disse, mesmo depois de perceber que era eu. Kate, Douglas, V. e Jennifer Rose Milton vinham logo atrás, mas de repente os gêmeos incrivelmente gordos que estão sempre de moletom se meteram entre nós, então Natasha e eu sentamos separadas deles. Estiquei o pescoço para tentar encontrar os outros membros do Clube, mas quase imediatamente as luzes baixaram, aumentando a histeria no auditório.

Mokie subiu ao palco. Seus óculos continuavam tortos em seu rosto e ele ainda era um idiota, mas agora o pânico emanava de seu corpo como o vapor que se desprendia do lago Merced pela manhã.

— Crianças — ele disse no microfone, e certo furor de indignação se espalhou. — *Alunos* — Mokie se corrigiu às pressas.

— Convocamos esta assembleia com toda a escola para dar fim a certos boatos que circularam nesta manhã, segundo os quais algo terrível teria acontecido. Algo terrível *aconteceu*. Como vocês sabem... — Mokie tossiu e olhou para fora do palco, assentindo em seguida. — O diretor Bodin vai fazer um anúncio importante agora.

Bodin foi andando até o centro do palco, parecendo um pato. Seu blazer azul-claro estava abotoado e suas mãos repousavam nos quadris. Sabe-se lá por que, ouviram-se alguns aplausos isolados.

— Olá — ele disse. — Estão todos aqui?

— Não — Natasha resmungou.

— Infelizmente — Bodin comunicou —, acho que tivemos o que eu chamaria de uma *péssima* notícia. *Todos* podemos chamar assim. Uma tragédia aconteceu. Lamento ter que fazer esse terrível anúncio. Por isso organizamos uma assembleia com toda a escola, para que possamos nos unir como uma comunidade — ele engoliu em seco e manteve o punho fechado sobre o tórax —, como fizemos no passado e continuaremos a fazer.

Foi aí que todo mundo soube que o rumor que estava circulando pela escola era verdadeiro: alguém tinha morrido. E algumas pessoas sabiam de quem se tratava. O choro emergiu das massas; instintivamente, os professores mais bravos levantaram e começaram a subir e descer pelos corredores, agitando os braços horizontalmente para fazer todos se calarem.

— É verdade — Bodin disse, cabisbaixo. — Para falar mais sobre isso, ficamos muito felizes de receber a dra. Eleanor Tert. Vocês já a conhecem de seu trabalho com o questionário geral, e alguns ainda tiveram a honra de ser entrevistados individualmente. Sem mais delongas, vamos recebê-la... — Bodin fez um gesto incompreensível em nossa direção, como se estivesse jogando migalhas na gente.

A cortina se abriu um pouco, como num talk show. O zum-zum do auditório parecia um rufar de tambores. Todos bateram palmas. Em seguida, lá estava ela.

Olá, crianças. Da última vez que estive aqui, foi para contar a vocês uma história: a minha. Espero que alguns de vocês lembrem o relato do meu vício e da minha recuperação. Caso contrário, podem ler meu livro. Mas isso não é importante. Agora estou aqui para contar a vocês outra história.

Hoje, o corpo de Adam State foi encontrado no porta-malas de um carro roubado no estacionamento dos alunos. Ele estava desaparecido fazia quase uma semana, e a polícia me explicou que faz mais ou menos o mesmo tempo que está morto. Também fui informada de que Adam era um dos alunos mais brilhantes de Roewer e tinha um futuro maravilhoso diante de si. Superando certas dependências, ele poderia se tornar uma pessoa incrível, e estamos todos de luto por ele.

Sua morte, porém, não é o que me preocupa. A forma como ele morreu é o mais importante, porque parece ter se tratado de um ritual satânico. Seu corpo foi brutalmente ferido e desfigurado, e havia um talismã decorado com garras enfiado em um de seus olhos. Embora o artefato costume ser usado como lixa de unha, eu e as forças de segurança acreditamos que se trata de um objeto de culto satânico.

Esta semana, um de nossos amigos foi encontrado morto. Se ele foi assassinado aqui em Roewer ou por outra pessoa em outro lugar, não interessa. O que interessa é que Satã penetrou no universo do Colégio Roewer como uma falsa solução para as pressões que vocês sofrem. Eu já tive sua idade e sei pelo que estão passando. Por isso, estou aqui para pedir que se juntem a mim e digam não ao satanismo! Cultos não são a solução! Eu sou! Meu nome é Eleanor Tert, e estou aqui para ajudar todos vocês! Obrigada.

O auditório veio abaixo num fervor evangélico. O batuque dos pés fez o chão tremer e soltou alguns dos chicletes que estavam grudados ali havia anos. As luzes foram acesas de uma só vez. Os professores estavam subindo e descendo os corredores outra vez. Com um grito digno de uma cena de chuveiro num filme de terror, Shannon Colete de Lã levantou e correu até o palco, de onde Tert fez gestos discretos para enxotá-la.

— Por favor! — Shannon implorou. — Por favor! Ele *morreu*! Todo mundo *morre*! Todo mundo *morre*!

Tert voltou para a coxia depois de sofrer para encontrar a abertura da cortina. Uma das orientadoras pedagógicas estava tentando dizer algo no microfone, mas ele desligou com um sonoro "POP!". Ela saiu do palco, mancando devido a um salto quebrado.

— Todo mundo *morre*! — Shannon guinchou, sozinha na frente do auditório. Por que ninguém a ajudava? — Todo mundo *morre*!

Algumas pessoas começaram a dar risinhos metálicos e estridentes, como se tivessem sido arrancados de suas gargantas com um anzol.

Levantei; era hora de dar o fora. Um professor de geometria — o careca com quem Gabriel tinha estudado no segundo ano, talvez chamado Treadmill — tentou bloquear minha passagem pelo corredor, mas simplesmente o contornei.

— Eu estava à sua procura, Flannery Culp. — Quando virei, encontrei Hattie Lewis com seu vestido delirante de retalhos combinando com seus olhos delirantes de retalhos. A assembleia havia terminado; fui andando em direção a Hattie, contra a corrente, enquanto os outros corriam para a aula.

— Sinto muito pelo *Miríade*, de verdade — eu disse. — Sei que eu tenho sido uma péssima editora.

— Não quero falar disso — ela explicou. — Estou preocupada com você. A fofoca que corre entre os professores é que você e seus amigos estão de alguma forma envolvidos nessa história pavorosa entre Adam e o sr. Piper.

— Adam e o sr. Piper? — perguntei.

— Aparentemente havia *alguma coisa* acontecendo ali. — Hattie tremeu. — O sr. Piper sempre me pareceu um pouco suspeito, mas nunca achei... Foi uma decisão arriscada do conselho, sabe?

— Sei — falei. Portas bateram. Eu estava atrasada.

— A pobre mãe do Adam esteve aqui hoje cedo. Está em contato com outros pais que sempre tiveram *preocupações* em relação ao sr. Piper. Eles estão possessos, e não os culpo, é claro. Só espero que a situação não degringole. Flannery, você alguma vez viu o sr. Piper fazer algo que lhe parecesse...

— Não — respondi. — *Nunca.*

De repente me veio à memória uma carona para casa num dia de chuva. Um ensaio que terminou tarde e uma aluna do segundo ano agradecida: eu. Ron jamais tentaria algo do tipo — mesmo que eu fosse um menino. Mas, agora, o que aconteceria com ele? E com a gente? Me peguei chorando.

— Ah, querida — Hattie disse, como se eu tivesse derrubado alguma coisa. Sua mão se estendeu em direção ao meu ombro, mas não o alcançou.

— Quando? — gritei para ela. — *Quando* eu vou saber as coisas? Você sempre disse que isso ia acontecer, mas...

— *Calma* — ela disse, com a mão ainda pairando no ar. Hattie revirou sua bolsa em busca de um lenço de papel. — Assoe — ela disse num tom firme, e eu obedeci. — Logo — Hattie finalmente respondeu. — Mas agora você vai ter alguns dias difíceis à sua frente.

— À minha frente? — gritei.

— Receio que sim. A polícia vai querer falar com vocês. Com certeza não era apropriado convidar o sr. Piper para uma festa. Meu Deus, Flannery, você está tremendo! Está doente ou algo assim?

— Estou com medo — respondi, sentindo meus dentes baterem.

— Do quê? — ela perguntou, de forma suave. — Imagino que esteja em choque, mas tente se controlar. Vai deixar tudo mais fácil. É só dizer à polícia tudo o que você sabe. Quer conversar comigo antes?

— Estou com medo — sussurrei. Sua mão se estendeu na minha direção e finalmente alcançou meu ombro. Expirei como se fosse a primeira vez em meses, então inspirei um ar renovado.

— De conversar comigo? — ela perguntou. — De verdade, Flannery. É um assunto doloroso, claro, mas não é como se você fosse se meter numa encrenca por causa disso.

— Não vou? — perguntei, mordendo o lábio. — Promete?

— Flannery — ela disse, atônita e sorridente. — *Claro que não*, querida. Como pode pensar uma coisa dessas? Não aprendeu, quando era pequena, que os policiais são nossos amigos?

Dei uma risadinha, olhando para o chão imundo.

— E não é como se você estivesse envolvida... — Nossos olhos se encontraram. Com sua sabedoria de professora de inglês, Hattie viu dentro de mim como se olhasse através do fundo de vidro de um barco e observasse todas as criaturas se movendo no fundo arenoso. Predadores temendo ser capturados. Com medo de virar presa. Ela tirou a mão do meu ombro num gesto tão bruto que meu pescoço estalou. Por trás da porta de uma sala de aula, alunos riam baixinho da piada de um professor.

— Ah — ela disse, recuando.

— Sra. Lewis... — falei, tentando dar risada. — Você não entendeu... É só um mal-enten...

— Ah, ah — ela disse, cobrindo o rosto com as mãos.

— Sra. Lewis! — gritei. — *Por favor*. Me deixa...

— Ah, ah, ah. — Ela recuou mais um passo, chorando, depois outro. — Ah, ah, ah — Hatie disse, sílabas perfeitas e bem definidas de tristeza — gramática, moral, escolar, atlética e socialmente corretas.

— Sra.... — eu me ouvi dizer. Os alunos, protegidos atrás das portas fechadas da sala de aula, riam outra vez. O corredor vibrou e Hattie desapareceu, igual a um objeto raro perdido, uma única pérola tilintando escada abaixo eternamente.

E você já sabe o resto. Depois que a polícia fez uma declaração oficial sobre a existência de um culto satânico adolescente, o sr. State e outros homens pegaram seus carros e foram correndo para a casa de Ron quebrar janelas e atear fogo. As câmeras das emissoras de TV chegaram quando o lugar ainda estava em chamas.

— Esse veado de merda matou meu filho — disse o histérico sr. State diante dos microfones, antes que a polícia o prendesse e seu advogado conseguisse soltá-lo. Ninguém apresentou queixa. Ele estava histérico e Ron nem se encontrava em casa. Ele tinha um bom seguro e os cachorros conseguiram fugir para a rua a tempo. Chamas brilharam nas telas dos espectadores, tremeluzindo de vermelho-batom a laranja-cone-de-trânsito e sabe-se lá o que mais, dependendo da qualidade do seu aparelho. Provavelmente passou nessas lojas de eletrônicos em que fileiras e mais fileiras de aparelhos transmitem a mesma cena para que você possa comparar a imagem. Era possível comparar a vermelhidão do rosto do sr. State ou os tons escuros das silhuetas furiosas, agitando os punhos cerrados mesmo enquanto a polícia as levava, assim como o colorido das flores no robe da vizinha. Ele parecia um bom homem. Esse é um bairro tranquilo. Nunca imaginariam que pertencia a um culto. O tom exato de marrom do tailleur que a dra. Tert vestia aquela noite no estúdio enquanto comentava o ocorrido. Os matizes de preto dos escombros carbonizados, fornecendo à apresentadora do telejornal da manhã seguinte um pano de fundo para que crispasse os lábios de maneira desaprovadora mas compreensiva. Um país com sede de justiça, cansado de ver crianças sendo baleadas até em bairros bons, ou esfaqueadas por satanistas e enfiadas num carro roubado. Um pai furioso. Um homossexual notório. Não foi acusado de nada, mas admitiu estar no que ficou conhecido como Festa Fatal. O apelo a um Toque de Recolher Juvenil Nacional. Por que as pessoas não vão mais à igreja. Que consequência terá nas próximas gerações. O que fontes internas dizem. O que os vizinhos dizem. O que dra. Tert diz. Mais a seguir. Estamos interrompendo este programa. Lamentamos informá-los. Estamos ao vivo no local. Ao vivo da escola. Mais a seguir. Mais a seguir. Mais, ele me prometem. Há mais, muito mais a seguir.

Quinta-feira, 4 de novembro

Quando acordei, a televisão continuava ligada e meu pescoço estava duro como um nó de forca. Eu ainda usava as roupas de ontem. Saí aos trancos da poltrona e desliguei o programa matinal, em que apresentadores de rosto limpo tagarelavam em ternos impecáveis. A porta estava batendo. Quer dizer, alguém estava batendo à porta.

— Adorei a roupa — Natasha disse quando abri. — Mas acho que já vi antes. Agora vamos.

Afastei o cantil para que pudesse sentar no banco do passageiro do carro dela. Dei um gole e bati os olhos nas minhas roupas amassadas pelo sono, pensando subitamente na macia blusinha branca com a flor, toda perfeita na minha gaveta.

— Falando em roupas — eu disse —, por que a blusinha branca que você...

Natasha estendeu o braço para pegar o isqueiro sobre o painel.

— Não estávamos falando disso de verdade — ela respondeu.

Certo.

— Aonde estamos indo?

— Pro lago.

Quando chegamos, Kate, Jenn, Douglas e Gabriel já estavam lá, aparentemente com frio e mau humor, enquanto Lily vomitava.

— Oiê — Natasha falou.

— Cala a boca — Douglas resmungou.

— Começamos bem — Jennifer Rose Milton comentou. Dava para ver que havia chorado.

— Qual é o problema? — Kate perguntou.

— Qual é o *problema*?

— Além do óbvio, claro. De tudo.

— Nada. *Maman* e eu brigamos hoje cedo. Ela... Eu não posso...

— Vamos sentar — Kate sugeriu, suave e firmemente. — Não queremos ser vistos numa reunião secreta antes da aula, né? Assim parece algo informal.

Obedecemos. Jenn enxugou seus olhos.

— Kate, não sei se vou conseguir aguentar muito mais. Millie não me deixa em paz, e não sei o que dizer. A gente *nunca* tinha brigado de verdade. — Ela estava chorando. — *Nunca.*

Natasha acendeu um cigarro e passou o maço adiante.

— Então já estava na hora. Podemos começar, Kate?

Kate também acendeu um cigarro; *todo mundo* estava fumando. Até Lily havia limpado a boca para poder acender um, e disse:

— Precisamos esperar V. chegar.

— Aposto que ela não vem — Douglas disse. — Anda bem acabadinha.

— Porque a gente não tá, né?

— Ela vem — Kate rebateu.

Jennifer Rose Milton deu uma longa tragada, ofegando com os soluços e a fumaça.

— O que vai acontecer? — ela perguntou.

— Não dá pra saber — Kate respondeu.

— Isso é verdade — Gabriel disse, sentando perto de mim com um sorriso estranho no rosto. — Quer dizer, só um mês atrás talvez...

— Será que a gente pode guardar o papo furado para quando isso tudo tiver acabado? — Lily perguntou. — Não estou com estômago pra esse tipo de coisa.

— E pra que tipo de coisa está com estômago? — Natasha perguntou.

— *Natasha*... — Douglas vociferou. — Se não fosse por *você*...

— Chega, chega — Kate interveio, batendo as mãos. — Podemos começar?

— Você disse para esperar V. — falei. — E ainda falta Flora.

— Cala a boca! — Gabriel berrou. — Cala a boca! Estamos todos tentando sair dessa confusão, mas você não para de fazer piada.

— Eu não estava fazendo piada — respondi, surpresa.

— Esquece — Kate disse. — Vamos começar.

— Não! — Gabriel exclamou, levantando. — Preciso dizer isso! NINGUÉM NUNCA DISSE! Flan...

— Senta, Gabriel! — Kate mandou. — *E cala a boca.* Nunca vamos conseguir terminar essa reunião se todo mundo ficar fazendo um monte de piada, discutindo, chorando e *vomitando* — ela apontou dramaticamente para Lily. — Então vocês precisam sentar, calar a boca e *me ouvir.*

Natasha abriu a boca e começou a dizer algo, mas Kate a fuzilou com os olhos. Então ela sacudiu a cabeça, pegou seus cigarros e não deu mais um pio.

— Vamos lá — Kate disse. — Até agora acho que as coisas estão indo o melhor possível. Encontraram Adam no carro, claro, mas ninguém veio falar com a gente. Devem ter acreditado no Ron quando ele...

— Não dá pra saber. Sabem o que aconteceu com o Ron, aliás? *Botaram fogo na casa dele* — comentou Douglas.

Kate piscou.

— E daí?

— E daí que acho que pode dar merda pro nosso lado — Douglas respondeu.

— Claro que não — Kate retrucou.

— O que Douglas quer dizer — Jennifer Rose Milton interrompeu com delicadeza — é que Ron talvez não seja uma testemunha tão inatacável, não sei se essa é a palavra, quanto pensávamos. Acho que falei isso ont...

— A casa dele não importa — Kate rebateu. — Quer dizer, é claro que importa para Ron, mas não pra gente. O que deveria importar pra gente... a *única coisa* que deveria importar é...

— V. ainda não está aqui — Lily falou, de repente. — Não devíamos ter começado sem ela.

— Oi — V. disse então, e todos pulamos de susto.

— Hum, oi — Gabriel respondeu. — Senta aqui.

— Tenho algo a dizer — ela anunciou, sentando ao lado de Gabriel. Olhei em volta: Gabriel, V., Douglas, Kate, Lily, Jennifer Rose Milton, Natasha. Lembre disso. Foi assim que nos sentamos. Gabriel, V., Douglas, Kate, Lily, Jenn, Natasha e eu.

— Então diga — Kate retrucou —, porque temos um monte de...

— Quero deixar tudo isso para trás — V. falou.

Todos nos olhamos: Gabriel, V., Douglas, Kate, Lily, Jenn, Natasha e eu. *Quê?*

— Não posso mais continuar com isso. — Ela remexia nas pérolas imaginárias. — Estou acabada, não vale a pena. Seria melhor contar tudo de uma vez e receber o que merecemos ou...

— Acha que receberíamos o que merecemos?

As mãos de V. tremiam.

— Não aguento mais — ela disse. — Vou contar.

— A decisão não é sua — Kate falou.

— Quê? — V. reagiu. — O que você está...? *Não estou suportando*, Kate! Não me obrigue.

— Ela pode fazer o que quiser — Gabriel protestou.

— *Não pode, não* — Kate rebateu.

— Concordo com a Kate — falei.

— Claro que você concorda — Gabriel respondeu, se afastando um pouco de mim, ainda que continuássemos na mesma ordem: Gabriel, V., Douglas, Kate, Lily, Jenn, Natasha e eu.

— Não — insisti. — É sério. Estamos todos metidos nisso e...

— Não, não, não, não, não, não — Lily gritou, colocando as mãos sobre os ouvidos. — NÃO! V. está certa, não podemos continuar com isso. Temos que...

— Vamos conseguir — Kate afirmou. — Todo mundo precisa se acalmar. Não estamos mais fazendo isso só pela Flan. É por *todos* nós. *Todos* estamos...

— Por *mim*? — perguntei, de repente tomada pelo ódio. Tudo estava nas *minhas* costas outra vez, justo agora, no ano mais importante de todos. Todo mundo parecia na *expectativa*. Só *aguardando*. Eu estava cheia daquilo. — Por *mim*?

— *Sim* — Jennifer Rose Milton respondeu, e eu vi que mesmo ela estava furiosa, com sua pele lindamente corada e seus olhos semicerrados, como se tivesse algo na mira. — *Sim*, Flan. Como Gabriel disse, ou *tentou dizer*. Ninguém nunca teve a chance de falar isso. Ninguém pôde simplesmente...

— Vamos conseguir — Kate gritou. Ela estava com aquele olhar de quando você chuta uma porta que nunca vai abrir várias vezes, de quando você escreve cartas e mais cartas para um garoto que nunca vai te amar, nem no dia em que morrer. Nem mesmo aí. — Vamos conseguir!

— *Ninguém aqui* foi capaz de simplesmente dizer o que está acontecendo... — Jennifer Rose Milton prosseguiu.

— Mas por que não dizer? — perguntei. — Por que simplesmente não...

— Anda! — Gabriel vociferou, empurrando meu ombro com força. — Por que você não diz o motivo de estarmos todos aqui, o que exatamente aconteceu? Por que não explica tudo, Flan?

— Tá — respondi. — Vou dizer. Não é nem um pouco difícil. Uma de nós cometeu assassinato. Matou alguém que todos conhecíamos, alguém por quem eu estava apaixonada, espancou o cara até a morte durante uma festa. — Me surpreendi dando uma risadinha, a audácia de tudo me ocorrendo pela primeira vez. A bola de gude preta repleta de líquido na minha cabeça estava explodindo, como se nunca tivesse sido uma bola de gude, e sim uma bolha. Estourava em seu próprio ritmo, no seu tempo. — Não queríamos que ela fosse para a *cadeia*. Nós a *amamos*, e sabemos que pelo menos em parte foi um *acidente*. É por isso que estamos aqui. É isso que vocês queriam ouvir? Estamos todos juntos nisso, e esse é o motivo! Vamos encarar os fatos: Adam State, o bonitão do último ano, membro adjunto do Clube dos Oito, foi morto pela linda Natasha, e agora estamos todos...

— Quem? — Douglas perguntou, piscando.

O mundo virou de cabeça para baixo, e a luz brilhou de um jeito que não era visto fazia muito tempo. Todos os sábados de manhã, há um momento em que o personagem de desenho animado continua correndo até o chão acabar e ele ficar suspenso no ar. Então ele olha para a câmera, desconfiado. Às vezes ele dá um aceno antes que a gravidade assuma o controle, e a piada termina numa nuvem de poeira que emerge do fundo do cânion, com o personagem esmagado em qualquer forma geométrica que o roteirista tenha julgado engraçada. Olhei para meus amigos e uma ilusão simplesmente evaporou. Estavam todos lá. Não havia Natasha. *Nunca houve.* Alguns minutos antes eu estava correndo e, embora não soubesse aonde chegaria, achava que sabia no que estava me movendo, mas agora olhava para os outros e percebia que a piada estava chegando ao ponto final. Ao momento em que você põe fim a tudo. O resto você já sabe — o julgamento, a TV e todas as especulações enfadonhas, revirando pedras que nunca tinham sido notadas, quanto mais usadas como esconderijo — mas um pequeno pedaço da história ainda cabe a mim. A gravidade assumiu o controle e notei que Gabriel estava ali, e V., e Douglas, e Kate, e Lily, e Jennifer Rose Milton. Mas ao lado dela estava outra pessoa. Sempre esteve. O Clube dos Oito sempre havia tido oito membros, e agora Flora Habstat olhava diretamente nos meus olhos. E talvez ainda mais surpreendentemente que isso, ela estava falando.

— Eu vou — ela disse, levantando, e começou a andar na direção da escola.

Do outro lado da rua, em algum campo esportivo, alguém soprava um apito. Fim de jogo.

MAIS TARDE

Você está surpreso? Está mesmo? Como acha que *eu* me sinto? Mesmo agora, folheando o resto desse diário, tentando encontrar algo que mereça ser datilografado para você, ainda estou surpresa. Imagino que, no filme, essa revelação vai ser seguida de uma montagem tendo ao fundo uma música pop: Natasha e eu no café, no cinema, no carro dela, na praia, usando a roupa uma da outra, e finalmente Natasha espancando Adam até a morte enquanto eu observo tudo, agachada atrás de uma árvore, tapando os ouvidos enquanto sangue e dentes eram lançados sobre a grama ao meu lado. "Aaahhhh", os telespectadores vão dizer. "Ela estava sozinha O TEMPO TODO! Fomos enganados. Queremos nosso dinheiro de volta."

Não posso devolver seu dinheiro. Me sinto como você: indignada, abandonada, sem nada em que me apoiar. Todo mundo quer uma amiga com *panache*. Todo mundo quer alguém que a arraste até o espelho e diga: "Está vendo? Kate é mais gorda que você". Eu nunca precisei pedir que viesse; ela sempre já estava lá. Me preparou todos aqueles drinques, me fez dar aqueles goles do cantil para ganhar coragem, sentou e fez planos comigo em torno de lattes durante horas sem-fim. Ela descobria as melhores bandas antes que eu tivesse ouvido falar delas e gravava tudo para que eu pudesse escutar quando andávamos juntas no carro, tarde da noite, com o vento batendo no cabelo. Eu achava que conhecia meus amigos. Mas aprendemos do jeito mais difícil: Natasha dizia que sempre estaria ao meu lado, porém partiu quando eu mais precisava dela. Qualquer pessoa poderia ter cuidado do pequeno corte nas costas depois que Carr tentara arrancar meu sutiã. Mas só Natasha poderia ter tomado as providências para que eu não acabasse sozinha, apenas com uma foto para me fazer companhia: Kate apoiada num dos braços, em vez de sentada no sofá como um ser humano normal, numa pose meio convencida, como se estivesse acima de nós. V. bem ao lado dela, tateando suas pérolas, com uma cara bem melhor que a de todo mundo, graças à maquiagem perfeita — melhor até que a de Natasha, o que não é pouca coisa. Lily e Douglas, aconchegados no sofá, ela entre nós dois — como sempre —, ele parecendo impaciente, louco para continuar a falar com Gabriel e não querendo perder a linha de raciocínio só por causa de uma foto idiota. Gabriel, com suas mãos negras contrastando com o avental branco, espremido na ponta do sofá com ar desconfortável. A linda Jennifer Rose Milton, de pé ao lado do sofá, em uma pose que pareceria muito formal para qualquer pessoa que não fosse tão maravilhosa quanto ela. Estendida toda lânguida abaixo de nós, Natasha, com um longo dedo entre os lábios, piscando para mim. É humilhante vê-la apresentada dessa maneira para todo mundo ver: apenas um tapete branco na parte de baixo de uma fotografia.

Voltar a um diário e editá-lo, encontrando o nome dela escrito em cada página, impossível de ser ignorado, tão permanente... parte meu coração. Não consigo fazer isso. Muita coisa em minha vida foi relida dessa maneira, dramaticamente reinterpretada, sempre me colocando de maneira negativa. É como seguir uma trilha de rastros até concluir que Adam estava destinado a namorar com Kate, e não comigo. É como ver sua letra desleixada num questionário da escola, ampliado e projetado numa parede, as perguntas escritas à máquina ondulando sobre o braço do promotor enquanto ele escolhe as partes favoritas dele e você tem que permanecer em silêncio, por lei. É como a dra. Tert segurando um brinco que roubou de seu armário enquanto fala minuciosamente sobre talismãs. Os gurus de cultos satânicos com frequência reúnem objetos pessoais de seus acólitos para lançarem feitiços contra aqueles que o desobedecerem. A lixa, evidentemente, pertencia a Adam. Quando se escuta a nova explicação, as anteriores se evaporam, intangíveis, até você não lembrar mais por que tinha aquelas coisas no armário, ou quem exatamente pegou o resto do absinto e o misturou à bebida de um professor. É como voltar ao seu armário da escola, abri-lo e jogar tudo no fundo da sua mochila até que ela quase exploda de tão cheia. Em algum momento, todos aqueles objetos em seu armário tiveram algum significado — o livro de matemática que você mal tocou desde que encapou, o cantil reluzente que pegou emprestado da melhor amiga, o livro que nunca devolveu à biblioteca — mas agora eu estava apenas esvaziando meu armário. Agora eram só as coisas que eu ia levar para casa no momento em que deixava a escola pela última vez.

O sr. Dodd e o sr. Baker estavam parados em frente à entrada do Colégio Roewer, ambos fumando e rindo de alguma piada. A mochila pesava em meus ombros, cheia de tudo o que havia no meu armário — achei que era o momento certo para aquilo. Eu estava perplexa pois ainda nem era hora da orientação, mas imagino que o tempo passe devagar quando você não está se divertindo nem um pouco.

— Olá, Flannery — Baker disse. — Vocês se conhecem, Larry?

— Claro — ele respondeu, olhando bem para mim. — Você vai se atrasar para a orientação, querida.

— Poderia dizer o mesmo a você — retruquei. — Mas nem vou para a aula.

Dodd virou para Baker, que revirou os olhos.

— E por que não? — meu orientador perguntou.

Suspirei. Aquilo já estava me cansando.

— Porque *eu*, Flannery Culp, espanquei Adam State até a morte com um taco de croqué, e agora estou indo para casa esperar o que quer que vá acontecer.

— O que está querendo dizer?

Suspirei de novo; Dodd sempre *tão lerdo*.

— Que não sei se vão mandar policiais, ligar pros meus pais, pro diretor, pra dra. Tert ou pra outra pessoa. Até mais.

Eu tinha dado cerca de cinco passos quando a mão de Baker agarrou meu ombro, bem no lugar onde meu namorado Gabriel Gallon havia me empurrado.

— Quê? — perguntei.

— Quê? — ele perguntou.

— Quê? — repeti.

— O que foi aquilo? Você estava falando sério? Isso... é sério, Flan?

Baixei os olhos para o espaço vazio na calçada em frente à entrada da escola. Houve um tempo em que, sempre que eu me envolvia em uma conversa estressante, uma garota deslumbrante chamada Natasha surgia, com as palavras e os gestos certos, pernas lindas e um cantil reluzente. Mas agora havia apenas alunos chegando para o que ela costumava descrever como "um novo dia, a mesma merda". Um deles carregava um som portátil tocando uma música nova de uma banda que eu não conhecia.

— É — respondi. — Acho que *sério* é a palavra certa. Foi o que fiz.

Baker abriu a boca, de repente esquecendo a fórmula mágica para salvar minha vida.

— Você...

— *Você* — falei. — Você me ensinou, sr. Baker. Você sempre disse "Faça alguma coisa". É a sua regra.

Ele piscou. Não sei mesmo como sou capaz de criar frases tão ágeis, claras e impactantes.

— Não era isso que eu queria dizer — Baker balbuciou. — Nem perto disso.

— Bom — falei, dando de ombros. A mochila pesada se ergueu relutante, o rangido das alças de plástico cutucando o gorgolejo na minha cabeça, o som dos pulmões de Adam se enchendo e se expandindo com seu próprio sangue —, agora tanto faz.

Baker recuou um passo. Mais jovens estavam chegando, e não só a Roewer, mas ao mundo todo. O que *você* vai fazer a respeito disso?

— Não foi *nem perto disso* que eu quis dizer — ele repetiu, redundante como só um professor pode ser. Agora, enquanto ia para casa esperar minha vida acabar, poderia refletir sobre como havia desapontado meu professor de cálculo. — Flannery, não foi nem perto...

— Eu sei — respondi. Baixei os olhos para a calçada, e por um segundo o lampejo de um vestido verde-floresta ameaçou aparecer, emergindo da manhã cinzenta feito um fantasma que sai da névoa. Mas não passou disso, e então, ainda com os olhos fixos ali, me ocorreu que eu nem me lembrava do que estava procurando. O que me faltava estava bem ali à minha frente, em algum lugar, mas minha cabeça tinha ido para outro canto, esquecida de mim mesma. O que eu era? O que estava procurando?

— Flannery... — ele falou, e o sinal tocou bem quando encontrei o que estava procurando: o sete de paus.

Epílogo

Olá, meu nome é Eleanor Tert, e sou terapeuta e doutora. Talvez você já tenha lido meus livros ou me visto na TV com minha querida amiga Winnie Moprah, que também é doutora. Através do meu trabalho, tento ajudar as pessoas a encontrar um melhor entendimento de si mesmas e dos outros, e a levar uma vida melhor.

Você acabou de ler o diário de Flannery Culp, a afamada assassina adolescente satanista que levou seu culto, o Clube dos Oito, à notoriedade através do homicídio de Adam State. Na versão apresentada por Flannery, Adam não é retratado de maneira justa, por isso espero que, graças à integridade da mídia, vocês tenham conhecido o *verdadeiro* Adam. Ele era um dos garotos mais populares do Colégio Roewer, e no momento de sua morte se encontrava às portas de um belíssimo futuro*, com a entrada na faculdade e depois uma carreira brilhante e lucrativa, talvez filhos*. Por tudo o que sei de Adam, posso afirmar que ele jamais faria algumas das coisas que Flannery menciona.

Devo também contestar a apresentação feita de mim e do meu trabalho nesse diário, particularmente no primeiro discurso que fiz durante uma assembleia escolar. Tentar me desacreditar por meus antigos vícios é uma grave injustiça; o escritor Edgar Allan Poe, como a própria Flannery nota, bebia absinto e ainda assim é um romancista e contista respeitado nos Estados Unidos e em todo o mundo. O que me encoleriza em particular é que a turma de taquigrafia avançada de Roewer tenha sido instruída, como forma de exercício, a anotar o meu discurso do começo ao fim; Flannery poderia facilmente ter obtido uma cópia da transcrição palavra por palavra em vez de relatá-lo de memória e adaptá-lo ao seu próprio gosto. Não vou nem comentar sua apresentação do meu questionário sem as justificativas e análises estatísticas que precedem e seguem cada ponto. Direi apenas que considero não me dar o direito de me expressar sobre essa questão, o que considero o *outro* grande crime de Flannery. Tal como James Carr, que continua em coma, tenho sido impedida de contar minha versão da história. Para um estudo mais aprofundado do assunto, leia meu livro *Chorando demais para sentir medo*.

Fui convidada a escrever este epílogo para explorar algumas das coisas mais extraordinárias encontradas no que a Winnie Moprah e eu consideramos um dos mais importantes documentos sobre assassinos adolescentes satanistas publicados neste século. Em primeiro lugar, claro, está a questão dos pais de Flannery. David e Barbara Culp são membros respeitáveis de sua comunidade e considerados um modelo por todos que os conhecem. David é radiologista e Barbara dá aula de sistemas de informação, portanto puderam oferecer a Flannery todo o conforto de um lar judeu de classe média-alta em San Francisco. Ambos possuem muitos hobbies e garantem que não tiveram um interesse mais que efêmero pelo ocultismo. Todos acompanhamos de perto a cobertura desse evento e lembraremos sempre seus rostos fúnebres enquanto apoiavam a filha durante o julgamento e compartilhavam de seu sofrimento na intimidade do lar. Tendo se mudado para a Flórida após o veredicto, os Culp pedem que seu paradeiro não seja revelado.

Também é preciso mencionar a igualmente difamada Flora Habstat, que encontrei e aconselhei diversas vezes. Devido ao caráter confidencial da minha profissão, não posso me alongar sobre seu caso, mas basta dizer que ela é linda, atenciosa, inteligente, atraente, criativa e ama a vida. Não há nada em sua personalidade que possa sequer sugerir que seja uma "vaca", e graças a um bom programa de exercícios e a uma dieta equilibrada, tem se mantido magra. Tenho muito orgulho dela e espero que lhe seja permitido contar *sua* versão da história assim que este livro for publicado, talvez na TV.

Por fim, é claro, temos a misteriosa Natasha, a confidente de Flannery. Quem é ela na realidade? Ao pesquisar a vida de Flannery como parte do meu trabalho como consultora criativa para o filme *Clube dos Oito, Clube do Ódio: A história de Flannery Culp*, investiguei sua infância e descobri duas potenciais "Natashas" a quem Flan deve ter desenvolvido extremo apego. Uma é Natasha D. (seu sobrenome foi alterado aqui), uma menina que estudou com Flan no primeiro ano do ensino fundamental. Um auxiliar da Escola de Ensino Fundamental Pocahontas (que se chamava à época Martin Van Buren) lembra que Flan e Natasha D. eram "estranhamente próximas, quase melhores amigas", ao menos pelos primeiros meses do primeiro ano, quando os pais de D. mudaram para o Texas, devido ao trabalho do pai de Natasha. Natasha D., que depois de casada virou Natasha F., afirmou em uma breve entrevista por telefone que não lembra de Flannery e não tem ideia de quem ela é.

A outra, Natasha V., talvez seja uma escolha mais certeira. Ela trabalhou no Acampamento Boyocorpo durante um dos dois verões em que Flan o frequentou, como monitora aprendiz de seu alojamento. Quem sabe que confidências sussurradas ou atividades de outra natureza podem ter se desenrolado durante aquelas noites estreladas? De qualquer modo, Natasha V. é hoje uma lésbica com sérios problemas de autoestima. Pouco tempo depois de minha aparição no programa de Winnie Moprah, ela me procurou em busca de ajuda profissional, e durante uma de nossas primeiras sessões de hipnose essa reveladora conexão veio à tona.

Qualquer que seja sua origem, nunca é demais enfatizar a importância do papel de Natasha. O que ela fez, Flannery fez — o assassinato de Adam, o envenenamento de Carr, o álcool, a insolência em sala de aula —, de modo que suas ações podem ser vistas como uma manifestação imaginária do *lado negro* de Flan. Como uma sombra, Natasha realizou as ações que Flannery não queria admitir. Devemos um agradecimento especial a Flora Habstat por ter revelado tudo antes que mais tragédias ocorressem.

Em conclusão, gostaria de chamar sua atenção a uma passagem do final do diário de Flan: "Mais jovens estavam chegando, e não só a Roewer, mas ao mundo todo. O que *você* vai fazer a respeito disso?". A desesperada pergunta de Flan é obviamente um pedido de ajuda, embora, apesar de todas as cartas que tenha lhe escrito, ela se recuse a me ver mesmo que só por um minuto. É, também, um apelo à ação. De fato, mais e mais jovens estão chegando, e não só a Roewer: escolas de ensino médio por toda a parte relatam superlotações dramáticas. Em resumo, professores e administradores estão ficando cada vez mais sobrecarregados e impossibilitados de lidar com a miríade de problemas que desafiam os adolescentes de hoje acadêmica, atlética e socialmente. Por isso a responsabilidade está nos seus ombros. Em seu extraordinário livro *Qual é o problema dos jovens de hoje? Voltando aos fundamentos da família em um mundo perdido*, Peter Pusher sugere que a resposta se encontra na oração, mas eu gostaria de propor (com todo o respeito a Peter) que nossa solução esteja um passo além: na vigilância moral.

A vigilância moral é uma combinação de diferentes conceitos, cada um necessitando de explicações adicionais. "Moral" porque a sociedade não existe sem isso. Ensine seus filhos — ou os filhos dos outros, caso não tenha — a importância e a diferença do certo e do errado.

Para isso, você precisa armá-los. Além disso, deve ser "vigilante" perante os sinais de satanismo, como o abuso de absinto, ainda que casual. Talvez você precise aplicar meu questionário em seus filhos e interpretá-lo nesse sentido. Ou talvez eu crie um livro de exercícios. Finalmente, você precisa combinar "moral" e "vigilante" (*-ância* é só um sufixo) numa estratégia agressiva para garantir que seus filhos não acabem convivendo com os tantos Clubes dos Oito que estão espalhados neste mundo.

Lembre: o mundo é equivalente ao primeiro semestre do último ano do ensino médio, o mais importante para o futuro de cada jovem. Leia este diário não pela emoção das histórias de crimes reais por que todos nós ansiamos ardentemente em nosso íntimo, mas pela importante lição que nos ensina: Flannery Culp e pessoas como ela não são nem alho nem bugalho, mas seres humanos que vivem e respiram, tão reais como eu. Obrigada.

Vocabulário

EFÊMERO APROFUNDADO RADIOLOGISTA
DIFAMADA MORAL VIGILÂNCIA

Questões para análise

1. A dra. Tert diz: "Tentar me desacreditar por meus antigos vícios é uma grave injustiça". Escreva um parágrafo concordando com essa afirmação e outro discordando dessa afirmação.

2. Quem você considera mais provável como modelo para Natasha: Natasha D. ou Natasha V.?

3. Em seu íntimo, você anseia ardentemente pela emoção das histórias de crimes reais? Por quê? Acha que seria uma pessoa melhor se usasse a estratégia da dra. Tert de "vigilância moral"? Por quê? Acha que a versão de Flannery para a história do Clube dos Oito é correta? Por quê? Acha que a versão da dra. Tert para a história do Clube dos Oito é correta? Por quê? A dra. Tert ao menos estava lá? Por quê? Por quê? Por quê?

4. *–ância* é um sufixo. Cite pelo menos quatro outros sufixos.

Agradecimentos

O autor agradece às seguintes pessoas: Lisa Brown, Louis e Sandra Handler, Rebecca Handler, Kit Reed e Joseph W. Reed, Charlotte Sheedy e Neeti Madan, Ron Berstein e Angela Cheng, e Melissa Jacobs.

ESTA OBRA FOI COMPOSTA PELA VERBA EDITORIAL EM BEMBO E IMPRESSA
PELA GRÁFICA BARTIRA EM OFSETE SOBRE PAPEL PÓLEN SOFT DA SUZANO PAPEL
E CELULOSE PARA A EDITORA SCHWARCZ EM FEVEREIRO DE 2018

A marca FSC® é a garantia de que a madeira utilizada na fabricação do papel deste livro provém de florestas que foram gerenciadas de maneira ambientalmente correta, socialmente justa e economicamente viável, além de outras fontes de origem controlada.